Le journal d'Aurore

Marie Desplechin

Le journal d'Aurore

l'école des loisirs
11, rue de Sèvres, Paris 6ᵉ

Du même auteur à *l'école des loisirs*

Collection Médium

J'envie ceux qui sont dans ton cœur
Satin grenadine
Séraphine

Première publication en trois volumes

Jamais contente

Toujours fâchée

Rien ne va plus

Loi n° 49.956 du 16 juillet 1949 sur les publications destinées à la jeunesse : octobre 2011
Dépôt légal : octobre 2011
Imprimé en France par CPI Bussière à Saint-Amand-Montrond
N° d'édit. : 1. N° d'impr. : 112847/1.

ISBN 978-2-211-20736-2

Jamais contente

À Véronique Gérardin, l'amie,
la buveuse de cafés, la journaliste,
la rédac' chef, et même
la parent d'élèves.

OCTOBRE

La vie du rat-taupe

1er octobre, avant dîner

Tous les gnomes de la planète comptent leurs sous. Le plus grand magicien de tous les temps va passer pour sa quête annuelle. J'ai nommé Harry Potter, le type qui transforme le papier en or massif. Sophie-la-Parfaite, dite aussi Sœur-Cadette-Ingrate, se prépare activement à célébrer. Elle sera la première à acheter le bouquin. La première à le lire. La première à dire qu'il est encore mieux que celui de l'année dernière. Dommage qu'elle entre juste en sixième, elle n'a pas assez de vocabulaire pour se le taper en anglais. Pas grave, Sophie, ce sera pour la rentrée prochaine. Et il sera encore mieux que celui de cette année. Moi, franchement, il faudrait me payer pour que j'aille faire la queue juste pour acheter un bouquin. Surtout un bouquin que tout le monde a lu. Je me demande ce que ma sœur préfère : faire la queue ou lire le livre. Je crois que c'est faire la queue. Si elle aimait lire, on verrait autre chose que *Titeuf* sur son étagère.

Le temps que les gens perdent à lire des livres, ça me tue. C'est le genre de réflexion que je me fais en cours de maths. Il faut que je m'occupe la tête si je ne veux pas devenir dingue. Bref, la question s'est posée à moi entre deux équations, la seule, la vraie, l'unique : pourquoi me pourrir la vie à lire alors que je peux écrire ?

Justement, j'avais un cahier en train de moisir. Un vieux cadeau de l'anniversaire de mes douze ans. L'authentique présent effroyable : une large couverture en carton, un million de pages blanches, et *MON JOURNAL INTIME* marqué dessus, histoire de rendre la chose publique dans le monde entier. Tellement intime que la couverture est fermée par un cadenas ridicule avec clé dorée, le genre de truc qui donne une envie mortelle de lire en cachette.

« Tu vas écrire ton journal et ce sera le début d'une nouvelle vie », voilà ce que je me disais quand la fin de l'heure a sonné. J'ai arrêté de penser. Direct. J'ai ramassé mes affaires et j'ai foncé vers la sortie. La vérité, c'est que je suis faite pour l'action.

1er octobre, après dîner

C'est clair : tout le monde écrit son journal, spécialement les filles, spécialement les filles moyennes. Je le sais. Moi aussi, je passe par le rayon livres en entrant au supermarché. Le plus dingue, c'est que les bouquins sont publiés. Les filles en question ont des prénoms américains impossibles, type feuilleton pour gnomes sur M6 – en version française apparemment on en vendrait moins. Le français est juste la vieille langue déprimante, je regrette mais c'est la conclusion universelle. Passez du rayon livres au rayon films, et là, tapez-vous la tête contre les murs : il y a des types pour en faire des films ! Dans mon intérêt personnel, je ne vois pas pourquoi je lirais les journaux des autres. Moi aussi, j'ai une vie.

Je me demande quel genre de film on peut faire avec une vie où il ne se passe rien. Genre la mienne. Une sorte de documentaire animalier, j'imagine. La vie du rat-taupe sur les plateaux d'Abyssinie. En moins palpitant.

5 octobre

Si quelqu'un n'avait pas remarqué le cadenas qu'il vient d'ouvrir en traître, je rappelle que ceci est mon journal intimement intime. Et que je maudis par avance toute personne qui y jettera les yeux. Qu'elle soit maudite jusqu'à la fin de sa vie, qu'elle ait des allergies, des pellicules et des appareils dentaires à élastiques. Sophie, si c'est toi qui es en train de lire, ferme ce cahier tout de suite !

6 octobre

Je me demande ce que racontent les dingues qui écrivent tous les jours. Il y a des gens qui n'ont vraiment rien à faire de leurs soirées.

7 octobre

Aujourd'hui : rien.

8 octobre

Hier : Rien. Aujourd'hui : rien. Demain : rien de prévu. Des fois, j'aimerais être un rat-taupe. Comparée à la mienne, la vie du rat-taupe est un carrousel enchanté.

9 octobre

Le problème du journal, c'est d'avoir quelque chose à raconter. Il faudrait avertir les débutants : difficile de faire un journal intéressant avec une vie nulle. Je suis l'auteur débutant d'un journal nul. Pourtant, bizarrement, écrire fait du bien. Il ne faut pas que j'en abuse. On sait comment ça se passe. D'abord on essaie, ensuite on s'habitue, et après c'est la galère pour décrocher. Non merci. J'arrête. Inutile de me supplier. C'est tout pour aujourd'hui.

10 octobre

Mme Ancelin m'a attrapée par la manche à la fin du cours de maths pour me demander si Sophie était ma sœur. J'ai d'abord dit non. Puis, comme elle s'étonnait (évidemment, on porte le même nom), j'ai dit oui. Elle aura mis un mois à nous repérer. Pour un prof de maths, ce n'est pas la logique qui l'étouffe. Maintenant qu'Ancelin a percuté, je suppose que tout le collège est au courant. J'ai une sœur en sixième. Oui, les gars, une sœur petite et moche. Vous la reconnaîtrez facilement. Elle a des lunettes et un cartable Titeuf accroché aux omoplates. Je me demande s'ils prennent aussi les parents au collège. Comme ça, on serait tous rassemblés, ce serait la fête. Ce bahut sinistre était le seul endroit sur la planète où j'avais la paix. Eh bien, c'est fini. Maintenant j'ai Sophie. Parfois, je me demande ce qui me retient de mourir.

– Elle est très brillante, a remarqué Ancelin en écarquillant les yeux.

J'ai bien vu qu'elle n'arrivait pas à le croire : d'un côté la tache (moi), de l'autre le génie (Sophie). Cherchez l'erreur.

– Elle a été très malade quand elle était petite, j'ai dit, et je suis sortie dignement de la salle de cours.

Au prochain qui me demande, je réponds qu'on l'a adoptée. Mais personne ne me demandera plus rien. Tout le monde sait. Je suis maudite.

15 octobre

Ma vie est un désert d'ennui. Pour oublier, j'allume la télé et je mange des galettes de riz. Même sur TF1 après 10 heures, les gens sont plus beaux que moi. Ils ont l'air plus contents. Ils ont des vies. En plus, ils passent à la télé. Je me demande si les galettes de riz font grossir. Je me demande si quinze galettes de riz font grossir. Allez… une dernière et au lit !

18 octobre

Trois supermarchés et pas une galette de riz. On m'a coupé les vivres. J'aimerais savoir ce que j'ai fait de mal. Si quelqu'un les achète, c'est bien pour que quelqu'un les mange…

19 octobre

Comme prévu, Sophie a lu *Harry Potter*. Quelqu'un veut une information vraiment intéressante ? Il est encore mieux que celui de l'année dernière. C'est l'avis personnel de Sophie. Argl. Vivement l'année prochaine.

20 octobre

Sonnez carillons, tintez clochettes ! Enfin un événement dans cet océan de platitude… Ma sœur aînée, la grande, la merveilleuse, la presque adulte Jessica va se faire percer la langue ! Enfin, c'est ce qu'elle croit, cette bécasse. Elle l'a annoncé hier, à table, devant toute la sainte famille réunie. Si mon père avait eu un dentier, il l'aurait craché dans ses tomates.

– C'est le plus hygiénique, a-t-elle murmuré.

– Quoi ? a hurlé ma mère.

– À cause de la salive. Ça désinfecte.

C'est là que mon père s'est étranglé. Ma mère s'est levée et lui a tapé dans le dos. Il a toussé, râlé et craché dans ses tomates. Je tiens à préciser que, si mon père n'a pas de dentier, il a un bridge. On en apprend tous les jours.

– Tu tu tu… a bégayé mon père.

C'est fou ce que ça se voit, deux dents qui manquent à la mâchoire supérieure. Le délicat petit rire qui me sautillait dans l'estomac depuis quelques minutes est sorti d'un coup. Je me suis effondrée sur la table en hennissant.

– Fiche le camp ! a crié ma mère.

Le cri est très tendance chez moi, en soirée. Jessica s'est levée de table, tête baissée. Imitation Jeanne d'Arc au bûcher. Tout juste si elle n'a pas croisé les mains dans le dos.

– Pas toi ! Aurore !

C'était trop injuste. Au lieu de m'arrêter de rire, ce qui serait arrivé naturellement au bout d'un moment, toute personne sensée sait qu'on ne peut pas rire plus de vingt minutes d'affilée, je suis repartie à hoqueter. Résultat : j'ai eu très chaud, je suis devenue très rouge, les larmes me sont montées aux yeux (et je crois bien que je me suis mouchée dans mes doigts, c'est moche). Je leur ai fait peur, c'est clair.

– Aurore ! Dans ta chambre ! Tout de suite !

Impossible, chère mère. Je viens de perdre l'usage de mes jambes. Je crois malheureusement que je vais rester collée à cette table jusqu'à ma mort.

– Aurore, a chuinté mon père, chi tu n'obéis pas à ta mère, ch'est moi qui vais te chortir…

La voix de mon père édenté fait des miracles. Alléluia. J'ai retrouvé l'usage de mes jambes. Je me suis traînée vers la porte de la cuisine et je suis sortie. C'est tout. C'est décevant, je sais. Je regrette. Moi aussi, j'aurais bien aimé raconter la suite de cette intéressante conversation familiale. Malheureusement, elle s'est poursuivie sans moi.

Sur TF1, des gens incroyablement gros racontaient leurs grosses souffrances à la caméra. Je me suis identifiée à mort. Je me suis couchée complètement déprimée. Est-ce que les galettes de riz font grossir ? Si oui, jusqu'où ?

21 octobre

Jeanne d'Arc ne parle plus à mes parents. Ça tombe bien. Ils ne lui parlent plus non plus.

21 octobre et demi

Tout ça pour une histoire de langue. C'est marrant.

21 octobre au soir

Plus personne ne parle à plus personne. Je crois que je vais me faire percer le sourcil. Peut-être qu'on arrêtera de se voir.

22 octobre

Ma mère a retrouvé la parole. Jessica est privée d'argent de poche. Comme elle ne parle plus, difficile de savoir ce qu'elle en pense. Je me demande comment on fait pour embrasser avec un clou planté dans la langue. Je me demande si les filles à langue percée embrassent des gars à langue percée. Et si les clous se coincent l'un dans l'autre ? Il faut les emmener à l'hôpital et leur ouvrir les joues pour démêler les clous. À mon avis, avec ça, on peut faire une bonne émission sur TF1. Je ne suis pas sûre que Jessica ait pensé aux conséquences de son acte. Il faut que quelqu'un la prévienne. Est-ce à moi de le faire ? J'hésite.

23 octobre

– Tu n'as jamais embrassé personne. Tu n'y connais rien.

C'est la dernière fois que je parle à Jessica. Je croyais qu'elle était ma sœur. Erreur. C'est une mutante privée de cœur. Sophie est adoptée. Jessica est mutante. Il n'y a qu'une seule vraie fille naturelle dans cette famille. Moi. Dommage que mes parents me détestent.

Heureusement, j'ai des grands-parents. Mamie est très intéressée par le piercing de la langue. Elle a demandé à accompagner Jessica pour l'opération. Depuis qu'elle a eu son accident de voiture, Mamie a décidé de devenir une sainte. Quelque chose comme un bouddha version vieille dame. Elle ne se fâche plus jamais et se réjouit de tout. Mon grand-père pense qu'elle est juste devenue dingue. Ma mère pense qu'elle a toujours été dingue. Mon père ne pense rien du tout. Il a un nouveau bridge. Il faut croire qu'il n'a pas d'autre horizon dans la vie que ses dents. C'est triste.

Je n'aime plus Jessica. De toute façon, je ne l'ai jamais aimée. Elle ne pense qu'à elle. Plus tard, je ne me marierai pas, je n'aurai pas d'enfants, et pas de famille. Je vivrai avec mes copines dans un grand appartement. Il y aura des garçons dans l'appartement d'à côté. Nous serons tous très heureux et tout le monde sera libre de se faire percer ce qu'il veut, le nez, le pied, le gras du bras.

Pendant que j'y pense, à quoi bon rester à dépérir dans cette famille atroce ? Je vais m'inviter à dîner chez Lola. Comme elle habite en face, je n'aurai pas à aller loin. Et son père est toujours d'accord pour rajouter une assiette. Adieu, famille atroce.

24 octobre

Pourquoi Lola n'est pas ma sœur ? Nous aurions pu être jumelles. Nous avons les mêmes goûts, les mêmes détestations et la même pointure (en gros, des pieds immenses). Nous avons souvent les mêmes boutons (en gros, immenses). Je lui pardonne ses cheveux sublimes. Elle me pardonne ma taille 36.

Lola trouve qu'il est normal de se faire percer la langue quand on aime le rock. Comme elle préfère le R'n'B, elle se ferait plutôt percer le nombril. Mais, comme elle n'aime pas avoir mal, elle préfère encore ne rien se faire percer du tout. J'envie Lola parce qu'elle est toujours cool, qu'elle peut se coucher à l'heure qui lui plaît et que ses parents sont divorcés. Elle m'envie parce que je suis au collège public. Elle est dans un collège privé où les élèves sont immondes. On voit bien qu'elle n'est jamais entrée dans un collège public. À ce qu'elle raconte, les garçons de sa classe sont des monstres. Elle rêve qu'ils sont mieux dans ma classe. Ravages de l'imagination.

Mieux ? Ha, ha. Laissez-moi rire. Une horde de fouines, oui. Qui rêve de passer toute son année scolaire enfermée avec une horde de fouines ? Je ferais peut-être un bon sujet pour TF1. Quand on a eu fini de parler de fouines, je suis rentrée chez mes parents naturels. Hélas, il était déjà 11 heures et ma mère m'attendait en robe de chambre dans la cuisine. Dans une famille normale, divorcée, monoparentale, ouverte d'esprit, il est normal de se coucher à 11 heures. Chez moi, c'est le drame. Total : je suis privée d'argent de poche. Je me demande ce qui me retient de me faire percer la langue.

30 octobre

Quelqu'un a encombré le couloir de l'appartement de fausses toiles d'araignée en coton gluant et autres guirlandes de crépon couleur potiron. Quel étonnement ! Quelle surprise ! Mais que se passe-t-il ? Serait-ce Halloween ? Je crois deviner qu'une certaine Sophie, toujours à la recherche d'originalité, est à l'initiative de ces fastueuses décorations. Avec un peu de chance, demain, elle se transforme en citrouille. Ce serait trop beau.

31 octobre

Quatre gamines habilement déguisées avec des lunettes rondes et des bonnets noirs se bourrent de bonbons orange en regardant un DVD. Tout ça est très festif, si, si, je vous assure.

NOVEMBRE

Catastrophes buccales et climatiques

1er novembre

Jour des morts. Sympa. Il pleut. Comme par hasard. Je vais me recoucher.

1er novembre, plus tard

Si je meurs, je déclare que mon journal doit être enterré avec moi. C'est ma dernière volonté.

1er novembre, plus tard et une minute

Changement de programme : mon journal sera incinéré. C'est ma dernière dernière volonté.

1er novembre, plus tard et deux minutes

J'ai réfléchi. Je ne vais pas mourir du tout. Je vais plutôt prendre une douche. Il pleut toujours. Novembre, mois morbide et plein de flotte. Et cette blague va durer trente jours. Misère.

4 novembre

Je n'ai pas fait gaffe. D'habitude, j'évite. Mais ma mère essayait de faire brûler une tarte dans le four depuis environ trois heures et personne n'avait encore pensé à mettre la table. J'avais faim, j'ai allumé bêtement la télé.

Erreur fatale. C'était l'heure du journal. On a eu les attentats, la famine, les épidémies, les pédophiles et quelques chômeurs à la rue. En dessert, un écrivain hors d'âge ignoblement déprimant a raconté sa vie ignoblement déprimante avec l'air du type qui a envie de pleurer ou de vomir, on ne sait pas exactement. Je me demande comment le bonhomme qui présente le journal tous les jours fait pour ne pas se flanquer une balle dans la tête. Il ne comprend pas un mot de ce qu'il dit, c'est clair.

5 novembre

Le dîner était encore en retard. C'est le nouveau genre de ma mère : trop tard – trop cuit. Résultat, j'ai allumé la télé pour le journal. Erreur fatale, je sais. Mais j'avais atrocement besoin de ma dose. Je suis dépendante des informations flippantes. Côté accoutumance, le journal télé vaut le journal intime, vous êtes prévenus.

Je vous informe donc que, pour la banquise, c'est cuit. Mais que pour les catastrophes climatiques, ça commence.

6 novembre

Elle l'a fait ! Elle l'a fait ! La langue de ma sœur Jessica est percée de part en part ! Par un gros clou d'acier. Beurk. C'est Mamie qui l'a annoncé, tout à l'heure, en revenant de chez le perceur. Jessica n'a rien dit. Pour elle, c'est fini. Sa langue a triplé de volume. Elle ne peut même plus bouger les lèvres. Pire que la petite sirène… Elle ne peut plus parler, d'accord. Pour ce qu'elle a à dire, on ne va pas se lamenter. Mais il y a pire. Elle ne peut plus manger. Sauf de la Blédine. Avec une paille. Et tout ça pour casser les pieds à ses parents. Oh, je l'adore ! Jessica, entends-le car je ne le répéterai pas cent fois : je vous adore, toi et ta langue percée.

Mamie a proposé à Maman de garder la petite sirène chez elle une semaine, le temps qu'elle cicatrise. Je trouve que c'est normal. Elle devrait se sentir coupable. C'est elle qui l'a conduite chez le boucher. Maman a haussé les épaules. Jessica l'énerve tellement qu'elle est ravie de s'en débarrasser. Tant mieux pour Mamie. Elle va pouvoir bourrer Jessica de sottises sans que personne l'interrompe. Quelle tête va faire son mari ? C'est la question. Ce vieux Papi est un être humain comme les autres, après tout. Quel être humain rêve de dîner en face d'une créature muette et affamée à la langue géante ?

Tant pis pour Papi. Personne ne l'a forcé à épouser Mamie. Sois bénie, Jessica, car tu as fait une heureuse. Je vais profiter de ton absence. Puisque tu me laisses la place, je vais montrer à tes parents quelle fille formidable je suis. Si seulement ce monstre de Sophie pouvait débarrasser le plancher… Je serais leur seule fille. Leur rayon de soleil. Leur bâton de vieillesse. Ils seraient à mes pieds. Pourquoi faut-il que Sophie soit née ? Pourquoi tant d'injustice ?

Je crois que je vais l'empoisonner. C'est ce que les gens faisaient, au Moyen Âge. Et croyez-moi, ils n'étaient pas plus idiots que nous. Ils écrivaient des livres. On devrait y penser quelquefois, au poison, à tous ces trucs qui facilitaient la vie, avant.

7 novembre

Tous mes projets sont ruinés. Mes parents me haïssent. Je regrette que Jessica ne soit pas là. Si elle était là, elle les occuperait avec sa langue. Mais non. Elle a trouvé un asile, elle. Je suis seule. Je suis affreusement abandonnée. Ancelin m'a collé un deux au contrôle de maths. Deux. Manquent dix-huit. Ça fait beaucoup. J'aurais pu cacher le truc jusqu'au bulletin. Mais Sophie s'est chargée de faire circuler l'information. Elle sait tout parce que Ancelin lui dit tout. C'est répugnant. Je me demande même si c'est légal.

– Bon sang, a fait mon père. Deux.

– Sophie, espèce de thon, ai-je fait.

– Laisse ta sœur tranquille, a fait ma mère.

– Moi, j'ai eu dix-huit, a fait Sophie.

Au moins, je sais où passent tous ces points que je n'ai pas. Ils atterrissent chez Sophie.

Mon père a fait glisser la pointe de sa langue derrière son bridge.

– Dommage pour toi, Aurore, a-t-il dit avec sa voix froide de sadique des grands hôtels. Brad Pitt a pris une suite chez nous. J'avais prévu de te faire venir. Tu aurais pu le voir. Mais tu ne le mérites pas. C'est Sophie qui viendra.

Cette dinde de Sophie a écarquillé les yeux derrière ses hublots.

– Qui c'est, Brad Pitt ?

Je vais l'empoisonner. De toute façon, je n'ai plus rien à perdre. Je suis désespérée. Ma vie commence à peine et c'est déjà un désastre.

8 novembre

Il fait du soleil. Bizarre. Ça doit être le changement climatique. Tout ce qu'on va gagner, c'est une inondation, un tremblement de terre et une épidémie, aussi sûr que deux et dix-huit font vingt.

9 novembre

Maman s'est gravement trompée en faisant les courses. Elle a confondu les galettes. Coup de chance : les galettes d'épeautre sont aussi sublimes que les galettes de riz. Quelqu'un sait ce que c'est, l'épeautre ?

10 novembre au soir

Maman est partie conduire Sophie à l'hôtel. Cette belette va voir Brad Pitt. En vrai. Peut-être qu'elle va perdre la vue. Tout d'un coup. Un truc bien mythologique.

Pour le poison, je renonce. Premièrement parce que c'est compliqué d'en acheter. Deuxièmement parce que, même si je réussis, ça finira par se retourner contre moi. Comme d'habitude.

J'ai ressorti une vieille photo de Brad Pitt de mon classeur de souvenirs. Il a au moins trente-cinq ans. Il est vieux et moche. Je me demande comment j'ai pu l'aimer à la folie autrefois. La jeunesse, je ne vois que ça.

Il est très facile d'avoir dix-huit en maths en sixième. On verra ce que ça donnera en troisième. Rira bien qui rira la dernière.

Je suis épuisée par ce journal. Écrire, c'est l'esclavage. Vite, une galette d'épeautre-confiture de fraise. Le cerveau marche au sucre, c'est connu.

11 novembre

Congé. Les bus sont décorés de petits drapeaux et tout le monde est content de ne pas aller bosser. C'est la fête de la Première Guerre mondiale. Un million de morts, un jour de vacances. À sept millions, je me demande si on a la semaine.

13 novembre

Jessica est revenue ! Mamie l'a bourrée de Blédine parfum vanille (j'adorerais goûter au truc, malheureusement on dirait qu'il faut se trouer la langue pour y avoir droit). Résultat, le bobo a dégonflé. Elle parle.

– Et alors quoi ? Qu'est-ce que j'ai ? J'ai plus le nez au milieu de la figure ?

C'est la première chose qu'elle a dite quand elle nous a vues, moi et Sophie.

– Tire ta langue.

C'est la première chose que je lui ai demandée. Elle n'avait pas encore enlevé son manteau (le climat s'est remis en place, il pleut sans arrêt). Elle a été sympa. Elle a tiré la langue. Super. Quand elle a vu la petite boule argentée plantée au beau milieu, Sophie est devenue toute pâle. Le piercing traumatise. Ça donne à réfléchir.

Mes parents ont décidé de faire comme si de rien n'était. Percée ou pas percée, c'est pareil, le silence absolu. Vu que personne n'ose parler de langue, on ne parle plus de rien. C'est gai.

17 novembre

Mamie appelle tous les jours pour prendre des nouvelles de Jessica. À la place de Maman, je lui raccrocherais au nez.

18 novembre
Maman a raccroché au nez de Mamie. Je n'ai qu'une chose à dire : c'est moche.

22 novembre
Il a fallu que j'aille dîner chez Lola. Elle est complètement déprimée. Elle pense qu'elle est lesbienne. Je l'ai tout de suite avertie que je ne sortirai pas avec elle, même si elle me le demande gentiment. De mon côté, je ne suis pas encore fixée. J'aime autant attendre un peu avant de me décider.

– Il y a plein de garçons dans mon collège, a gémi Lola. Et je les trouve tous laids, petits et stupides. Je préférerais sauter par la fenêtre plutôt que d'en embrasser un. Je ne m'entends qu'avec les filles. Qu'est-ce que ça veut dire, à part que je suis lesbienne ?

Je suis restée sous le choc.

– Dans ce cas, moi aussi, ai-je dit. C'est clair.

– Comment on va faire pour le dire à nos parents ?

Comme je n'avais pas de réponse et que nous étions très abattues, nous avons regardé la télé.

– Ce n'est pas tellement d'être lesbienne qui me gêne, a constaté Lola en zappant comme une malade. C'est l'idée de ne jamais embrasser un seul garçon de toute ma vie. J'ai envie de pleurer.

Je l'ai rassurée.

– Rien ne t'empêche d'essayer, même si tu es lesbienne. Tu peux faire un petit écart, juste une fois.

– Oui, mais justement, essayer avec qui ? Ils sont tous affreux, je te dis.

On a fini par tomber sur une émission qui présentait des gens qui avaient une vraie passion pour leurs animaux. Tout le monde était très laid, les femmes, les hommes et les animaux. C'était tellement hideux que nous avons oublié nos soucis. Lesbiennes mais sans souci.

23 novembre

J'ai rêvé de Brad Pitt toute la nuit. Nous étions amoureux comme des fous. Malheureusement, je ne pouvais pas en profiter parce que mes parents savaient que j'étais lesbienne. À la fin, je sortais quand même avec lui en secret. Mais juste au bon moment, précisément à l'instant où il me tendait ses lèvres avides, je me suis réveillée. Il faut que je demande à Lola de me raconter ses rêves.

25 novembre

Personne ne sait ce que c'est que l'épeautre. Tant pis. Maman a racheté des galettes de riz. Au passage, j'ai demandé pour la Blédine. C'est non.

26 novembre

– Alors, Jessica, quelles nouvelles de ton clou ?

J'ai décidé de crever l'abcès. Assez d'hypocrisie familiale. J'ai attaqué au milieu du dîner. Jessica a fait au plus efficace : elle a tiré la langue. Le bon côté des choses, c'est que le traumatisme marche toujours. Sophie est devenue toute blanche. Le mauvais côté, c'est que Maman s'est mise à pleurer et qu'elle est sortie de table en reniflant. Après, Papa m'a envoyée dans ma chambre.

Je suis privée d'argent de poche. Normal, c'est la fin du mois.

27 novembre

J'ai cherché dans le dictionnaire. L'épeautre est une sorte de céréale. On aurait pu s'en douter. Avec quoi on fait les galettes ? Pas avec du poisson séché, aux dernières nouvelles.

Maman a l'air de faire une dépression. Hier, elle a pleuré. Aujourd'hui, elle est en arrêt maladie. C'est un signe qui ne trompe pas. Il va falloir trouver la responsable. Ensuite, la juger. Enfin, la pendre. J'hésite entre Sophie, Mamie et Jessica.

Je vais cacher ce journal. Ce n'est pas le moment que ma pauvre mère tombe dessus par hasard en fouillant dans mes affaires. Elle a assez de soucis avec sa propre vie, je n'aurai pas la cruauté de l'accabler avec les miens. La vérité est que je suis prête à me sacrifier pour les parents. Je ne manque pas de grandeur.

28 novembre

Je me suis regardée dans la glace. Mes deux yeux ne sont pas du tout pareils. Mes deux sourcils non plus. Je suis un monstre.

29 novembre

La planète peut aller au diable, avec son vieux climat détraqué. Les monstres ne sont pas concernés par l'effet de serre. Les monstres ne sont pas solidaires. Ils s'occupent de leurs malheurs à eux.

DÉCEMBRE

Petit Noël chez la monstresse

1er décembre
J'ai vérifié. Mon oreille gauche est plantée environ dix centimètres plus haut que mon oreille droite. À ce niveau de monstruosité, ça m'étonnerait qu'on m'opère.

« Elle réussit sa vie malgré son physique monstrueux », bon titre d'émission, non ? J'en ai d'autres : « Les monstres et l'amour, une jeune monstresse témoigne ». Ou encore : « Mon dernier coup de foudre, raconté par Brad Pitt : j'aime son visage monstrueux, malheureusement elle est française ».

2 décembre
J'ai rêvé que Brad Pitt n'avait qu'un seul œil au milieu du front. Je devais passer des heures à le consoler parce qu'il n'arrêtait pas de sangloter. Un œil qui pleure au milieu du front, ça fait bizarre.

3 décembre
Je signale qu'on se gèle. Il fait un froid ignoble. Dans un sens, c'est une bonne nouvelle : le climat tient bon. Courage, climat !

Je signale également que Lola n'a pas les yeux à la même hauteur. La vérité est qu'elle n'a rien à la même hauteur. Elle est même totalement en désordre, c'est affolant ce qu'on se ressemble. Nous étions en train de nous examiner dans le miroir au-dessus des lavabos quand son père est entré dans la salle de bains.

– Je suis un monstre, a dit Lola.

– Je sais, a répondu son père.

– Aurore aussi.

– Je m'en doutais.

– Tu aurais pu me le dire plus tôt…

– J'y ai souvent pensé mais je n'avais pas le courage de détruire tes illusions.

Le père de Lola s'est penché vers le miroir.

– Hé ! a fait Lola. Tu n'as pas les yeux à la même hauteur !

– Hélas non, a gémi son père. J'étais très beau dans ma jeunesse, jusqu'à ce que ta mère me lance un sort… Depuis, je suis hideux…

– Arrête de critiquer Maman !

– J'arrête.

– Dis-moi la vérité !

– La vérité, c'est que tout le monde est asymétrique. Tu le saurais si tu regardais les gens autour de toi, au lieu de passer ton temps à te contempler le nombril.

– Papa !… Sincèrement… quand on regarde de près, je suis un peu un monstre…

– Ne te vante pas sans arrêt. Tu n'es pas un monstre, Aurore non plus. Vous êtes juste deux andouilles. Deux andouilles communes.

Vieux père de Lola, je t'adore. Voilà un homme qui comprend nos problèmes. Qui prend le temps de nous rassurer. C'est peut-être parce qu'il est divorcé. Un homme qui n'a pas de femme ne perd pas son temps à s'occuper d'elle. Il peut se consacrer à ses enfants, c'est mathématique.

4 décembre

Bulletin de santé maternel : beau fixe. Quand je pense que j'ai cru qu'elle faisait une dépression… Apparemment, c'était une gastro. D'ailleurs, elle est guérie. Ma mère n'a pas d'âme. Elle a un estomac. J'aurais dû m'en douter.

5 décembre

Ma mère va bien. Mon père va bien. Mes sœurs vont bien. Sophie aura les félicitations. Sauf si on invente une récompense spéciale pour sa catégorie, auquel cas elle a de bonnes chances de remporter le titre de Miss Lèche-Bottes 2005. Jessica a fini de cicatriser. Personne ne lui parle plus de sa langue. On ne le voit même pas, ce piercing. Il faut qu'elle tire la langue pour qu'on s'en souvienne. C'était bien la peine de faire un tel cirque.

Je résume : tout va bien bien bien. Je m'ennuie atrocement en attendant la fin du monde. Je crois que je vais faire une dépression. Ou une gastro. Qui sait ?

6 décembre

Hier, des catalogues de jouets débordaient des boîtes aux lettres. Ce matin, la boulangère avait semé de grosses étoiles dorées entre les religieuses et les mille-feuilles… Et ce soir, ma mère nous est tombée dessus.

– On va me demander des idées de cadeaux. Il faut que vous me donniez une liste. Autant s'organiser, pour une fois.

Apparemment, Miss Lèche-Bottes n'attendait que ça. Après *Harry Potter* et Halloween, le grand événement de sa vie, c'est la naissance du petit Jésus. Elle a couru dans sa chambre chercher son papier à lettres. Entre deux devoirs de maths, elle n'a que ça à faire, d'écrire des listes. Pauvre chose.

Je n'avais pas une folle envie de participer aux préparatifs des réjouissances. Je me suis éclipsée. Je me suis réfugiée chez Lola.

– Devine ce qui arrive…

– Je sais.

– Quoi ?

– Noël.

Ce que j'aime chez Lola, c'est qu'elle n'a pas besoin d'explications. Elle sait.

10 décembre au matin

Opération liste terminée. Je veux de l'argent. Personne ne risque de se tromper. Halte à l'improvisation sauvage. Halte à la surprise, au cadeau foireux, au pull saumon trop grand, au CD rétro, au stylo de mémère.

10 décembre au soir

Maman trouve que demander de l'argent pour Noël est VULGAIRE.

– Ce n'est pas un cadeau, a-t-elle finement remarqué. Offrir de l'argent ne fait plaisir à personne.

– Si. À moi.

Elle n'a pas jugé nécessaire de me répondre. J'en déduis que j'avais raison.

10 décembre, plus tard

Mamie m'a appelée. Elle avait sa voix angélique. Elle aime l'idée de m'offrir de l'argent. Elle propose de couper la somme en deux, et de filer une moitié au Comité d'action contre la faim. Je n'ai pas osé dire non. J'ai même dit: « Oui, bonne idée. » J'ai envie de pleurer.

12 décembre

Mon père a acheté un sapin de Noël. Il est petit, il est maigre et il perd ses poils sur le tapis. Dans dix jours, il n'a plus une épine, c'est tout vu. Surtout si Sophie continue de le couvrir de vieilles guirlandes d'Halloween et autres déchets récupérés dans sa chambre. Tout ça pour finir dans quinze jours sur le trottoir dans les ordures. Franchement, les sapins, ça me déprime. Si c'est pour perdre ses poils, se rabougrir et finir dans l'indifférence générale, on pourrait aussi bien s'offrir un chat.

15 décembre

J'ai fait des calculs. Si j'additionne les sommes que je peux raisonnablement attendre des donateurs habituels, et si je soustrais la moitié de la somme grand-parentale, il reste assez pour me payer un cache-cœur (option basse), un cache-cœur et un pantalon (option haute). J'ai refait mes calculs. S'il faut que j'achète un cadeau à tous ceux qui auront l'idée idiote de m'en offrir un, je peux faire une croix sur le cache-cœur.

Étrangement, aucune menace de suppression d'argent de poche ce mois-ci.

16 décembre

– Non, a dit Jessica quand je lui ai proposé une paix des braves (tu ne m'offres rien, je ne t'offre rien, pitié, grâce, merci).

– Pourquoi non ?

– Parce que j'ai déjà le tien.

Cette teigne m'a trouvé un cadeau. Je la hais.

Maman me regarde depuis deux jours avec des sourires inquiétants. Je me demande ce qui lui prend. Elle a peut-être une gastro de la tête.

Bon Dieu, qu'est-ce que je vais pouvoir acheter à Jessica ? Et avec quel argent ?

16 décembre au soir

Je sais. C'est Mamie.

– Ma chérie, a dit Maman en m'enlaçant dans la cuisine (j'ai horreur qu'on m'enlace, dans la cuisine ou ailleurs), je te félicite.

– Hein ?

– Cette idée de partager avec ceux qui ont faim…

– …

– Mamie m'a tout raconté.

Pendant je m'enfermais à double tour dans ma chambre, l'annonce de ma sainteté a traversé la famille. Le soir, au dîner, Sophie me dévisageait avec une curiosité malsaine. Jessica avait son sale petit sourire en coin. Je suis assez contente que Papa soit de service de nuit. Quant à Mamie, c'est la dernière fois que je lui adresse la parole.

Je déteste Noël. Je vais me convertir. Il faut que je me trouve une religion.

17 décembre

J'ai invité Samira chez Lola. À son avis, passer à l'islam est une mauvaise idée.

– Noël, chez toi, c'est juste un soir. Chez moi, j'en prends pour vingt-huit soirs d'affilée. Un ramadan, c'est vingt-huit gros repas du soir, sans compter les vingt-huit gros repas du matin. Et l'aïd par-dessus. Ma mère est à cran, j'aime autant te le dire.

– C'est quoi l'aïd ?

– La fin du ramadan. Le Noël de tous les Noëls. Et attends, ce n'est pas fini… Les musulmans sont comme tout le monde. Ils ne voient pas pourquoi ils ne s'offriraient pas de cadeaux le 25 décembre. Faites le compte : vingt-huit Noëls, plus un super Noël, plus les cadeaux du petit Jésus… Mauvais plan, je te le dis.

– Tu n'as jamais pensé à te convertir ?

– Pourquoi ? Ça n'empêcherait pas la famille de faire ramadan.

Elle a raison. Je peux me trouver toutes les religions que je veux, tant que je vivrai dans cette famille obscurantiste, je me taperai Noël. Ce que j'aime chez Samira, c'est qu'elle est intelligente. Ce que j'aime chez Lola, c'est qu'elle est sensible. Comme plus personne ne croyait en rien, elle a allumé la télé.

– Ça vous changera les idées, a-t-elle dit.

Si je travaillais à la télé, je devrais y aller même la nuit de Noël. Comme quoi, il ne sert à rien de réfléchir à une religion. Je ferais mieux de me trouver une bonne orientation professionnelle (médecin de garde la nuit de Noël, surveillant de centrale nucléaire la nuit de Noël, hôtesse de l'air la nuit de Noël).

20 décembre

Il y a des avantages à la sainteté. Mon bulletin est tombé sur mes parents sans faire de dommages collatéraux. Je vais être franche, il n'est pas très bon. En résumé: si je continue, je vais me taper deux troisièmes et ce sera bien fait pour moi.

En temps normal, mes parents associés auraient dû me couper la tête. Mais nous sommes apparemment entrés dans une autre dimension.

– N'empêche, a soupiré ma mère. Elle a du cœur.

Mon père a hoché la tête d'un air résigné et il s'est jeté sur le bulletin scintillant de Miss Lèche-Bottes. C'est tout. Pas de menace. Pas de promesse. Pas de suppression providentielle d'argent de poche.

DU CŒUR. Sophie a l'intelligence. Jessica a la beauté. Moi, j'ai le cœur. Je me demande qui a la rate.

22 décembre

Excuse, public chéri. Je n'ai pas un moment pour écrire. Je cherche des cadeaux. Sans argent, sans idées, et même avec du cœur, c'est un sale boulot.

23 décembre

Gloria ! Alléluia ! J'ai trouvé ! Tous mes cadeaux, d'un seul coup, et dans la même boutique... Artisanat religieux, c'était peint sur la porte. Sois béni, Artisanat religieux, car tu es mon sauveur. Je passais par hasard et c'est l'ange dans la vitrine qui m'a attrapée. Avec ses grandes ailes, ses longs cheveux et son sourire niais, j'ai pensé qu'il serait parfait pour Miss Lèches-Bottes, dite désormais Miss Petit-Ange 2005. J'ai eu peur de devoir acheter toute la crèche en prime, mais non. On me l'a emballé bien gentiment pendant que je tournais dans la boutique. Je suis tombée en arrêt devant une terrible petite croix émaillée bleu canard (en solde). Je me suis dit qu'elle plairait certainement à Jessica, qui raffole des bijoux. Elle pourra toujours servir à rattraper son clou dans la langue. Pour Mamie, j'ai choisi un disque de carillons. Presque cent minutes de sons de cloche. Cloche. Si elle ne voit pas l'allusion, c'est à désespérer. Au moins, ça fera rire Papi. Pendant que j'y étais, j'ai pris des chants religieux pour mes parents. Il paraît que ça calme. Effet chant des baleines.

Maman dit souvent que c'est l'intention qui compte. J'espère que c'est une blague. Sinon, je suis bonne pour brûler en enfer.

25 décembre

Dans la case crédit, c'est bon. Après ouverture des enveloppes, je déclare que j'ai assez pour le cache-cœur. Pour le pantalon, c'est tant pis. J'irai les fesses à l'air (mais les seins couverts). Jessica m'a offert un débardeur trop grand couleur putois, et Sophie un stylo de mémère. Je suppose que c'est normal.

Dans la case débit, ma déconfiture est totale.

– Oh ! Une fée ! a hurlé Sophie en déballant son ange.

Personne n'a osé la contredire et elle a passé la soirée à sourire à l'autre emplumé, comme si c'était Clochette en personne. Jessica a immédiatement glissé la croix bleue dans un anneau d'oreille, ce qui la fait ressembler à Madonna il y a quinze ans. Elle se trouve sublime, j'en ai peur.

Mamie juge les carillons splendides, parce que les cloches sont près du ciel (Papi n'a pas fait de commentaire). Quant à Maman, elle a serré le CD contre son cœur comme si elle réchauffait une couvée d'oisillons gelés.

– Du grégorien... a-t-elle soupiré.

– Du quoi ? j'ai fait, mais, dans l'enthousiasme général, personne ne m'a entendue.

Tout le monde est persuadé de ma dimension spirituelle. Je vais finir au couvent. Artisanat religieux, va au diable.

Je n'aime pas le boudin blanc, je n'aime pas la dinde, je n'aime pas la glace aux marrons. J'ai un peu mal au ventre. Je suis ruinée. Je suis incomprise. Je suis seule au monde. Et, dans une semaine, c'est le Nouvel An. Misère.

26 décembre

Le stylo fuit. Le débardeur est affreux. Par ailleurs, il n'y a plus de galettes de riz dans le placard de la cuisine. À la place, quelqu'un a acheté des sablés bretons (six paquets en promotion). Des sablés bretons. Qu'est-ce que j'ai fait de mal ?

29 décembre

Il ne neige même pas. Il pleut.

30 décembre

Dieu n'existe pas. Ou alors Il se fout de moi.

JANVIER

Drame familial chez Lola

1er janvier

Au cas où vous seriez passé à côté de l'info : nous sommes en 2006. Le Nouvel An est passé. Dieu merci. La vraie question est : pourquoi les gens s'excitent comme des mouches, chaque année à la même date. Ils devraient le savoir, à force, que la soirée est interminable, le repas immonde, et que ça se termine toujours par la ronde des baisers. Qui a inventé ce rituel stupide ? Qu'il se dénonce et qu'il s'explique. Quel intérêt d'embrasser en masse un tas de gens qu'on évite d'habitude d'embrasser séparément ? Si encore on pouvait embrasser des types pris au hasard dans la rue… Mais sa famille… Sa propre famille… Est-ce que ce n'est pas un peu malsain ? Une chose est sûre : il était super orphelin, l'inventeur des baisers du Nouvel An. Et fils unique. J'ai vaguement essayé de snober le truc, mais il faut croire que je ne suis pas assez snob. Je n'ai pas réussi à éviter mes parents, ni mes grands-parents. On ne peut pas fuir toujours des ascendants totalement décidés à vous embrasser. Au bout d'un moment, le plus avantageux est encore de fermer les yeux et de se laisser faire. Pour mes sœurs, c'était plus simple. Elles se sont tenues soigneusement à distance. Difficile de considérer ça comme une victoire. Mes sœurs refusent de s'approcher de moi. Elles me haïssent, c'est tout.

J'aurais peut-être aimé les embrasser, qui sait? Je n'ai pas eu l'occasion de vérifier. C'est triste.

2 janvier
Je me sens molle. J'ai rêvé de poissons toute la nuit. Je me demande ce que ça veut dire.

3 janvier
Résolutions :

– Faire quelque chose avec mes cheveux. Je ne sais pas encore quoi, mais faire quelque chose (les laisser pousser, c'est encore le moins cher).

– Me faire aimer de mes sœurs qui me détestent.

– Découvrir ma passion dans l'existence et travailler dur pour réaliser mon rêve.

– Commencer ma vie amoureuse, même si elle doit être courte et malheureuse.

– Arrêter de me vautrer devant la télé en semant autour de moi des miettes de galettes de riz et en gloussant comme une otarie.

La dernière résolution est en bonne voie. Il y a pénurie de galettes de riz. Et qui veut se vautrer en semant autour de lui des miettes de sablé breton ? Personne. La miette de sablé est grasse et collante. Laissez tomber.

4 janvier
Je suis complètement déprimée. Mes cheveux sont minables à jamais car leur nature est minable. Mes sœurs me détesteront toujours parce que moi je ne les aimerai

jamais. Quant à ma vie amoureuse, laissez-moi rire. Pour une fille complètement inhibée dans mon genre, la seule solution consiste à passer une petite annonce : « Jeune fille seule comme un rat, affligée d'un physique monstrueux et d'une famille ennuyeuse, certainement athée, probablement lesbienne, détestant la terre entière, cherche jeune homme pour l'aimer à la folie… »

Qui a inventé les résolutions du Nouvel An ? Le frère jumeau de l'inventeur des baisers du réveillon, sûrement.

5 janvier, matin

Je recommence tout à zéro : vive le Nouvel An ! Vive lui, sa dinde infecte et ses baisers miasmeux ! Jamais vu de ma vie une année démarrer aussi bien. Je la fais courte : pas de collège pour moi, je suis atrocement malade. Le médecin a été définitif : c'est une gastro, ma petite, je vous signe le certificat pour le collège. Une gastro… Merci, mère admirable, je t'embrasse quand tu veux. En attendant, je reste au lit, je me gave de télé, je suçote d'affreux sablés bretons et je fais l'otarie. La belle, la vraie, la vie.

5 janvier, midi

Je sais pourquoi je suis nulle en maths (et en histoire, et en français, et même en gym). Ils viennent de l'expliquer, à la télé. Je suis surdouée. C'est aussi bête que ça.

5 janvier, goûter

Résumé du reportage : contrairement à ce que pensent les gens qui n'y connaissent rien, les surdoués ne sont pas super forts en cours. Pas du tout. Ils sont même super nuls. Pourquoi ? Parce qu'ils sont tellement intelligents qu'ils s'ennuient. Ils se désintéressent. Ils roupillent. C'est exactement mon cas. Je dirais même que, pour m'ennuyer comme je m'ennuie, je dois être sur-surdouée. Il faut que j'avertisse les parents. Les pauvres, ils vont se sentir soulagés d'un coup.

5 janvier, au soir

Si ma fille m'annonçait, à moi, qu'elle est surdouée, je serais hyper réceptive. Je la féliciterais, je l'entourerais d'amour, et je lui ferais faire le tour de tous les concours et jeux télévisés possibles, pour qu'elle se fasse un peu d'argent de poche. Je la valoriserais. Tout l'inverse de ce qui se fait chez moi. L'annonce de ma surdotation a laissé mes parents de marbre. J'ai proposé qu'on m'inscrive au moins dans une école spécialisée, adaptée aux cas de mon espèce.

– Arrête de parler sans arrêt, a remarqué ma mère. J'ai travaillé toute la journée. Je n'ai pas la patience d'entendre des imbécillités quand je rentre chez moi…

– Mais…

– Tais-toi, a fait mon père. Laisse ta mère tranquille.

– Je voulais juste vous avertir. C'est pour rendre service…

– Tais-toi ! Et file *immédiatement* dans ta chambre !

Mon père a une façon de dire « immédiatement » qui ne laisse pas beaucoup de place à la négociation. Je serais curieuse de savoir s'il parle sur ce ton aux clients qui lui déplaisent. À mon avis, non. À mon avis, il s'écrase. Et tout retombe sur ses enfants. Un père qui travaille dans un grand hôtel, c'est un peu comme un père alcoolique. Les enfants trinquent. J'ai filé dans ma chambre, évidemment. Le jour où j'aurai une fille, moi, je l'écouterai. Merci à mes parents de me donner le contre-exemple. C'est tout ce que j'ai à dire.

9 janvier
Les meilleures choses ont une fin. Je suis guérie. Retour au collège. Maths (deux heures), français (deux heures), histoire (une heure), anglais (une heure), SVT (une heure). Chaque heure dure mille ans. Soit cinq mille ans pour la journée. Je ne souhaite à personne d'être surdoué.

12 janvier
Étant donné que l'effet du piercing commence à s'user (en gros, tout le monde s'en tape), Jessica a décidé de se mettre du gras sur les cheveux. C'est peut-être une forme de rébellion dans les pays lointains. Qui sait ? Jessica étant particulièrement rebelle, elle a opté pour le gras de bœuf. Ma sœur aînée porte un masque capillaire à la viande. Sur la tête. Elle dit que ça nourrit les cheveux. Comme s'il fallait donner à manger à ses cheveux... Je crois que c'est de la provocation. Ma mère ne dit rien. Chez moi, il vaut mieux parader dans la cuisine couverte de gras de bœuf qu'être surdouée.

13 janvier
Je me suis regardée dans la glace. Je crois que mes cheveux sont anorexiques.

14 janvier

Le gras de bœuf, c'est un conseil de Mamie. Il y avait longtemps qu'elle n'était pas intervenue dans la vie familiale. Elle se rattrape. Vu la petite frisure jaune paille qui lui couvre le crâne, à la place de Jessica, je me méfierais. Enfin… il paraît que c'est bio. Pas de conséquence sur l'effet de serre. Me voilà rassurée.

15 janvier

Quand j'en ai marre de me regarder dans la glace de la salle de bains, je me parle. Je m'explique devant les journalistes de la télé. Je leur dis que c'est très dur pour moi, vu le contexte familial. Ils s'étonnent de mon courage et, comme je ne veux pas frimer, je leur dis que ce que je fais, tout le monde peut le faire. Ensuite, quelquefois, j'esquisse quelques mouvements de danse. À la fin, Jessica tambourine à la porte et elle appelle les parents pour qu'ils m'obligent à sortir. Les journalistes sont super déçus. Au prochain interview, je leur parle de l'effet de serre.

20 janvier

Vite, petit journal, viens ici que je te confie une information de la plus grande importance : Lola vient de m'appeler, son père a une petite amie… Il a fallu que je lui remonte le moral pendant un bon moment. Heureusement que c'est elle qui appelait. Mes notes de téléphone ne sont pas inépuisables.

Une petite amie ! Je rêve ! Un homme qui a au moins quarante ans ! Pauvre Lola… Dans sa situation, je crois que je sauterais par la fenêtre. Si mon père m'annonçait qu'il avait rencontré une fille... Ou, pire, si ma mère avait un fiancé ! L'horreur... C'est bien la première fois que je les remercie d'être restés ensemble, ces deux-là. Au moins, on n'a pas à entendre parler de leurs histoires d'amour. Lola est dégoûtée. Je lui ai juré que moi aussi. En fait, je suis surtout curieuse. À quoi elle peut ressembler, c'est la question. Je suppose que c'est une vieille petite amie. Avec rides intégrées.

22 janvier

Je l'ai vue ! J'ai retrouvé dans mon placard un vieux pull que m'avait prêté Lola et je suis passée le lui rendre. Quand j'ai sonné, c'est la petite amie qui m'a ouvert la porte. Quel culot ! Elle n'est même pas chez elle et elle ouvre la porte aux invités... Enfin, il fallait bien qu'elle ouvre parce que Lola ne veut plus sortir de sa chambre. Quand je suis entrée dans son terrier, elle était allongée sur son lit et elle regardait le plafond.

– Tu as vu comme elle est moche ?

– Oui. (Pour dire la vérité, elle n'est pas si moche. Un peu vieille, c'est sûr, mais pas complètement périmée.)

– Tu as vu comme elle est méchante ?

– Oui. (En fait, elle avait un sourire plutôt gentil, un peu timide même.)

– Tu as remarqué qu'elle se croit tout permis, exactement comme si elle était chez elle ?

– Dans un sens, puisque tu ne veux plus sortir de ta chambre, elle est bien obligée d'aller ouvrir...

– Bien fait pour elle. Et tu veux savoir le pire ?

– Vas-y.

– Elle a un fils…

– Et alors ?

– Alors, il a quinze ans, espèce d'idiote !

Je crois que j'ai ouvert de grands yeux remplis d'espoir. Je crois que j'ai souri bêtement. Je crois que j'ai répété « quinze ans » avec une voix tremblante. Je crois que j'ai été en dessous de tout.

– Tu l'as rencontré ?

– Oui. Il est grand, bête et prétentieux. Comme sa mère.

– Tu crois que je pourrais le voir, moi aussi ?

Lola m'a regardée avec fureur. Si ses regards avaient pu lancer des flammes, j'aurais fini grillée.

– Tu peux. Mais je te préviens. D'abord, il est immonde. Ensuite, tu ne peux pas sortir avec lui.

– Et pourquoi ?

– Parce que ma voisine d'en face ne peut pas tomber amoureuse du fils de la petite amie de mon père… C'est répugnant.

23 janvier

J'ai rêvé du fils de la petite amie. C'était un poisson et il avait une moustache. Je me demande ce que ça veut dire.

26 janvier

Je l'ai vu ! À force de sonner chez Lola (environ cinquante fois par jour), j'ai fini par tomber dessus. Il était assis sur le canapé du séjour. Il lisait une bande dessinée. Je ne lui ai pas dit bonjour, par respect pour Lola. Je suis passée devant lui sans détourner la tête. Mais j'ai des yeux très mobiles. Il est tout simplement sublime. Grand, brun, pâle, sublime. C'est la première résolution de l'année qui réussit : ma vie amoureuse a commencé. Comme prévu, elle risque d'être aussi courte que malheureuse. Lola m'interdit de lui parler, de lui sourire, de le regarder. Elle a même refusé de me dire son prénom. C'est tragique.

27 janvier

J'ai rêvé de poissons toute la nuit. Sublime inconnu, je t'aime à la folie. Comment te le dire ? Je pourrais peut-être apprendre le langage des signes...

FÉVRIER

Sous le signe du désastre

1er février
Ma vie est un conte de fées. Je vois un type. Il disparaît. Je ne connais pas son prénom. Pas son nom. Pas son adresse. J'attends qu'il me retrouve. Mes chances sont nulles. Peut-être avec une peau d'âne écorché sur le dos ?

Qui peut me présenter un âne ?

2 février
En ce qui concerne ma carrière scolaire, je crois que je ferais aussi bien de travailler dans une porcherie. Travail immonde. Résultats immondes. Solitude immonde. Remarques immondes à longueur de journée. Il ne me manque que l'immonde peau d'âne mort et le seau pour ramasser les crottes.

3 février
L'avantage de Peau d'Âne, c'est d'être fille de roi. Mon père fait portier dans un hôtel. Socialement, ça réduit mon champ de manœuvres. D'un autre côté, même portier, je n'ai jamais eu l'impression qu'il envisageait sérieusement de m'épouser. Vu que ma mère a survécu à sa gastro, j'aime autant. J'ai bien une marraine, une copine de ma mère un peu hors d'âge. Mais je suppose que, si elle était

fée, même à moitié, elle commencerait par se trouver un mec à elle.

Lola ne m'a pas appelée depuis trois jours.

4 février

Si la déception amoureuse ne me tue pas avant, il est probable que mon bulletin m'aura à la fin du mois. Si je n'en meurs pas, je pourrai peut-être entrer dans le *Livre Guiness des records*. Le plus mauvais bulletin de l'histoire universelle du bulletin. À ce niveau, être nulle, c'est presque une gloire. Quand un prof me rend ma copie tartinée de rouge, j'ai l'impression qu'il n'est pas loin de m'admirer. Il lève le sourcil, il a une sorte de sourire. Il pose délicatement la copie sur ma table et retourne à son bureau (forcément, je suis la dernière, après moi, c'est le bureau). Le tout sans un mot. Conclusion : tant de nullité lui coupe le sifflet. Il m'admire, quoi.

4 février au soir

À propos d'âne, ce n'est pas la peau que je vais avoir. C'est le bonnet. Parfait. Quel prince charmant voudrait d'une fille qui porte un chapeau poilu avec des oreilles ? Avec les princes, apparemment, c'est toute la peau ou rien.

5 février

J'ai renoncé à mon honneur. J'ai appelé Lola. Elle a fait celle qui ne se doutait de rien. Elle m'a parlé de son père. De la vieille petite amie. De son collège. De son bouton sur le front. Du journal de vingt heures. Et pas un mot de qui vous savez, soit Merveille-Sans-Nom. C'est de la cruauté, je ne vois pas d'autre mot. Mais je ne lui ai pas donné le plaisir de m'aplatir devant elle. Je l'ai écoutée débiter ses stupidités. J'ai même rigolé. À la fin, j'ai raccroché. Je l'ai bien eue. Si elle voulait que je m'effondre, c'est raté. Quand je pense que j'ai cru qu'elle était mon amie…

Idiote que je suis. Mais c'est fini, je ne l'appelle plus. Jamais. De ma vie.

10 février
Je n'ai plus envie de parler à personne. D'ailleurs, je ne parle plus à personne. Même plus à la glace de la salle de bains. Depuis cinq jours. L'effet est sidérant : personne ne s'en est rendu compte. À part toi, peut-être, vieux journal, mais comment savoir ? Je pourrais vivre seule dans une cabane au milieu des bois, ce serait pareil.

11 février
J'avais prévu une vie amoureuse brève. Mais à ce point, c'est supersonique.

11 février, plus tard
J'ai parlé au miroir de la salle de bains. Les journalistes s'inquiétaient à mort de mon silence. J'ai essayé de les rassurer, mais j'étais tellement énervée que j'ai abrégé l'entretien.

Même moi, je me trouve moche. Pourquoi faut-il qu'on ait un nez ? Des cheveux ? Des genoux ? Où est l'imbécile qui a dessiné le prototype ?

12 février

On peut ruiner sa vie en moins de dix secondes. Je le sais. Je viens de le faire. Là, juste à l'instant...

J'arrive à la porte de l'immeuble, une modeste baguette dans une main et la modeste monnaie dans l'autre, quand Merveille-Sans-Nom surgit devant moi. Inopinément. À moins de cinq centimètres (il est en train de sortir et je m'apprête à entrer, pour un peu on s'explose le crâne, front contre front). Il pose sereinement sur moi ses yeux sublimes. Je baisse les miens illico, autant dire que je les jette quasiment sous terre, bien profond, entre la conduite d'égout et le tuyau du gaz. Sa voix amicale résonne dans l'air du soir :

– Tiens ! Aurore ! Tu vas bien ?

Je reste la bouche ouverte pendant environ deux millions de secondes, avant de me décider et de lui hurler à la figure :

– Voua ! Merdi !

Voilà ce que je crie avant de lâcher la porte qui se rabat férocement sur mon bras. Cette baguette stupide que je trimballe depuis la boulangerie se plie en deux comme une loque, l'un de ses moignons se laisse mollement tomber au sol, je me baisse pour le ramasser... lui aussi. Se passe alors cet événement inouï, incroyable, immense : *nos* doigts, à *lui* et à *moi*, touchent *ensemble* le *même* moignon de la même baguette. Je suppose que n'importe quel dindonneau au monde en aurait profité pour faire quelque chose. Je ne dis pas me vautrer sur lui comme un goret en gémissant, non. Je dis un tout petit quelque chose. Lui frôler l'ongle de l'auriculaire. Et qu'est-ce que je fais, moi ? Je dis :

– Laisse. C'est MA baguette.

Là-dessus, je me relève et je fonce vers mon escalier. Sans le moindre petit « Merdi ». Je me précipite dans l'escalier quand j'entends de loin, comme dans un cauchemar, venir jusqu'à moi la voix sublime de Merveille-Sans-Nom.

– Aurore ! Tu as oublié une miette !

12 février au soir

Un : Merveille-Sans-Nom connaît mon prénom. Deux : j'ai tout gâché. Trois : j'ai passé la soirée à pleurer. Dans un sens, on peut dire que ma vie amoureuse est pleine de rebondissements.

12 février dans la nuit

C'est fini. Je n'arrive même plus à dormir. Je suis un pou insomniaque à la surface de la terre. Je déclare mes adieux au monde. Je vais me réfugier dans le travail. Je ne vois rien de plus désespéré que le travail. La prison peut-être ? Coup de chance, j'ai ce qu'il faut sous la main. Contrôle d'histoire de demain. L'histoire, déjà, c'est mortel. En plus, une deuxième guerre mondiale, je ne vois rien de plus déprimant, dans le genre gros massacres ignobles. À nous deux, atroce Deuxième Guerre mondiale. Combien de millions de morts au compteur ?

13 février

Je suis dans un état bizarre. Il a fallu que le prof m'arrache la copie des mains à la fin de l'heure. Non seulement je savais répondre à toutes ses questions à la noix, mais j'en savais trop. Et maintenant que c'est fini, j'ai la tremblote et je ricane sans arrêt. À mon avis, le travail est malsain. Ou alors je n'ai pas assez dormi. Je comprends pourquoi Sophie a l'air cinglée la moitié du temps.

15 février

Seize. J'ai seize en histoire. Seize en histoire. Vous avez entendu ? Seize. Bon. J'ai seize. D'habitude, j'ai deux. Mais là, non, j'ai seize. Merveille-Sans-Nom, je n'ai qu'un mot à dire : merdi.

16 février

Dans le fond, l'histoire, c'est assez simple. Il suffit d'apprendre. Franchement, je suis un peu déçue. Je ne pensais pas que c'était si bête.

17 février

J'ai essayé le truc avec le contrôle de SVT. Je veux dire : j'ai appris dans la nuit. J'ai même commencé un peu avant. Et ce matin, bingo. J'ai rempli ma feuille. Affolant. J'ai l'impression que je transpire d'une façon anormale depuis deux jours. Je vais me ruiner la santé, avec ce truc de travail. Je vais vieillir prématurément. J'aurai peut-être moins de boutons mais énormément de rides. Et Merveille-Sans-Nom n'y sera pour rien. Je finirai victime du travail.

20 février

– Tu ne devineras jamais qui m'a parlé de toi.

– Je ne vois pas qui pourrait parler de moi. Je ne connais personne.

– Quelqu'un que tu as vu il n'y a pas longtemps...

– Ma mère ?

– Arrête de faire l'imbécile ! Un garçon !

– Ton père ?

– Marceau ! Il te trouve géniale, super drôle.

– Marceau ? Quoi, Marceau ?

– Le fils de ma belle-mère. Ne fais pas l'innocente, tu l'as rencontré chez moi.

– Je croyais qu'on n'avait même pas le droit de dire son nom...

– Laisse tomber. J'étais de mauvaise humeur. Bon, alors il t'a vue avec une baguette, ou je ne sais pas quoi, et il te trouve très marrante. J'ai pensé que ça te ferait plaisir de le savoir. Tu ne dis rien ? Tu pourrais dire quelque chose ! Ça fait des jours que tu n'appelles plus et, quand c'est moi qui t'appelle, tu fais la tête...

Qu'est-ce que vous auriez fait à ma place ? J'ai raccroché.

Lola m'énerve. Grave. C'est même fou ce qu'elle m'énerve. Elle me rend dingue.

21 février
Compte rendu de message numéro un : « Lola, c'est Aurore. J'ai un truc à te dire. Rappelle-moi. À toute. »

22 février
Compte rendu de message numéro deux : « Lola, ne boude pas, c'est le téléphone qui ne marche pas. Mon père a

changé d'opérateur pour payer moins cher et depuis ça coupe tout le temps. J'attends à côté du téléphone. Bises. »

23 février

Compte rendu de message numéro trois : « C'est Aurore. Lola, il faut que je t'avoue que je viens de traverser une très grave dépression. Tu pourrais faire un petit effort pour me comprendre. »

27 février

Compte rendu de message numéro quatre : « Lola, si tu ne m'appelles pas, je crois que je vais réviser mon contrôle de maths, et là ce sera terrible parce que, vu le retard que j'ai, j'en ai pour toute la nuit… »

28 février

Je le dis à toutes les filles de la terre : ne perdez jamais confiance dans l'amitié. Lola n'a pas rappelé. Elle a sonné. Chez moi. Un peu avant 8 heures.

– Dépêche-toi, a-t-elle dit. Prends ton manteau, on va au cinéma.

– Mais mes parents ?

– Ils sont d'accord. Il paraît que tu as eu un quinze en SVT. Tu peux sortir.

– Attends, je prends mon sac.

– Dépêche-toi, Marceau nous attend en bas.

– Qu'est-ce qui te prend ? m'a demandé Jessica en me regardant sous le nez. Tu es toute rouge… On dirait que tu fais une allergie.

– Allergie toi-même, patate, j'ai répondu, et j'ai claqué la porte.

Adieu, contrôle de maths. Adieu, travail nocturne. Adieu, rides précoces. Ma brillante carrière scolaire vient de prendre une grosse claque. Et ma courte vie sentimentale une petite rallonge. Et c'est ce soir.

MARS

Kiwi et testament

1er mars

Jamais passé une soirée aussi fatigante. J'étais presque contente quand j'ai pu quitter ma meilleure amie et son espèce de beau-frère. Je me demande si je ne préfère pas deux heures de contrôle d'histoire. Au moins, le contrôle, quand il est raté, on le sait tout de suite.

Heureusement que nous sommes allés au cinéma. Dans le noir, personne ne remarque vos cheveux moyens, votre peau moyenne, vos yeux moyens. Personne ne veut que vous fassiez la conversation. Personne n'attend que vous soyez drôle et intelligente. Au cinéma, tout le monde se fiche que vous soyez la personne la plus moche et la plus inintéressante du monde. Tout ce qu'on vous demande, c'est de vous asseoir et de vous taire. Je devrais passer ma vie dans les salles obscures.

À condition de ne pas acheter d'affreux pop-corn collants. J'ai renversé mon cornet dans mon fauteuil avant même d'avoir enlevé mon manteau. Pas question d'attirer l'attention en me lançant dans un grand nettoyage. Je me suis assise stoïquement dans un nid tiède et sucré. Et je n'ai plus bougé de la séance. Chaque fois que je remuais une fesse, je sentais un pauvre pop-corn s'incruster dans mon pantalon. Le pop-corn qu'on écrase sous la fesse craque avec un horrible petit bruit. On dirait qu'il crie.

Quand les lumières se sont rallumées, j'avais le derrière constellé de maïs éclaté. J'ai remis mon manteau pour cacher les dégâts et nous sommes sortis dans l'anonymat le plus complet. Les pop-corn se sont progressivement détachés sur le chemin du retour. Je les semais derrière moi au rythme de mes pas. Par chance, les pigeons ne m'ont pas repérée. Je n'aurais pas supporté d'avancer au milieu d'une nuée hystérique de volatiles crasseux.

– On va boire un pot ? a proposé Marceau.

Je suppose qu'il voulait se montrer aimable avec Lola. Ce n'est pas le charme de ma conversation qui pouvait lui donner des idées. Je n'avais pas ouvert la bouche de la soirée. Trop peur de dire une bêtise. De faire une gaffe. De commettre le lapsus irréparable. « Merdi beaucu, mon cher Marteau. » C'est si vite arrivé.

– Allez-y sans moi, ai-je soufflé entre mes dents tandis que les pop-corn pleuvaient mollement autour de moi. J'ai un contrôle de maths à réviser.

– Quoi ? a fait Lola, les poings sur les hanches, la tête sur le côté, les sourcils froncés (elle fait très bien Columbo quand elle veut).

J'ai serré les lèvres et agité les bras comme si j'avais l'intention de m'envoler direct, là, sur place.

– Si elle a du boulot… a remarqué Marceau. On ferait pareil à sa place. Tant pis, ce sera pour une autre fois.

J'ai encore vaguement bougé la tête en signe d'au revoir et j'ai filé. Ils m'ont regardée partir sans faire un seul geste pour me retenir. Je me suis empêchée de courir. M'étaler de tout mon long aurait fait mauvaise impression, sans compter l'effet pop-corn. Total, je suis revenue chez moi dans un état de dépression intense.

– Déjà ? a fait ma mère en me voyant entrer.

– Pitié, ai-je dit, et je me suis enfermée dans ma chambre.

Je n'avais plus qu'une chose à faire. Et je l'ai faite. Réviser.

2 mars

C'est vérifié : je préfère le contrôle de maths. Au moins, on ne vend pas de pop-corn à l'entrée. Si j'ai bien compté, je dois dépasser la moyenne. Pas de beaucoup, mais quand même. Ma vie amoureuse est un marécage. Mais j'aurai dix en bonus de consolation. Franchement, ce n'est pas comme ça que je voyais mon avenir. Je suis maraboutée.

3 mars

Il y a quelque chose qui ne va pas chez moi. Ils sont tous devenus très gentils d'un seul coup. Ils me regardent avec des sourires un peu tristes. Ils me parlent aimablement. Maman ne me demande pas de débarrasser la table. Même Papa m'appelle « ma chérie » chaque fois qu'il me croise dans le couloir. On dirait une secte de possédés. J'ai l'impression de vivre dans un film d'horreur. J'ai peur de sortir de ma chambre. Peut-être qu'ils projettent de me bouffer.

4 mars

Jessica m'a offert sa palette d'ombres à paupières.

– Les couleurs sont jolies. Et ça agrandit les yeux.

Je veux bien croire que tout ça part d'un bon sentiment. Mais la vérité est que j'ai les yeux tout petits. Merci, Jessica.

5 mars

Douze en maths. Bizarre. Ça ne me fait même pas plaisir. Heureusement qu'il y a Sophie pour se réjouir. Tout ce qui concerne les maths ou Ancelin, de près ou de loin, a le don de la transporter. Heureuse nature. Je ne peux pas dire que je n'aime pas mes sœurs. Mais elles sont différentes. Elles pourraient être martiennes. Parfois, je me dis que j'aurais préféré avoir un chien. Est-ce que des parents se posent ce genre de questions ? « Pour l'année prochaine, chéri, à ton avis, une fille ou un chien ? »

10 mars

Columbo ne m'appelle pas. Je suppose que je ne suis pas un cas assez intéressant pour elle.

11 mars

Treize en géo. Mes parents sont de plus en plus bizarres. Ils me fixent pendant des heures avec d'étranges demi-sourires. Chez moi, c'est « Le village des damnés ». Tout à l'heure, à table, devant toute la secte rassemblée, mon père m'a proposé – tenez-vous bien – une Augmentation d'Argent de Poche. Le truc qui n'arrive jamais. Les deux Martiennes n'ont même pas protesté. Elles ont hoché la tête. Comme si tout était normal. Je suis en train de basculer dans une autre réalité, c'est clair. J'ai frémi, mais j'ai dit oui. On ne sait jamais. Autant en profiter maintenant. Si jamais ils se décidaient à redevenir normaux.

12 mars

Pourquoi suis-je allée au cinéma ? Pourquoi me suis-je assise dans les pop-corn ? Pourquoi ai-je refusé de prendre un verre après ? Pourquoi je n'appelle pas Lola ? Pourquoi suis-je nulle et moche ? Pourquoi l'ombre à paupières qui va si bien à Jessica me transforme en Marilyn Manson ? Pourquoi ce type s'appelle Marceau (je n'arrive pas à penser que c'est un prénom, avant je croyais que c'était une avenue) ? Une fille qui ressemble à Marilyn Manson peut-elle prononcer sans rire «Je t'aime, Marceau» ? Est-ce que Dieu existe et, si oui, est-Il au courant que j'existe aussi ?

13 mars

Samira n'est pas très sûre que Dieu existe. Mais, s'Il existe, elle est certaine qu'Il n'est pas au courant de grand-chose.

– Ça t'arrive d'écouter les infos ? m'a-t-elle demandé.

– J'ai arrêté. C'est trop flippant.

– Tu vois bien... S'Il était au courant, ça se saurait. Il y a longtemps qu'Il nous a zappés. À mon avis, Lui aussi, Il trouve les infos flippantes.

J'aime beaucoup discuter avec Samira. Dommage qu'elle soit déprimante. Je lui ai posé la question de confiance.

– Samira, qu'est-ce qui est mieux? Être bête et heureuse, ou intelligente et malheureuse?

– Je refuse les questionnaires fermés, a fait Samira.

– Réponds quand même...

– Il y a un tas de gens complètement idiots et très malheureux. Et méchants, en prime. Ça te va comme réponse?

J'ai dit oui, bien obligée. Mais j'aurais préféré qu'elle réponde à ma question. J'ai assez peur de faire partie des gens intelligents et malheureux. Si seulement je pouvais sortir avec Marceau, je me ficherais bien d'être complètement idiote.

15 mars

Je n'ose pas penser à mon bulletin. Au rythme où ça va, il finira par ressembler à celui de Sophie. Une chose est claire: je ne suis pas du tout surdouée. La preuve, je m'ennuie de moins en moins en cours. L'autre preuve: je réussis parce que je travaille. Un jour, je serai peut-être même contente d'aller au collège. Je suis une fille normale, c'est atroce.

16 mars

C'est mon anniversaire. J'ai eu un gâteau à la mousse de kiwi couvert de cire de bougies, un bracelet en argent que je ne mettrai jamais, une pochette de papier à lettres que je n'écrirai jamais, un pendentif en forme de poisson (sacrée Sophie, elle est capable de l'avoir *payé*), et un sac à dos rose pour aller au collège. Qui va au collège avec un sac à dos rose? C'est le problème. Tout le monde a chanté «Joyeux anniversaire », même Papi, et bien sûr c'était faux limite insoutenable. Visiblement, le ridicule tue partout, sauf en famille. Le seul avantage de mon anniversaire, c'est qu'au moins je ne suis pas obligée de chanter. De toute façon, je n'avais pas envie de chanter. J'avais envie de mourir. J'ai pensé à Marceau toute la soirée. Quand la chorale familiale s'est mise à brailler, j'ai décidé de faire mon testament.

– Tu n'as pas l'air contente, a remarqué ma mère, qui aurait dû faire des études de psychologie.

– J'ai envie de mourir, c'est ce que j'ai répondu (c'est aussi ce que je pensais).

– Ça fait plaisir, a dit ma mère.

J'aurais pu mourir sous ses yeux, elle aurait continué à prendre son petit air dégoûté.

– On organise le dîner pour te faire plaisir, et tu nous tires la tête toute la soirée.

– Je ne vous ai rien demandé.

– Va te coucher ou je t'en colle une, a dit mon père.

– À quoi ça sert que j'aie de bons résultats au collège, je me le demande, voilà ce que j'ai lancé en quittant la pièce.

– Ça ne te donne pas tous les droits…

Je ne sais pas ce qu'il a dit ensuite parce que j'étais enfermée dans ma chambre. Je ne vais pas passer ma vie à écouter des commentaires désagréables. Surtout le soir de mon anniversaire. Pour des gens qui voulaient soi-disant que je passe une bonne soirée, ils ont vraiment réussi à pourrir l'ambiance. La mousse de kiwi avait une drôle de couleur. Manger de la mousse verte, on dira ce qu'on veut, ce n'est pas hygiénique. Je crois que je vais être malade.

17 mars

Je suis malade. Tout le monde fait comme si je n'avais rien. Je suppose que, passé un certain âge, plus personne ne s'occupe de vous. Même vos parents laissent tomber. À part essayer de vous empoisonner, ils ne lèvent plus le petit doigt pour vous.

18 mars

Je lègue mon bracelet en argent à Samira.

Je lègue un sac à dos rose jamais porté à ma sœur Sophie.

Je lègue sa palette d'ombre à paupières à ma sœur Jessica, ainsi que la petite montre noire qu'elle croit avoir perdue et qui est cachée dans le deuxième tiroir de mon bureau sous le papier à lettres.

À condition qu'ils le retrouvent, je n'arrive pas à remettre la main dessus, je lègue à mes parents un pendentif nain en forme de poisson.

Je lègue ce journal à Lola, qu'elle se charge de le faire publier et qu'elle verse tout l'argent à Greenpeace. Inutile de pleurer, Lola, tu l'as bien cherché.

20 mars

Columbo m'a appelée. Elle avait sa voix des mauvais jours.

– Tu te souviens de Marceau ?

– Qui ?

– Ne fais pas semblant, imbécile.

– Le type dont on n'a pas le droit de dire le nom ?

– Il m'a demandé ton numéro de téléphone. Je te préviens. Si tu sors avec lui, je te tue.

– Mais c'est presque ton frère…

– Justement. C'est mon frère. Si tu sors avec mon frère, je te tue.

Elle avait l'air tellement à cran que je n'ai pas osé lui demander pourquoi elle avait donné mon numéro. Après tout, si elle ne veut pas qu'il m'appelle, elle planque le numéro. Mais non. Une fois de plus, il faut que tout me retombe dessus. Ce type va m'appeler (peut-être). Je vais devoir l'envoyer sur les roses. C'est pire que Roméo et Juliette. J'adore. Je ne crois pas que je vais travailler ce soir. Je crois que je vais plutôt réfléchir. Bête et heureuse : comment on fait ?

22 mars

Ça fait deux jours que je vis collée à côté du téléphone. Le seul appel personnel que j'ai eu l'honneur de décrocher venait de Mamie.

– Ma chérie, a-t-elle dit, ta vie est en train de changer.

Qu'est-ce qu'on peut répondre à ce genre d'ânerie ? Rien. J'ai laissé passer un grand blanc.

– Tes parents sont inquiets, tu sais. Heureux de tes progrès en classe. Mais inquiets pour toi. Tu manges normalement ?

– Oui.

– Donc, ce n'est pas l'anorexie. C'est ce que j'ai expliqué à ta mère.

– Et qu'est-ce que tu lui as dit d'autre ?

– Que tu étais amoureuse, ma chérie. Je ne vois pas d'autre raison…

Elle a eu un petit rire stupide et j'ai raccroché. Direct. Tant que ma grand-mère à demi folle encombre la ligne, aucun amoureux au monde ne risque de me téléphoner. Amoureuse, moi ? C'est à mourir de rire. J'ai bien le droit de vivre ma vie à côté du téléphone si ça me plaît. Je n'ai pas à supporter les conversations incohérentes de vieillards quasi gâteux.

AVRIL

Le grand rendez-vous

1er avril

Rien. Pas la moindre petite blague. Les traditions se perdent. C'est triste. Si une créature au monde, une seule, m'aimait seulement assez pour m'accrocher un poisson de papier dans le dos, je m'estimerais heureuse. Mais non. Je n'attire l'attention de personne. Personne n'a envie de se payer ma tête. Personne ne me téléphone. Je suis transparente.

2 avril

Retour sur image. Je me suis baladée toute la journée d'hier avec une morue vert pomme collée sur la fesse gauche. Je présume qu'un être humain au moins a trouvé ça drôle. Sans vouloir casser l'ambiance, je n'ai qu'un mot à dire : c'est désolant.

3 avril

Je me demande quel genre de personne dépourvue d'intelligence et de goût possède à la fois :

– du papier vert pomme ;

– assez de temps pour y découper des simili-poissons en forme de suppositoires.

7 avril
Le téléphone ne sonne pas. Il ne sonne pas à un point étonnant. Il ne sonne jamais. Je suis obligée de vérifier dix fois par jour que la ligne n'est pas en dérangement. Je décroche discrètement, j'écoute la tonalité, je raccroche. Le téléphone n'est pas cassé. Il ne sonne pas simplement parce que personne n'a envie de m'appeler.

9 avril
Deux appels aujourd'hui. Ma grand-mère, qui est malheureusement une femme vieillissante obsédée par les amours des gens plus jeunes qu'elle. Ma future ex-meilleure amie Lola, qui fait semblant d'ignorer qu'il y a un numéro de téléphone masculin entre nous. Sous des prétextes humanitaires (« Tu vas bien, ma chérie ? »), les deux appels concernaient en fait ma vie amoureuse. J'ai donc pu faire circuler cette information essentielle : néant. Je ne comprends pas pourquoi les gens s'intéressent comme des malades à la vie sentimentale des autres. Et, quand ils en ont fini avec les amours de leurs voisins, de leurs amis, de leurs enfants, ils se jettent comme des vautours sur les aventures d'inconnus qu'ils ne rencontreront jamais, Brad Pitt-Angelina Jolie et toute la clique des vedettes de magazine. Soyez sympa, les gens ! Oubliez-nous ! Laissez-nous vivre !

12 avril
Vacances à la fin du mois. Si j'avais des parents riches, j'irais apprendre le ski nautique à Ibiza. Si j'avais des

parents divorcés, j'irais passer une semaine chez l'autre. Si j'avais des parents enseignants, j'irais faire un séjour linguistique en Angleterre. Mes parents sont plutôt pauvres, plutôt conjugaux et pas du tout enseignants. Je vais rester vissée chez moi. Il y aura bien une sortie au centre commercial, une après-midi piscine et une soirée crêpes en famille. Trop de bonheur.

14 avril

Je me souviens vaguement qu'il y a très longtemps de cela un garçon avait demandé mon numéro de téléphone à l'une de mes amies. Il n'a jamais appelé et j'ai fini par oublier son nom et son visage. Je suis restée seule, ce qui m'a donné l'occasion d'améliorer mes résultats scolaires et de me vautrer dans le désespoir. J'ai fini mon existence célibataire, brouillée avec ma famille et fâchée avec mes amis. Je devrais écrire l'histoire de ma vie. Je connais un tas de gens qui adorent les histoires réalistes et lamentables. Je la publierais et je la vendrais à des millions d'exemplaires. Je finirais ma vie seule mais riche, ce qui est toujours mieux que la finir seule et pauvre. Bon sang, Marceau, puisque c'est malheureusement ton nom, POURQUOI TU N'APPELLES PAS ?

15 avril

– Si tu veux un téléphone portable, tu te l'achètes. (Réponse de mon père.)

– Avec quel argent ? (Question de moi.)

– Tu fais des économies sur ton argent de poche (Mon père.)

– C'est une blague ? (Moi.)

– … (Mon père.)

Si j'avais un portable, ma vie serait bouleversée. Les gens n'osent pas m'appeler parce qu'ils ont peur de tomber sur mes parents. Je peux les comprendre. En attendant, ce n'est pas avec ce qu'on me donne que je vais payer l'abonnement.

16 avril

Sophie a du papier à lettres vert pomme. Je l'ai trouvé dans le tiroir de son bureau. Le hareng sur la fesse, c'est elle.

– Tu fouilles dans mes tiroirs ?

C'est tout ce qu'elle a trouvé à me dire quand j'ai brandi sous son nez la preuve de sa mesquinerie. Quel culot elle a, c'est stupéfiant. Les sixièmes qui portent des lunettes, des cartables Titeuf et des seize en maths se croient au-dessus des lois, c'est clair.

– Je cherchais une gomme, figure-toi.

– Alors, c'est toi ? Les feutres rouges ? Le compas ? Le papier calque ? Quand tu perds tes affaires, tu te sers dans les miennes ? Maman ! Aurore n'arrête pas de fouiller dans mes tiroirs et de prendre dans mes réserves…

J'étais partie pour avoir une petite explication amicale et cette andouille s'est mise à pleurer en appelant sa mère. J'ai préféré abréger ses souffrances, je l'ai plantée là. De toute façon, mon procès était perdu.

Comme juge, cette mère est complètement nulle.

Je suis condamnée d'avance. Autant s'évader avant la sentence.

Le problème de l'évasion, c'est qu'il ne suffit pas de claquer la porte. Il faut savoir où aller une fois qu'on est dehors. Quand je sors de chez moi en fin de journée, à moins de traîner dans les rues, je n'ai pas trente-six solutions. Je vais sonner chez Lola.

Elle m'a ouvert. Elle n'a pas eu l'air surpris. Elle a même souri, comme si elle était contente.

– Ça fait longtemps, a-t-elle dit.

– Si on regardait des idioties à la télé ? ai-je dit.

– Bonne idée. Regarder des idioties toute seule donne le cafard.

On s'est glissées sous la couette. J'ai attrapé la télécommande et j'ai allumé la télé. Le programme était tellement idiot qu'on n'avait même pas besoin de le regarder. C'était comme si on l'avait déjà vu cent fois. Je me suis sentie mollir, je me suis sentie bien.

– Tu devrais appeler Marceau, a fait Lola. Il t'aime bien.

– Je croyais que tu lui avais donné mon numéro.

– Il me l'a demandé.

– Et alors ?

– Il m'énervait. Je voulais réfléchir un peu, avant.

– Mais tu m'as dit que tu lui avais donné…

– C'est presque pareil. Je voulais le faire, mais pas tout de suite.

– Tu m'as menti.

– Non. J'ai exagéré.

J'aurais dû lui envoyer une claque, j'aurais dû crier et l'insulter. Mais j'ai éclaté de rire. J'ai ri si fort que de grosses larmes me sont sorties des yeux. Du coup, Lola a ri aussi. Nous étions comme deux nouilles à hurler de rire en nous roulant sous sa couette. Un ahuri déguisé en clown se couvrait de ridicule sur l'écran en face de nous, mais il n'avait rien de drôle. C'était nous, nous et nos histoires à la noix, nos embrouilles ridicules, qui étions désopilantes, irrésistibles, incroyablement comiques.

– Tiens, a dit Lola en me passant le téléphone qui est installé sur sa table de nuit. Je te fais le numéro et je te le passe.

– Vas-y, ai-je fait en m'essuyant les yeux. Mais ne me fais pas rire.

Lola a pianoté sur le clavier.

– Lola, juste un truc... Est-ce que j'ai le droit de le voir sans toi ?

Elle a tourné la tête vers moi et m'a regardée dans les yeux.

– Oui, mais tu me racontes tout.

Voilà comment, vautrée sous la couette avec ma meilleure amie, j'ai pris rendez-vous avec un garçon. En tête à tête. Pour la première fois de ma vie.

17 avril

Ma vie s'est arrêtée. Elle reprendra dans deux jours.

18 heures. En face du cinéma. Dans le café rouge. Celui qui fait le coin de la rue. Je ne savais pas qu'un garçon pouvait avoir une si belle voix au téléphone. Rien que sa voix, je l'aime.

C'est affreux.

Comment je vais faire pour lui parler ?

18 avril

Comment je m'habille demain ?

19 avril au matin

C'est fichu. J'ai un bouton, en haut à gauche, sur le front. Inutile de faire des efforts de costume. J'y vais en fille normale, habits normaux, chaussures normales, bouton normal. Au moins, on ne pourra pas me reprocher d'en faire trop.

20 avril

Sans vouloir me vanter, c'est fait. Tu m'entends, cher petit journal ? C'EST FAIT. Je ne dis pas que tout a été une partie de plaisir. Mais enfin, c'est fait et c'est le principal. Je suis la petite amie d'un type assez grand et brun de cheveux qui s'appelle Marceau. Il m'a embrassée, moi, sur la bouche, dans la rue, devant la porte d'un immeuble, il me semble que c'est une preuve suffisante que nous sommes ensemble jusqu'à la rupture. Embrasser quelqu'un sur la bouche n'est pas l'exercice que j'ai préféré jusque-là dans l'existence, mais c'est un passage absolument nécessaire dans toute relation amoureuse. Va-t-il falloir que je l'embrasse chaque fois que nous nous voyons ? Je suppose que oui.

21 avril

– (Lola) Raconte !

– (Moi) Ben… D'abord, on a bu un verre… Après, il m'a parlé de son collège et je l'ai écouté. Ensuite, il a mis sa main sur la mienne, direct. Du coup, je suis devenue toute rouge, j'ai eu très chaud et j'ai voulu rentrer chez moi. Il m'a ENCORE pris la main dans la rue, c'était affreux, tout le monde pouvait nous voir. À la fin, il m'a regardée au fond des yeux, comme s'il voulait me manger, ou fondre en larmes, c'était difficile de décider, il a avancé sa figure et il a posé sa bouche sur la mienne. Ploc.

– (Lola) Quoi «ploc»? Il t'a EMBRASSÉE?

– (Moi) En gros, oui. Je me suis appuyée contre la porte d'un immeuble, sous le porche, pour me cacher un peu. Et bon, le truc quoi. Après, une dame est sortie de l'immeuble avec sa poussette et deux enfants dedans et j'en ai profité pour partir chez moi en courant.

– (Lola) C'était bien?

– (Moi) Franchement, je ne sais pas. C'était bizarre. Surtout dans la rue.

– (Lola) Tu l'aimes?

– (Moi) Forcément, je l'aime. Mais je me demande si je vais arriver à l'aimer tous les jours.

– (Lola) Tu n'es pas obligée de le voir tous les jours.

– (Moi) Tant mieux. C'est plus facile d'aimer quelqu'un quand on peut penser à lui tranquillement.

– (Lola) Super, les vacances vont commencer, il part en colo. Tu vas pouvoir l'aimer tranquillement pendant quinze jours…

– (Moi) Quinze jours? Il me manque déjà atrocement.

– (Lola) Dans un sens, tu l'aimes à la folie.

– (Moi) Dans un sens, oui.

MAI

L’affaire du traumatisme

1er mai

Fête du travail. Résultat: personne ne bosse. Quand même, faire des fêtes sous l seul prétexte qu'on a du boulot, c'est un manque de respect pour ceux qui n'en ont pas. Un jour, moi aussi je chercherai du boulot et personne ne voudra m'en filer. Ce jour-là, j'inventerai la fête du chômage: une fois par an, tous les chômeurs auront le droit d'aller bosser. Pas de raison que ce soit toujours les mêmes qui se marrent.

9 mai

Je n'ai pas franchement écrit pendant quinze jours. J'ai pris des vacances. J'ai pensé qu'il était de mon droit de prendre des vacances. Même les écrivains prennent des vacances, j'imagine, si on veut bien considérer que le reste du temps ils travaillent. Je ne vois pas pourquoi je n'aurais pas pris de vacances. Je n'ai manqué à personne. Personne n'est venu se plaindre. À se demander pourquoi je recommence. Je pourrais aussi bien prendre des vacances éternelles. Personne ne verrait la différence. Pourquoi écrire dans un monde qui ne s'intéresse pas du tout à moi? Voilà la vraie question. Les autres écrivains ne se la posent pas, parce qu'ils passent à la télé. Ils passent tard, mais enfin, ils passent. C'est déjà quelque chose d'énorme, quand on pense à tous les autres, les anonymes, qui n'y passent jamais, eux, à la télé.

10 mai

Allez, j'avoue. Je n'ai pas écrit pendant les vacances parce que je n'avais rien à dire. Je n'avais rien à dire parce que je n'ai rien fait. Je ne suis pas assez vieille pour recycler mes vieux souvenirs d'enfance moisis. Et je ne suis pas le genre de galérienne à décrire pendant des heures le papier peint de sa chambre.

12 mai

Marceau est rentré de vacances. Je le sais par Lola. Elle est rentrée aussi. Forcément, ils ont passé la deuxième semaine ensemble. Dans la maison de famille de Mme Marceau. Maison de famille, je rêve. Je remarque que ma mère n'a pas de maison. Elle a juste une famille.

Il ne m'a pas encore téléphoné. Qu'il ne compte pas sur moi pour faire le premier pas. Je ne suis pas à son service.

Je note que nous nous sommes vus juste avant son départ. Au café, pour changer. Il a pris ma main droite dans les siennes. Il l'a gardée longtemps, sans bouger. Il la regardait fixement, comme si c'était un oiseau mort. Je l'ai laissé se vautrer dans la contemplation. Qu'est-ce que j'aurais pu faire d'autre ? Ma main était toute molle et toute recroquevillée. Quand j'ai senti les fourmis me courir dans l'épaule, j'ai retiré mon bras. Je suppose que c'est ça l'amour, prendre la main des gens et la fixer stupidement pendant des siècles. Je suis incapable de tomber amoureuse, c'est clair. Je ne me fais aucune illusion : je suis frigide. J'ai sûrement été traumatisée dans mon enfance. Mais par qui ?

Après la main, les lèvres. Je me suis un peu laissé bisouiller, j'aurais aussi bien pu m'évanouir de honte. On n'a pas idée de faire des échanges de salive dans les endroits publics, c'est antihygiénique et horrifiant pour les autres. Mais au moins, il n'a pas essayé de m'embrasser dans la rue. J'ai marché tellement vite qu'il aurait eu du mal. Je ne suis pas totalement contre les baisers, mais ce n'est pas non plus la peine d'exagérer. On n'est pas obligés de s'embrasser TOUT LE TEMPS sous prétexte qu'on sort ensemble.

13 mai

– Si quelqu'un téléphone pour moi, merci de répondre que je ne suis pas là.

Jessica m'a regardée bizarrement.

– Toi ? La fille qui vit collée à côté du poste ? Toi, tu ne veux pas répondre ?

– J'ai décidé d'arrêter. Je pense que ça mérite un peu de solidarité familiale.

– De toute façon, personne ne t'appelle, a dit Sophie.

Les individus très disgracieux sont quasiment obligés de se montrer odieux. C'est une loi psychologique. Ils compensent.

Sophie, je te pardonne car je te plains.

14 mai
Pas le moindre appel. Mais je ne céderai pas. Je subodore qu'un certain Marceau passe ses soirées à pleurer à côté de son téléphone muet.

15 mai
Il pleut à torrents. Peut-être un nouveau déluge. Si Marceau est dans l'Arche, je préviens que je ne monte pas.

16 mai
Quatre en maths, six en histoire, sept en SVT. Quand le bulletin va arriver, je pourrai toujours essayer de dire qu'on est notés sur dix.

Tout le problème du travail, c'est que ça ne sert à rien. Sitôt qu'on arrête, on dégringole. Retour à la case départ. Exactement comme si on n'avait rien fait du tout. Résultat: autant ne rien faire du tout. Comme ça, personne n'est déçu.

16 mai, plus tard
Tout est de la faute de ce type qui ne pense qu'à embrasser goulûment les gens dans des endroits publics. Avant qu'il se colle à moi comme une ventouse, j'avais d'excellents résultats scolaires. Maintenant, je suis complètement démotivée. Frigide et démotivée, voilà ma vie.

17 mai
Parfois, j'aime aller au collège. J'aime voir les gens arriver en traînant les pieds, le blouson ouvert, le sac sur

l'épaule, avec leurs petites figures mal réveillées. J'aime retrouver ceux qui me plaisent, les rejoindre, parler dans les couloirs. J'aime l'ambiance un peu embrumée, un peu excitée du matin, le bruit des chaises que l'on bouge, des sacs que l'on fouille, et ce gros silence qui retombe soudain, annonçant que le cours a commencé et que toute l'assemblée s'est rendormie. Cette impression agréable est nouvelle. Jusque-là, je n'avais jamais trouvé aucun plaisir à me rendre à l'école, puis au collège. Les seuls sentiments que je connaissais étaient la panique (au secours, je suis en retard), la peur (une fois de plus, je n'ai pas fait mon travail), l'ennui (encore toute une journée à tirer, c'est mortel). On dirait que les choses changent. J'ai fini par m'apercevoir que je ne suis pas toute seule dans mon cas. Que les autres sont plutôt marrants. Je suis peut-être frigide, mais je suis sociable. C'est nouveau. Dans un sens, la vie est belle (au moins à 50 %).

22 mai

– On dirait que le printemps te réussit, a lancé ma mère, devant mes sœurs, mes grands-parents et moi-même, alors que nous déjeunions d'un rôti-purée pour fêter normalement dimanche.

Elle avait son air réjoui et ce gros gant immonde qu'elle prend pour attraper les plats chauds et qui lui donne l'air d'avoir été amputée de l'avant-bras. Un genre de gant-prothèse. Quatre paires d'yeux se sont braquées sur moi, et j'ai eu envie de mourir, ou de la tuer, ou de lui faire avaler son gros gant immonde. Sophie me fixait avec curiosité, comme si ma mère était capable de donner une information importante et qu'il était possible d'en penser quelque chose. Jessica avait les yeux plissés de contentement. Elle se moquait de moi. Pas de problème. À sa place, j'aurais fait pareil. Mon pauvre grand-père me regardait parce que tout le monde le faisait, mais je sais qu'il attendait de pouvoir attaquer sa purée. Quant à Mamie, évidemment, elle pétillait, elle étincelait, elle jubilait. On lisait à livre ouvert sur son visage ravi, et ce visage disait : « Tout ce qui parle d'amour me concerne. »

Certaines personnes sont parfaitement dépourvues de tact. Étrangement, plus elles sont vieilles, plus elles en manquent. Une personne très jeune, un adolescent par exemple, est très sensible aux paroles et aux ambiances. Une personne plus âgée, sa mère par exemple, ou pire sa grand-mère, prouve régulièrement qu'elle possède un esprit lourd et épais, et qu'elle est incapable de sentir les nuances déplacées ou blessantes. J'imagine qu'on s'endurcit en vieillissant. Le cerveau, c'est comme les pieds, ça prend de la corne. Je ne dois pas être assez vieille. Je ne sais pas me défendre. Je suis obligée de répondre par l'attaque.

– Est-ce que quelqu'un à cette table est au courant que j'ai été abusée dans mon enfance ?

– Quoi ? a crié ma mère en agitant son gant au-dessus de la table.

Les yeux de Sophie se sont écarquillés. Jessica a cessé de rire. Mamie a perdu son bon sourire obsessionnel. Papi en a profité pour prendre un peu de purée.

– Oui, parce que j'ai besoin de savoir par qui, ai-je ajouté fermement, et dans quelles conditions.

Le silence est tombé sur la table comme une enclume. Si quelqu'un cherche à faire de l'effet dans un dîner, je conseille l'abus. C'est radical.

22 mai au soir

Depuis ce midi, on dirait que j'ai une maladie contagieuse. Plus personne ne m'adresse la parole. Mamie a bien essayé :

– Est-ce que tu veux me parler, ma chérie ? a-t-elle demandé en me passant la main sur les cheveux (geste antihygiénique, porteur de germes et que je déteste entre tous, j'ai horreur qu'on me tripote).

Je lui ai lancé un regard terrible.

– Je crois que c'est plutôt à vous de me parler.

De toute façon, je ne vois pas très bien quoi dire, puisque je n'ai aucun souvenir de rien. Il est bien connu que les traumatismes effacent les souvenirs, ce qui n'est pas très pratique pour en discuter.

Puisque j'avais réussi à faire taire ma propre famille, j'ai décidé de régler cette vieille histoire de Marceau dans la foulée. Après tout, mes mains sont à moi. Aussitôt sortie de table, j'ai pris le téléphone et j'ai fait son numéro. J'espérais un peu qu'il ne serait pas chez lui (personne n'aime rompre en direct, c'est pourquoi les gens s'écrivent sans arrêt quand ils ont des histoires d'amour, il y en a même qui en font des bouquins, je le jure). Mais ce dimanche n'était pas un dimanche comme les autres : c'est lui qui a décroché. On me croira si on veut : il a été très facile de lui dire que notre folle histoire venait de capoter.

– Marceau, je te remercie beaucoup de m'avoir tenu la main, et même de m'avoir embrassée, mais je crois que nous ne sommes pas faits l'un pour l'autre.

– C'est un peu ce que je pensais, a-t-il dit simplement, ce qui prouve qu'il est beaucoup plus facile de finir les choses que de les commencer.

J'étais tout à fait contente de moi et de mon efficacité quand il a ajouté :

– De toute façon, je crois que je suis amoureux de Lola.

Un grand blanc s'est fait et j'ai crié :

– Quoi ?

24 mai

Je suis passée regarder la télé chez Lola. Elle ne sait rien, pauvre chose. Elle n'a même pas l'ombre d'un soupçon. Elle ignore quels dangers la menacent. Je n'ai rien dit. Ce n'est pas à moi de la prévenir. Que les gens se débrouillent tout seuls, je ne suis pas une agence matrimoniale.

Pendant deux jours, je me suis sentie un peu vexée d'avoir été si lâchement trahie, et par une personne que je n'aime pas tellement, en fin de compte. Mais il a suffi que je me rappelle le baiser dans la porte cochère, ou la scène de l'oiseau mort, pour effacer tous mes regrets. Je souhaite beaucoup de bonheur à Lola. Au moins, elle pourra y gagner d'avoir embrassé un garçon une fois dans sa vie, ce qui figurait au nombre de ses objectifs, si je me souviens bien (car les vrais amis n'oublient rien).

26 mai

– Aurore, a dit mon père en me regardant tristement de ses yeux cernés de mauve (les touristes sont de retour, l'hôtel est plein et les journées sont longues). J'ai à te parler.

– Ce n'est pas vraiment la peine, ai-je répondu en essayant de filer.

– Je ne te demande pas ton avis. Viens ici.

– C'est pour l'affaire ?

Il a hoché la tête.

– Alors, c'est inutile. Je ne me souviens de rien. À cause du traumatisme.

– Eh bien, tu en parleras à quelqu'un de plus compétent que moi. Tu as rendez-vous chez un médecin mercredi, dans l'après-midi.

– C'est bête, je ne peux pas. J'ai justement rendez-vous avec Samira.

– Tant pis pour Samira.

– Je ne suis pas malade.

– Pas besoin d'être malade.

– Je n'irai pas.

Il s'est levé de sa chaise. Il a mis les poings sur les hanches. Il m'a fixée dans les yeux et il a dit :

– Tu iras. Sinon, c'est moi qui te conduirai.

Pas de doute, il est à cran en ce moment.

C'est la saison.

Je n'ai pas eu le choix.

– D'accord, j'irai. Pas de souci. Ne t'énerve pas. Du calme. Personne n'est mort.

27 mai

Sans blague, je me demande comment je vais faire pour raconter à cette personne que je suis en même temps terriblement traumatisée et complètement amnésique. J'espère qu'elle ne va pas me faire parler devant une glace sans tain avec mes parents (horreur). J'adorerais qu'elle m'hypnotise. L'hypnose marche, c'est connu, on le lit dans n'importe quel journal gratuit. Je voyagerais dans mes vies antérieures. On n'en sait pas assez sur ses vies antérieures. Moi, par exemple, j'ai sûrement connu autre chose qu'une vie maussade et sans avenir, dans une famille minable. J'ai des sortes de souvenir d'Égypte ancienne, on ne me fera pas croire que c'est pour rien. Oh, vivement la visite ! Et pourvu qu'on m'hypnotise !

JUIN

Ma guérison miraculeuse

8 juin

Je suis exclue du cours de maths pour une semaine. À cause de mon traumatisme. Il fallait absolument prévenir Samira que le rendez-vous de l'après-midi était à l'eau, pour cause de traitement médical de post-abus. Et comme nous étions en cours, et que je ne voulais pas déranger Ancelin en bavardant, j'ai fait passer un petit papier plié en quatre. Un minuscule petit papier, très discret, absolument inoffensif et silencieux. Il faut croire que les profs de maths sont plus préoccupés par ce qui se trafique dans leur classe que par ce qui se passe sur leur tableau. Bref, Ancelin a intercepté le papier. J'étais morte.

Elle l'a regardé longuement (pauvre petit papier, il avait l'air fragile et presque bête dans ses gros doigts). Puis elle a crié soudain, comme si elle venait de découvrir mon cadavre allongé au fond de la classe.

– Aurore !

– Oui, madame !

J'ai crié à mon tour, assez fort pour la rassurer.

– Aurore, qu'est-ce que c'est que ça ?

– Un papier, madame.

– On peut savoir pourquoi vous faites circuler des courriers au beau milieu de mon cours ?

Elle a dit «mon cours» exactement comme elle aurait dit «ma plage privée», ou «mon château de Versailles».

– Parce que ça fait moins de bruit qu'un bavardage. Je ne voulais pas déranger.

Une fois de plus, la sincérité a été punie. J'aurais fait l'hypocrite, j'aurais gémi des «pardon, madame, je ne le ferai plus jamais, jamais de ma vie», je serais toujours en cours et personne n'en parlerait plus. Malheureusement, je ne suis pas une fille qui dissimule. Résultat, exclue pour une semaine, ce qui serait une bénédiction si les exclusions n'étaient pas balancées aux parents le jour même, par courrier signé du proviseur. Ils ont déjà du mal à avaler le bulletin, j'ai peur que l'exclusion leur reste sur l'estomac. Ma mère va se taper une gastrite de printemps, c'est couru d'avance.

Il a fallu que j'attende l'interclasse pour avertir Samira.

– Qu'est-ce que tu as de si urgent à faire?

– Je vais chez le médecin.

– Tu es malade?

– Chez le médecin de la tête.

J'ai pris un visage malheureux-mystérieux.

– Tu fais une dépression?

Elle avait l'air complètement passionnée.

– Je ne peux rien te dire. C'est privé.

Touché, coulé.

– C'est bon. Garde tes petits secrets pour toi, si ça te fait plaisir.

Un: virée du cours de maths. Deux: brouillée avec Samira. Il n'aurait plus manqué que je loupe mon rendez-vous. Mais non, j'étais à l'heure, au bon endroit. Et pour te parler franchement, cher petit journal, c'était génial.

10 juin

Génial. Personne ne pourrait deviner que cette femme est médecin. Elle a une tête à tirer les cartes, et elle serait aussi bien dans une caravane place de la Nation. «Mme Pachanka, voyante». D'abord, elle a de longs cheveux qui lui recouvrent les épaules (pourtant, elle a au moins trente-cinq ans). Ensuite, elle est maquillée comme si elle sortait de sa salle de bains pour aller dîner. Enfin, elle porte des chaussures à hauts talons, qui montent sur la cheville, et qui sont lacées sur le devant. Par des rubans rouges. Si tous les médecins étaient comme elle, la France entière serait malade à longueur de temps. Elle m'a fait asseoir en face d'elle, dans un fauteuil bien profond.

– Je suis là pour vous écouter. Qu'est-ce qui vous amène ?

Elle tombait mal.

– C'est le problème. Je ne me souviens plus du tout de ce qui m'est arrivé.

– Eh bien, a-t-elle fait en souriant, comme si c'était la chose la plus naturelle du monde d'avoir la mémoire cramée. Dans ce cas, parlons de choses et d'autres.

Parler, c'est assez facile. Plus facile par exemple que d'écrire. J'ai donc parlé de mes amies. De Samira qui est trop intelligente pour qu'on lui raconte trop de choses sur sa vie. De Lola qui ignore encore, la bienheureuse, qu'elle va sortir avec Marceau. Et de Marceau que je ne peux pas aimer parce qu'il me tient la main comme s'il avait ramassé un moineau mort, ce qui m'a appris que j'étais frigide. Ruban rouge m'écoutait en hochant la tête avec son bon sourire attentif. À un moment, elle a dit :

– C'est bien. À la semaine prochaine.

Juste comme je parlais de Marceau. Juste quand je commençais à devenir intéressante. Elle s'est levée de son fauteuil. Je me suis levée aussi. On aurait dit que le fauteuil me recrachait.

– C'est tout ?

– Oui. À la semaine prochaine.

J'ai ramassé ma veste et mon sac.

– Et pour l'hypnose ? ai-je fait alors qu'elle ouvrait la porte devant moi.

– L'hypnose ?

– Oui. Pour retrouver mes souvenirs.

Retour du légendaire sourire de Ruban rouge. Elle a secoué la tête.

– Je n'utilise pas l'hypnose. À la semaine prochaine.

Elle commençait à être lourde avec ses « à la semaine prochaine ». Je suis sortie sans me retourner. Génial mais un peu minable sur la fin, voilà ma conclusion.

13 juin

À la maison, plus personne n'ose me parler. Le bulletin entièrement composé de notes inférieures et jamais égales à dix est tombé dans l'indifférence générale. Même la lettre d'exclusion n'a pas soulevé de commentaire. Je leur fais peur. C'est le comble. On m'a bousillé ma vie, et c'est moi qui les terrorise. La seule personne qui ait l'air de s'en moquer complètement, c'est Jessica. C'est normal. Je ne l'intéresse pas. De temps en temps, elle m'envoie une petite remarque, du genre :

– C'est toi qui m'as piqué mon shampoing ?

Ou :

– C'est toi qui m'as piqué mon CD de La Brigade ?

Ou :

– C'est toi qui m'as piqué le top manga jaune ? Rends-le ou je te tue.

Quand elle me parle, c'est simple, j'ai l'impression que je n'existe pas. Au moins, je ne suis pas dépaysée. La non-existence, c'est mon destin. Mais on se fait à tout. Question d'habitude. Vivement mercredi.

11 juin

Samira me faisait tellement la tête que j'ai fini par lui lâcher un petit quelque chose. Un genre de cacahuète psychique pour éléphant vexé.

– C'est à cause de ma famille. Un truc qui s'est passé dans mon enfance… Mais je ne peux pas en parler, le médecin préfère que je reste discrète.

C'était bien joué. L'éléphant a frémi des oreilles.

– Tu vas porter plainte ?

– Je n'y ai pas encore réfléchi. Le problème, c'est que j'ai du mal à retrouver mes souvenirs.

L'éléphant m'a regardée avec méfiance par-dessus sa trompe.

– Tu n'es pas un peu mytho ?

Cette fois, c'est moi qui ne lui parle plus. Cette fille a peut-être de l'intelligence, mais côté expérience et sensibilité, elle avoisine le zéro. Je ne vais pas me fatiguer à lui expliquer que c'est à cause d'un type lubrique qui porte un nom d'avenue que mon passé m'est revenu en boomerang, et cætera, et cætera. Je ne dis rien à Lola pour ne pas gâcher ses chances en amour, je ne vois pas pourquoi j'irais me confier à Samira. J'aurais mieux fait de la fermer complètement, une fois de plus.

15 juin

Ruban rouge a changé de couleur de cheveux. Ils sont assortis à ses chaussures, c'est curieux. À peine entrée dans son bureau, j'ai foncé dans mon fauteuil, et elle dans le sien…

– Alors ? a-t-elle fait.

Puisqu'il y a une personne au monde qui veut bien m'écouter, même si elle est payée pour ça, j'en profite. J'ai repris là où je m'étais arrêtée. À Marceau. Elle a pris un visage tout à fait intéressé quand je lui ai parlé de ma déduction : baiser, frigidité, abus. Elle a arrêté de battre des paupières et son visage s'est éclairé, comme si elle se réveillait brusquement.

– Vous n'êtes pas frigide.

Voilà ce qu'elle a dit, aussi clairement qu'elle m'aurait dit : « Vous avez un très gros bouton sur le nez. » Là-dessus, elle a jeté un coup d'œil à sa montre et elle a ajouté :

– Bien. À la semaine prochaine.

Je me suis extraite du fauteuil. Et j'ai eu très envie de lui mettre une claque.

16 juin
Même les grands bonheurs ont une fin. L'exclusion est levée. Je retourne aux cours d'Ancelin. Je suis seule à une petite table, au premier rang. Impossible de faire passer le moindre papier à qui que ce soit. Je me sens tellement isolée que je suis prête à me réconcilier avec Samira. Je me retourne dix fois dans l'heure pour lui envoyer des sourires amicaux. Évidemment, elle fait celle qui ne voit rien. Elle a un manuel de maths à la place du cœur.

Je vais probablement mourir d'ennui.

17 juin
Le brevet des collèges approche… Panique générale dans les rangs. Ils ne seraient pas plus affolés par la Fin du Monde. Personnellement, je prends les choses avec calme : je n'irai pas aux examens. De toute façon, je suis promise au redoublement. J'aurai toutes mes chances l'année prochaine. Autant économiser mes forces.

18 juin
Cette andouille de Samira continue à me prendre de haut. Elle fait semblant de ne pas me voir. Comme si on pouvait ne pas voir quelqu'un dans une classe de vingt-sept personnes, dont vingt-cinq sont des crapauds pustuleux.

19 juin
Ils sont tous aux examens. Je suis allée chez le médecin ce matin. D'un strict point de vue médical, le collège me déprime tellement que je suis en train de me ruiner

l'estomac à force de crampes. J'ai un certificat en béton. Au revoir, petit brevet, à l'année prochaine !

21 juin

J'ai croisé Lola à la boulangerie. Elle avait l'œil vague et le petit sourire gêné, celui qui dit clairement : « Ma chérie, tu me pardonneras, mais je ne peux pas tout te dire. » J'aurais pu lui en vouloir, je l'ai trouvée pathétique. Du coup, je me suis avancée vers elle, je lui ai collé deux gros baisers sonores et j'ai dit bien fort :

– Tu as des nouvelles de Marceau ?

Elle est devenue tellement rouge que tout le monde dans la boulangerie (et à 7 heures, ça fait du monde) a eu peur qu'elle ne prenne feu spontanément. Je lui aurais bien balancé un seau d'eau à la figure pour la soulager, mais je n'avais pas de seau. Alors je lui ai proposé de passer chez elle, regarder la nouvelle émission où des gens très moches et complètement périmés se traînent dans la boue pour gagner on ne sait pas quoi. Elle n'a pas répondu oui, mais elle n'a pas osé dire non. Elle faisait pitié. Du coup, par pure gentillesse, je suis restée chez moi. Moi aussi, j'ai la télé.

22 juin

– Vous n'aviez peut-être aucune envie d'embrasser ce garçon, a suggéré Ruban rouge.

C'était la première fois qu'elle me gratifiait d'une phrase aussi longue. J'ai dû réfléchir avant de lui répondre.

– C'est vrai. D'ailleurs, je ne lui avais rien demandé.

– Ce n'est donc pas le baiser qui est en cause. C'est peut-être le garçon.

– Vous voulez dire que je suis lesbienne ?

Elle n'a pas répondu mais elle a éclaté de rire. J'ai ri aussi. C'était un moment charmant. Apparemment, si mon identité sexuelle est toujours floue, la frigidité n'est pas au cœur du problème.

24 juin

Si je ne suis pas frigide, je ne suis pas traumatisée. Si je ne suis pas traumatisée, personne n'a abusé de moi. Si personne n'a abusé de moi, il est normal que je n'en aie pas de souvenir. D'un côté, je suis un peu déçue. De l'autre, je suis contente de savoir que j'ai une mémoire en bon état. Maintenant le problème est simple : comment annoncer à mes parents que je n'ai pas été abusée dans mon enfance ? Et comment, par ailleurs, en profiter pour les avertir que, cette année, je redouble ?

27 juin

Je suis passée chez Lola. Son père a acheté un nouvel ordinateur, il lui a donné le vieux. J'ai donc allumé la télé pour moi toute seule pendant qu'elle tapait comme une dingue sur son clavier.

– Avant l'ordinateur, j'ai dit, on regardait ensemble et on se marrait bien. Maintenant, j'ai juste l'impression d'être un gros sac-poubelle avachi sur ton lit.

Elle était tellement occupée par son truc qu'elle ne m'a même pas entendue.

– LOLA ! (j'ai crié) À QUI TU CAUSES ? (c'était du vice parce que je le savais).

Elle est devenue toute rouge (c'est sa nouvelle manie), elle a encore tapé trois ou quatre mots, puis elle a abandonné son merveilleux écran. Elle est venue s'affaler à côté de moi.

– Il faut que je te dise une chose…

Je l'ai regardée avec de bons yeux innocents. Pauvre chérie, elle était de plus en plus rouge, de seconde en seconde, c'était terrible à voir.

– C'était Marceau. Je… (toussotements, roulements d'yeux, plaques violettes sur les joues)… sors avec lui.

– Et alors, c'est comment ?

– J'adore.

Bon, elle adore. Normal, elle n'en est qu'au début.

– Tu n'es pas fâchée ?

– Qui ? Moi ?

– Tu ne dis rien…

– Qu'est-ce que tu veux que je te dise ?

– Tu pourrais me poser des questions…

– Quelles questions ? Je te rappelle que j'en sais déjà pas mal.

– C'est vrai. Alors, tu n'es pas fâchée ?

– Si, je suis fâchée parce que tu ne t'occupes plus du tout de moi et que je regarde toute seule des vieux programmes pourris, on dirait qu'ils passent les mêmes en boucle à longueur d'année.

– D'accord, a dit Lola. Je m'excuse.

Elle s'est levée pour éteindre l'ordinateur. Ensuite de quoi nous nous sommes allongées bien confortablement et nous avons regardé pendant des heures une série d'épouvante où des femmes assez vieilles disaient des horreurs sur des hommes eux-mêmes assez effrayants.

– Des fois, ça me plairait d'être un chien, a remarqué Lola.

– Facile à dire, j'ai répondu. Tu connais qui, personnellement, comme chien ?

C'était le début d'une bonne conversation. On a bavardé en regardant n'importe quoi jusqu'à ce que la nuit tombe.

Ce qui est triste, dans l'amour, c'est qu'il vous pique vos copines. Heureusement qu'il ne dure pas. Une petite rupture et hop, on retrouve ses amies. L'amour, je vous le dis, c'est juste une question de patience.

JUILLET

Vive la France

2 juillet

Ils auraient pu se bouger un peu pour avoir l'air concerné. Pousser quelques cris menaçants. Me priver de sortie. Me supprimer l'argent de poche. Rien. Ils n'ont même pas fait semblant d'être surpris. Tant d'indifférence, quand arrive le bulletin qui confirme le redoublement, c'est de la maltraitance. Je peux redoubler tant que je veux, mes parents s'en lavent les mains.

– Ne te fais pas de souci, a dit ma mère. Profite de tes vacances. L'important, c'est d'être en forme à la rentrée.

Là-dessus, elle a eu un sourire dépressif, genre trou noir de l'espoir. Comment je vais faire pour tenir deux mois ? C'est le défi.

3 juillet

Je ne sais pas par quel miracle une fille qui passe tout le mois de juillet chez ses parents peut profiter de ses vacances. Est-ce que le mot « vacances » a encore un sens pour elle ? La réponse est non. La preuve : on peut le remplacer facilement. Par « débardeur jaune à rayures » « Profite bien de ton débardeur jaune à rayures. L'important, c'est d'être en forme à la rentrée. » Par « petit copain gothique » : « Profite bien de ton petit copain gothique.

L'important, c'est d'être en forme à la rentrée.» Par «eczéma»: «Profite bien de ton eczéma. L'important, c'est d'être en forme à la rentrée.»

5 juillet

J'aime bien rester allongée sur mon lit. Je regarde le plafond, je pense à des trucs. Exemple: je pense à mon redoublement. Je compte les avantages et les inconvénients.

Avantages:

– je suis débarrassée des crétins avec qui j'étais en cours cette année;

– je connais déjà le programme;

– je vais me taper deux troisièmes mais un seul brevet des collèges.

Inconvénients:

– je connais tous les profs que je risque d'avoir en septembre;

– je connais déjà le programme, qui est d'un ennui total;

– même en se tapant deux troisièmes, on n'échappe pas au brevet des collèges.

Total: les deux colonnes s'équilibrent. Conclusion: redoubler est une opération nulle.

7 juillet

Lola part en vacances. Dans la maison de famille. Pour une famille aussi petite, et divorcée par-dessus le marché, ils sont gonflés d'avoir une maison de famille. Elle part avec sa belle-mère. Pourvu qu'elles s'étripent. Elle part avec Marceau. Pourvu qu'ils s'embrassent. Si tout se passe normalement (opérations oiseau mort et baiser éternel), on en sera débarrassées à la rentrée. Je me demande à quoi ressemble une maison de famille. À une grosse maison de poupées ?

9 juillet

Ce soir, festival de remarques désobligeantes. On sent que la température extérieure a monté d'un cran. Les gens suent toute la journée, ils deviennent agressifs. Parfois, j'ai l'impression de vivre dans un zoo.

– Qu'est-ce que tu peux bien fabriquer à longueur de journée dans ta chambre ? a grogné mon père en ouvrant férocement la porte de ma chambre.

– Tu devrais peut-être téléphoner à une amie, a gémi ma mère, qui passait dans le couloir. N'importe quoi, mais sors de cet appartement, tu me rends dingue à glander toute la journée.

– Quand est-ce que je pars en colo ? a lancé Sophie, qui ne s'intéresse qu'à elle et monopolise la conversation dès qu'on m'adresse la parole.

Jessica n'a rien dit. C'est bien la seule. C'est aussi parce qu'elle n'était pas là. Elle n'est jamais à la maison. Elle passe en coup de vent piquer trois yaourts et ratisser les réserves de biscuits. Le reste du temps, elle traîne avec ses copines. Les parents ne disent rien. Je répète : les parents ne disent rien. Si j'avais, moi, une fille de dix-huit ans qui passe sa vie en boîte, je me ferais du souci. Qu'est-ce qu'elle peut fabriquer de ses soirées ? Exposer son piercing de la langue ?

Trop de négligence me rend malade. J'ai attendu le dîner pour me mêler de l'affaire. Avec diplomatie.

– Si Jessica s'occupait un peu de moi, je sortirais plus souvent. Elle a plein d'activités, elle pourrait m'emmener avec elle, me présenter des gens...

– C'est vrai, a approuvé mon père. Une sœur dans les pattes, c'est du plomb dans la tête...

S'il voulait me faire plaisir, c'est raté. Je déteste cet esprit. Mon père est portier d'hôtel mais il a une mentalité de gardien de prison. Toujours sur le dos des gens, à surveiller leurs moindres faits et gestes.

Le problème avec lui, c'est qu'il fait les deux choses en même temps : il s'en fiche ET il surveille. Il nous néglige à mort ET il nous stresse à mort.

10 juillet

Lola est partie. Je suis seule au monde. Pas grave. Dans le fond, je la déteste aussi. Ma vie est un festival de détestations.

11 juillet

– Quoi ? Quoi ? Quoi ? a croassé Jessica.

Je fais des miracles, je transforme ma sœur en crapaud.

– Tu veux me gâcher mes vacances ?

J'aurais dû la transformer en vermine.

– C'est triste d'aimer sa sœur et de se voir rejeter comme n'importe quelle inconnue...

– Si seulement tu étais n'importe quelle inconnue ! Mais tu es ma SŒUR et personne n'a envie de traîner SA sœur partout avec soi. Je suis un être humain, pas une baby-sitter…

Elle m'a tellement énervée qu'elle a réussi l'impossible. Je suis sortie de l'appartement.

Dehors, il faisait très chaud.

C'était nul.

12 juillet

Samira m'a appelée. Entendre sa voix m'a fait un drôle d'effet. Comme si je parlais à un être qui m'appelait d'une autre galaxie.

En même temps, sa galaxie n'était pas très loin de la mienne.

– Il fait chaud, c'est ce qu'elle m'a dit.

– Très chaud.

– Je m'ennuie. Et toi ?

– Moi aussi.

– Tu n'as pas envie de faire un truc ?

– Quel truc ?

– Je ne sais pas. Un truc. Cinéma. Piscine. Magasins…

– Magasins ?

– Il y a des soldes. On peut regarder. On n'est pas obligées d'acheter.

Pour finir, c'est l'activité Magasins qui a été retenue. Magasins est la moins chère : on n'est pas obligé d'acheter, alors que le cinéma ou la piscine, c'est payant dès le départ.

13 juillet
Je suis sortie pour la deuxième fois. L'opération Magasins est un assez mauvais calcul. J'ai dépensé les 15 euros que j'avais emportés avec moi et qui représentent à peu près toute une vie d'économies. Je suis la propriétaire de deux tee-shirts à ma taille et d'une jupe informe couverte de nénuphars. Je crois que la jupe est une erreur. Samira a acheté un livre, c'est minant. À quoi bon faire les soldes avec une fille qui s'achète des livres, la question est posée. On aurait pu aller à la bibliothèque. Qui est tout à fait libre et gratuite, comme chacun sait.

14 juillet
Juste un mot: j'annonce officiellement ma troisième sortie. Objectif: bal des pompiers de la caserne à côté de la mairie. Accompagnement: Samira. Équipement: tee-shirt à ma taille et jupe nénuphars. Financement: modeste, à négocier avec la caissière en chef de l'appartement.

20 juillet
On ne peut pas s'amuser la nuit et écrire la journée du lendemain. Il faut se reposer de temps en temps. Je résume donc: vivement le 14 Juillet prochain. Je regrette que, dans un pays riche comme la France, il n'y ait d'un 14 Juillet par an. C'est un peu mesquin. Tout le monde gagnerait à remplacer le 11 Novembre (tous ces vieux types sont archi-morts maintenant), ou le 1er Mai (qui manque de respect aux chômeurs), par un second 14 Juillet.

Ma première remarque est qu'on s'amuse bien avec Samira. Ce n'est pas parce qu'elle achète des bouquins aux soldes d'été qu'elle est sinistre. Elle fait des blagues, elle se moque des gens, elle rigole tout le temps. À partir de maintenant, je veux la voir tous les jours. Adieu Lola. Samira t'a remplacée dans mon cœur. Il fallait choisir : la maison de famille ou moi. Deuxième remarque : c'est facile de danser au bal des pompiers, il y a tellement de monde que personne ne pense à vous regarder. Même la jupe nénuphars est passée inaperçue. Troisième remarque : comment se débrouillent les filles qui rencontrent des princes dans les bals ? On ne fréquente pas les mêmes bals. Ou alors le coup de foudre au bal n'existe que dans le format conte de fées. Aucun garçon présentable. Ou alors, déjà en couple. Avec un autre garçon, en général. Au moins, on n'est pas embêtées. Quatrième remarque : Jessica sort avec un type, je les ai vus, il a même fallu un moment pour que je la voie parce qu'elle était tellement collée à lui qu'on ne remarquait pas vraiment qu'ils étaient deux. Le type ressemble à Bernard Tapie (jeune). Pauvre Jessica. Je n'aimerais pas être ton piercing. Cinquième remarque : rentrer à 1 heure du matin, c'est dur quand on s'amuse. L'année prochaine, je réclame 2 heures. À raison d'une heure par an, pour mes vingt ans, je ferai la nuit blanche. Je n'ai qu'un mot à dire, et c'est Vive la France.

21 juillet

Cher journal, je vais te donner une information importante et que je te prie de garder secrète. Samira a cinq frères. À quoi, à qui, ressemblent les frères de Samira ? Voilà la seule vraie question au monde. L'autre question possible est : pour aller chez elle, est-ce que je porte la jupe nénuphars ?

22 juillet
Malheur. Je les ai vus en photo sur les murs du salon. Une collection de garçons sublimes rangés par ordre de taille et Samira tout au bout de la rangée. Je les ai regardés pendant des heures en mangeant des crêpes à l'huile d'olive. Résultat : j'ai pris vingt kilos et je suis raide amoureuse de cinq garçons que je n'ai jamais rencontrés en vrai. La mère de Samira est parfaitement gentille. En tant que future belle-fille, je considère que c'est une chance. Pour le moment, je n'ai rien laissé deviner à ma future belle-sœur. Je ne veux pas la mettre dans une situation embarrassante.

23 juillet
Pourquoi faut-il quitter son appartement, ses amis, sa vie ? Pourquoi de pauvres adolescents sont-ils victimes, tous les mois d'août, de la folie itinérante de leurs parents ? Qu'est-ce que je vais bien pouvoir fabriquer pendant trois semaines à Pornic, j'ai passé l'âge des châteaux de sable ?... Combien coûte une maison de location ? Et pourquoi dois-je abandonner les cinq frères de Samira et ma future belle-mère, alors que je viens juste de découvrir leur existence ?

24 juillet
Il fait chaud.

25 juillet

Il fait encore plus chaud qu'hier.

26 juillet

Changement climatique et canicule, je vous hais.

AOÛT

Mon idylle à la plage

6 août

Ne me parlez pas de voyages. J'ai fait le trajet nez à nez avec une valise géante. Sophie a vomi toute la route. Ça vient à peine de commencer et c'est déjà l'enfer. Jessica a échappé au service, elle s'est dégoté un poste de vendeuse chez Sephora. Boîte toute la nuit et gloss toute la journée. Il y a des gens pour appeler ça du travail. Jessica, je te maudis.

7 août

Nous habitons la maison des sept nains. Avant l'installation de Blanche-Neige. C'est petit, c'est poussiéreux et c'est moche. Une cour bétonnée par-devant, un vieux papier peint orange au milieu, et un jardin miteux par-derrière... On ne fait pas aussi moche entièrement par hasard. À un moment, il faut l'avoir choisi. Je me demande à quoi ressemblent les propriétaires. Portent-ils de grands bonnets et des haches sur l'épaule ?

8 août

Des personnes dépourvues de sens esthétique ont bourré les armoires d'assiettes en verre blanc décorées de fleurs bleues. Des assiettes, et pas grand-chose d'autre. C'est le mystère des maisons de location : il y a toujours trop de ceci et pas assez de cela. Trop d'assiettes, pas assez de verres. Trop de cuillères, pas assez de couteaux. Trop de presse-citrons, pas assez de moules à cake. Ma chambre sent la poussière. Tant pis. Je n'ai aucune intention de la nettoyer. Je ne m'appelle pas Blanche-Neige.

J'ai laissé ma valise ouverte au milieu du parquet, avec toutes mes affaires plus ou moins chiffonnées dedans. Si jamais je devais m'enfuir précipitamment… On ne sait jamais. Tout le monde a le droit de rêver. Dire qu'il va falloir passer trois semaines dans ce trou. Des rêves, j'ai intérêt à en avoir en réserve.

9 août

L'eau est froide. Je le sais, j'ai trempé mes pieds. À part pour se noyer, je ne vois aucune raison d'aller se baigner.

10 août

Il fait trop chaud pour passer sa vie enfermée dans une chambre poussiéreuse. Je suis encore jeune, je ne veux pas mourir de canicule. Pour quelqu'un qui refuse la noyade, ce serait idiot. Aujourd'hui, j'ai accompagné ma merveilleuse famille sur la plage. Je crois deviner qu'ils préféreraient que j'étouffe dans leur taudis. Pas question. Il faut savoir ce qu'on veut. Des vacances en famille, ce sont des vacances en famille, moi compris. Ils se mettent en maillot de bain, je garde mes habits. Ils courent en clopinant vers la mer, je reste assise dans le sable. Ils s'amusent, ils s'arrosent, ils nageotent. J'attends que ça se passe. Enfin, ma mère revient, le nez humide, la cuisse violacée et le cheveu collé. Une naïade.

– Elle est délicieuse, dit-elle.

J'adorerais qu'elle dise un jour : « Elle est dégueulasse. » Mais non, c'est « délicieuse ». Pour l'éternité. Pardonne-moi, chère mère, d'avoir ma propre idée du délice. Et laisse-moi te dire qu'il n'est pas encore né, celui qui me fera tremper dans de l'eau salée.

– Elle est glaciale, c'est ce que j'ai répondu.

– Tu exagères. Un tas de gens se baignent…

– Ce ne sont pas des gens.

– Pardon ?

– Ce sont des otaries.

Là, en général, elle laisse tomber. Elle est incapable de s'adapter aux arguments inattendus. La conversation s'arrête faute de combattantes. Je rabats la capuche de mon sweat sur mon front et je mange un Choco BN, le regard au loin. Quand je vois un bateau, je fais un vœu. Je fais le vœu de sortir avec au moins un frère de Samira. Il y a pas mal de bateaux dans le coin. Je passe mes après-midi à faire des milliers de vœux de frères de Samira. Dans le tas, je vais bien finir par tirer un vœu gagnant. C'est statistique.

11 août

Il y a un tas de jeunes sur la plage, ils ont l'air de s'amuser. Ils jouent au volley, ils sautent comme des puces de mer autour d'un filet. Les filles ressemblent à des mannequins de chez Sephora. Les garçons ne sont pas terribles mais ils sont bronzés. Tout le monde sur terre a des bandes d'amis. Tout le monde est heureux et s'amuse en vacances. Tout le monde sauf moi. J'ai un mauvais karma.

12 août

Et en plus, on n'a pas la télé.

13 août

Ce soir, marché de nuit au centre-ville. Nous sommes partis en groupe, comme une famille de mulots, tout excités à l'idée de manger des saucisses juteuses accompagnées de quelques barquettes de frites grasses.

– Aurore, arrête de faire la tête, a dit mon père quand nous sommes sortis de la maison des sept nains. Tu gâches les vacances de ta mère.

Je n'ai pas répondu, je ne tiens à gâcher les vacances de personne. J'ai enfoncé la capuche de mon sweat sur mon front. Comme ça, au moins, ils ne peuvent plus voir la tête que je fais. Si ça tombe, je suis morte de rire, en dessous. Cette punaise de Sophie n'a pas mis deux jours à copiner avec la moitié de la plage. Elle n'a aucun honneur. Elle n'est rebutée par aucun jeu débile. On dirait même qu'elle adore ça, les châteaux de sable, les bouées Donald et autres pistolets à eau. Le résultat, c'est qu'elle a retrouvé au marché mille formidables amis à appareil dentaire. L'un de ses admirateurs a un frère, enfin je suppose que c'est un frère, qui doit avoir à peu près mon âge. J'en suis restée au stade des supputations parce qu'il portait un sweat vert assez moche, la capuche tirée jusqu'au menton. Ça m'a tellement énervée que j'ai enlevé la mienne.

– Eh bien, Aurore ? a fait mon père. Tu montres ta figure ?

– J'ai chaud.

J'aimerais beaucoup abandonner mes parents sur une aire d'autoroute. Il existe peut-être une SPP, Société protectrice des parents – il y a bien une SPA –, pour recueillir les parents abandonnés au moment des départs en vacances.

15 août

Le marché n'a pas suffi. Il a fallu se taper le bal. Ma famille raffole des fêtes nocturnes, qu'on se le dise. Dans l'ensemble, c'était nul. Surtout la musique, ce qui a quand même une certaine importance pour un bal. Une bande de vieillards en costume tapaient comme des sourds sur leurs pauvres instruments, tout ça pour sortir des tubes de la préhistoire, *I will survive* et j'en passe. Ils avaient raison en un sens, parce que ça n'empêchait pas les gens de danser, au contraire. Le vacancier moyen n'a pas d'oreille, c'est clair. J'étais debout, appuyée contre un arbre, en essayant de ne pas voir mes parents danser, quand le type à la capuche s'est approché de moi. J'ai eu du mal à le reconnaître, il n'avait plus de capuche. Juste un tee-shirt Iron Maiden. Je crois que je préférais la capuche.

– Salut, a-t-il fait.

– Salut, ai-je fait.

– Je suis le frère du copain de ta sœur.

– Ah bon.

Après, plus rien. Il est resté à côté de moi, planté comme une souche. J'ai arrêté de penser que mes parents dansaient comme des possédés devant mes yeux. J'ai pensé que, si je tournais la tête, je verrais la figure de ce type en train de me regarder. Ça a duré des heures. Après, la famille des mulots est rentrée se coucher. Je résume : c'était une assez mauvaise soirée. Du point de vue des bals, le 15 août n'arrive pas à la cheville du 14 juillet.

S'il est vrai que le 15 août est une fête religieuse, je pose la question : est-ce qu'il n'est pas un peu malsain d'aller au bal ?

Est-ce que les gens ne devraient pas faire des prières, des pénitences et des bonnes actions, au lieu de se trémousser sauvagement sur de la musique pourrie – en se draguant, j'en ai bien peur ?

16 août

J'ai écrit une carte à Samira. Quand j'ai collé le timbre et glissé l'enveloppe dans la boîte aux lettres, j'ai eu l'impression que ma vie n'était pas finie. Qu'il y avait un avenir après les vacances. Je devrais lui écrire tous les jours. Je devrais garder un lien avec le monde vivant.

17 août

J'ai écrit une autre carte à Samira. Je n'ai pas mis un mot concernant ses frères. Je suis d'une habileté diabolique. Personne n'a envie d'être aimée pour ses frères. Encore que c'est une chose qui ne risque pas de m'arriver. Je vois mal quelqu'un se prendre de passion pour moi à cause de mes sœurs.

18 août

Nous entrons dans la seconde partie des vacances ! Plus qu'une moitié à tirer !

19 août

Le garçon à capuche sans capuche s'appelle Julien. J'ai entendu son petit frère l'appeler à travers la plage. Il était assis très loin de l'eau, sur une serviette, tout habillé, jean et polo à manches longues, lunettes de soleil jusqu'à la racine des cheveux. Il a vu que je le regardais. Il m'a fait un signe de la main. Plutôt sympa, pour un gars qui porte un tee-shirt Iron Maiden.

20 août

Julien a quinze ans. Il n'aime ni la mer, ni le soleil, ni Iron Maiden. Le tee-shirt, c'est juste pour effrayer ses parents. Le Metal fait peur, c'est connu. Je suis assez contente que Jessica ne soit pas avec nous. Elle aurait fait l'intéressante avec son piercing. Quand le vendeur ambulant est passé, Julien m'a payé une glace. Nous nous sommes installés côte à côte sur sa serviette et nous avons regardé la mer ensemble. Je lui ai dit de faire un vœu quand il verrait un bateau.

– J'en vois dix, je fais dix vœux ?

– Ben oui…

– J'ai fait dix fois le même, ça marche ?

– Ben oui…

On a continué à regarder la mer. Je me demande sur quoi portait son vœu.

21 août

Ce matin, j'ai couru à la plage. Julien n'y était pas. J'ai étalé ma serviette, je me suis assise et je l'ai attendu. J'étais complètement cuite quand il est arrivé. Il a eu l'air content de me voir.

– Tu m'attendais ?

– Non. Je surveille ma sœur.

– Elle n'est pas là, ta sœur.

– Je surveille quand même. On ne sait jamais quand elle va arriver.

À midi, il faisait déjà très chaud et Sophie n'était toujours pas là. Nous étions assis depuis presque deux heures sur la serviette et j'avais un peu envie de m'évanouir de canicule.

– Viens, m'a dit Julien. Ça ne sert à rien d'attendre sur la plage. On va se chercher une glace.

J'étais complètement ankylosée. Il m'a pris la main pour m'aider à me relever. C'était sympa, mais le truc, c'est qu'il n'a pas lâché ma main. Nous avons traversé toute la plage comme ça. Et devinez quoi ? C'était presque normal. Et même, c'était bien.

22 août

Ce matin, c'est lui qui attendait sur la plage.

– Tu veux savoir mon vœu ? a demandé Julien.

Il a de drôles de questions, bien sûr que je voulais savoir, tout le monde aime être au courant des vœux des autres. J'ai hoché la tête, et il a mis un baiser sur ma main. C'était cool. Il aurait pu essayer de m'embrasser direct et j'aurais été traumatisée une fois de plus. Mais non. Il a juste mis ses lèvres sur ma main, et après il m'a regardée avec des yeux gentils, il était rouge comme une tonne de tomates, impossible de dire si c'était la timidité ou le coup de soleil. Sans blague, il me faisait presque de la peine. Comme j'étais rassurée, j'ai décidé de le consoler et j'ai commencé à l'embrasser. Et devinez quoi ? C'était bien ! Pas du tout salivaire et antihygiénique. Juste bien.

Les choses devraient toujours se passer comme ça. À la bonne vitesse. Oh, j'adore ces vacances. Ce sont les meilleures vacances de ma vie. Quand je pense qu'elles se terminent dans moins d'une semaine, j'ai envie de mourir.

23 août

– J'ai tout vu, m'a dit Sophie.

– Tu as vu quoi ?

– Toi avec le frère de Basile. Sur la plage.

– Et alors ?

– Alors, ça veut dire que les parents peuvent te voir. Tu devrais faire gaffe.

Cette brave Sophie est comme le rat de la fable. Elle n'est pas très engageante, mais elle rend de grands services. Merci, chère petite rate, je te revaudrai ça. Sors avec Basile et je te protégerai. J'ai payé une glace à Sophie et j'ai emmené Julien à bonne distance du campement familial.

On a fait un tas de trucs géniaux, on a même marché les pieds dans l'eau en tenant nos baskets à la main. Elle est assez chaude, pour de l'eau de mer. La canicule, certainement.

25 août
Julien s'en va demain. Dans un sens, je suis désespérée. Dans un autre sens, j'en ai un peu marre de passer mes journées entières avec la même personne. Comment font les gens qui se marient, c'est la question. Ils travaillent toute la journée et ils vont au cinéma le soir, je ne vois que ça. Ou alors ils divorcent, c'est l'alternative.

26 août
Adieu, bel amour de vacances !

27 août
Je suis curieuse de voir la tête de Lola quand je vais lui raconter tout ça. Je n'en peux plus de ne parler à personne. Je suis en train d'étouffer sur place. Il n'y a même pas de glace au-dessus du lavabo. Pour se voir, c'est dans le séjour au-dessus du buffet. C'est bien le genre des sept nains. Vivement qu'on rentre !

29 août
Sophie a vomi tout au long de la route.

SEPTEMBRE

À l'aube d'une nouvelle vie

2 septembre

C'est la rentrée et il fait une chaleur ignoble. Normalement, à la rentrée, il pleut. J'ai un mauvais pressentiment.

3 septembre

J'ai appelé Lola. Elle n'a pas le temps de me voir aujourd'hui. Pas le temps… Elle est devenue dingue. C'est la maison de famille, classique.

5 septembre

Tout le monde devrait redoubler. C'est sans stress. Je suis rentrée au collège comme chez moi. À l'aise. Je connais l'endroit, je connais le personnel, je connais le menu.

– Tiens, Aurore, a remarqué Ancelin quand elle a vu mon bon sourire qui irradiait au fond de la classe.

– Bonjour, madame Ancelin.

Je vous le disais : comme chez moi.

– Passe au premier rang. Ce serait dommage de gâcher une deuxième année à moisir à côté du radiateur.

Pas de quoi se sentir dépaysée. Elle me parle exactement comme mon père. Alors, j'ai fait comme avec mon père. Je n'ai pas répondu. J'ai arrêté de sourire, j'ai pris mes affaires et j'ai obéi.

– Pas la peine de faire la tête. Ce que je dis, c'est pour toi.

– Oui, papa.

J'avais murmuré, mais pas assez bas. Toute la classe s'est mise à rire et j'ai fini ma première heure de cours chez le principal. Si c'est pour refaire exactement la même chose que l'année dernière, je ne vois pas l'intérêt de redoubler.

7 septembre

Je les ai tous regardés. Je ne les aime pas. Ils sont petits, ils sont bêtes et ils sont moches. Personne ne me regarde, personne ne me parle. L'année dernière, je croyais détester mes camarades. Je me trompais gravement. Quand je pense à eux, j'ai envie de pleurer. Pauvres fouines de l'année dernière, je vous adorais. Je ne dis pas que vous étiez tous parfaits. Mais au moins, vous aviez mon âge. Maintenant que vous avez disparu, si je veux parler à quelqu'un de normal, il faut que je prenne rendez-vous. Samira me manque terriblement. Depuis qu'on ne se voit plus, j'ai l'impression que la planète entière est peuplée d'imbéciles. Et ce n'est pas ce que je sais de Lola qui me remontera le moral. Lola. Le désastre.

8 septembre

J'ai appelé Julien tout à l'heure. Personne ne peut imaginer les ruses qu'il faut déployer pour téléphoner tranquillement, quand on n'a pas de téléphone portable. Je passe mes journées à guetter le moment où toute la sainte famille a vidé les lieux. Dès que la place est libre, je me précipite pour faire son numéro et j'attends. Le malheur, c'est qu'on a beau s'aimer on n'est pas forcément au domicile à la même heure. La vie est mal faite.

Des fois, je laisse un message.

Des fois, je raccroche direct.

Des fois, j'ai trop de chance et il décroche direct.

– T'es là ?

– Oui.

– Ça va ?

– Oui.

Et ainsi de suite. Je ne dis pas que ce sont des conversations très intellectuelles, tout le monde a sa pudeur, mais ce sont des conversations très longues. Aussi longues que des journées entières à se tenir la main sur la plage. Limite mortelles. Quelquefois, c'est lui qui m'appelle.

– T'es là ?

– Oui.

Etc.

Ça nous rassure, d'être deux dans l'univers hostile. Le problème, c'est que l'univers hostile est vaste. Si nous avions habité le même coin, et pas à cinq cents kilomètres l'un de l'autre, les choses auraient été plus faciles. Sans compter que je me demande combien ça coûte, de faire cinq cents kilomètres par téléphone dès que les parents ont le dos tourné. Ils vont bien finir par recevoir une facture. Ce jour-là, j'ai intérêt à avoir quelque chose à raconter. Et quelque chose de bien.

Et puis zut. Après tout, si j'avais un téléphone portable, on n'aurait pas tous ces problèmes de facture. Je m'achèterais des cartes et on en parlerait plus.

10 septembre

– On ne se voit plus jamais, a finement remarqué Samira.

Elle me guettait à la sortie. Elle avait le visage tout froncé. Comme quelqu'un qui veut montrer qu'il n'est pas content. Pas content du tout.

– Forcément, tu es au lycée. On n'a même plus la même cour.

– Tu pourrais m'attendre à la sortie…

– Je dois rentrer chez moi.

– À cette heure-là, il n'y a personne chez toi.

– Justement.

– Justement quoi ?

– Je téléphone à mon copain.

– Toi ? Tu as un copain ?

Le visage de Samira s'est éclairé d'un coup. Je me suis demandé si elle se fichait de moi. Ou si elle était sincèrement contente d'apprendre que moi aussi je pouvais avoir une vie amoureuse. Si même moi j'en suis capable, n'importe qui peut espérer y arriver.

– On peut savoir ce qui te fait rire ?

– C'est ton copain. J'avais peur que tu t'intéresses à moi à cause de mes frères.

J'ai secoué la tête en faisant claquer mes lèvres, un peu comme un gros poisson qui se cogne au bord de l'aquarium.

– Il y a un tas de gens qui t'aiment et qui ne savent même pas que tu as des frères…

Elle avait l'air tellement soulagée que je me suis

détestée de mentir avec un tel culot. Sauf que, dans un autre sens, j'étais assez réjouie de lui faire plaisir à peu de frais. Ça fait du bien de se sentir utile. Surtout quand on n'en abuse pas. Je me suis promis de la bombarder de cartes postales exquises, toutes les vacances, tout au long de ma vie. Samira, je suis ton admiratrice à jamais. Et si je tombe un jour amoureuse de l'un de tes frères, ce ne sera pas de ma faute. Juré.

18 septembre

– À quel âge on a le droit d'arrêter le collège ?

C'était ma question du dimanche midi, celle qui met de l'ambiance dans les déjeuners en famille. J'essaie d'en trouver une nouvelle toutes les semaines. Mais, à force, plus personne ne fait attention à ce que je dis. La semaine dernière, je voulais me convertir à l'Église de scientologie. Dans n'importe quelle famille digne de ce nom, j'aurais eu droit à un sermon sur les dangers des sectes. À des menaces. À des interdictions de sortir. Rien de tout ça chez moi. Personne n'a levé le nez de son assiette.

– Si on arrête d'y aller ? Qu'est-ce qui se passe ?

Mon père a levé le nez de son assiette.

– Il se passe que l'État me coupe les allocations familiales et que je t'envoie en pension jusqu'à tes dix-huit ans.

– Peut-être que j'aimerais bien aller en pension... Je n'ai jamais essayé.

J'ai eu raison d'insister parce que j'ai réussi à réveiller ma mère. En même temps, j'ai eu tort parce qu'elle a regardé mon père d'un air entendu.

– C'est vrai. On ne s'est jamais renseignés. Elle serait peut-être contente, en pension.

– Peut-être, a soupiré mon père.

Tout le monde autour de la table s'est mis à hocher la tête, même cette traîtresse de Jessica a fait celle qui approuvait. Depuis qu'elle a travaillé chez Sephora, celle-là, elle se prend pour l'assistante maternelle. Ma question du dimanche commençait à sentir sérieusement le cramé. Je me demandais comment faire pour m'en sortir sans me couvrir de ridicule quand Mamie a proposé, d'une minuscule voix sucrée :

– Tu peux venir en pension chez tes grands-parents, ma chérie. Je suis sûre qu'un petit dépaysement ferait une bonne expérience, pour tes parents comme pour toi. Quant à nous, nous serions ravis. N'est-ce pas que nous serions ravis ?

Elle s'est tournée vers Papi, qui n'a rien dit. Il est de plus en plus sourd. Ou alors il n'a plus envie de répondre. Les vieux se désintéressent, c'est connu.

– Puisque vous le proposez, a finalement dit mon père, c'est d'accord. On va faire un essai d'un mois. Un mois… Ce n'est pas grand-chose, et Aurore apprendra à voir la vie autrement.

Qu'est-ce que vous voulez dire quand les gens deviennent cinglés devant vous ? Le mieux est encore de ne pas les contrarier. Ils pourraient se fâcher et vous lancer des trucs à la figure. Alors j'ai dit oui.

– Oui, j'ai dit.

C'est fou comme on peut gâcher sa vie en une seconde. Le temps de dire oui. Oui. Hop. Fini. Stupéfiant.

19 septembre

– Au moins, ils seront gentils avec toi, a fait Lola.

C'était sa première phrase. J'étais tellement atrocement malheureuse que j'avais eu la sottise de la rappeler. Comme si les choses étaient pareilles qu'avant. Comme si elle ne sortait pas avec Qui-Vous-Savez. Dans le fond, je suis une grosse rêveuse naïve. Elle m'a tout de suite ramenée à la réalité.

– Je t'ai dit que Marceau m'a offert des boucles d'oreilles ?

C'était sa deuxième phrase. La deuxième phrase de trop. J'ai raccroché.

Samira n'a pas été plus solidaire.

– Tu n'arrêtes pas de te disputer avec tes parents. Tes grands-parents ne peuvent pas être pires.

– Ça dépend de ce qu'on appelle pire. Mon grand-père est sourd et ma grand-mère est folle.

– Mais tu n'auras pas tes sœurs.

Sur ce point, elle avait raison. Tout le monde n'a pas la chance d'avoir des frères. J'ai laissé tomber la discussion. Inutile de s'épuiser à convaincre des gens qui vivent sur une autre planète.

Même Julien n'a pas eu l'air catastrophé. Il n'a posé qu'une question.

– Est-ce qu'ils ont le téléphone ?

Sur le coup, je ne cache pas que je me suis sentie un peu déçue. Mais je n'ai pas réussi à lui en vouloir longtemps. On ne se connaît pas encore suffisamment. Il ne peut pas vraiment se rendre compte.

21 septembre

Ma classe est une assemblée de trolls, mes profs me haïssent, mes amies ne pensent qu'à elles, ma famille est en train de me mettre à la porte. J'ai bien un copain, mais, à force de n'avoir que deux photos de lui, j'ai presque oublié la tête qu'il a en vrai. Sans compter qu'il habite à l'autre bout de la France et que je ne saurais même pas retrouver sa ville sur une carte. Ma vie est une misère. Quand j'y pense, j'ai l'impression que c'est la vie de quelqu'un d'autre. Est-ce que celle qui me l'a empruntée pourrait reprendre la sienne ? Hé, les amis ! Je suis Aurore, celle qui est faite pour l'amour, la réussite et le succès ! Il y a eu une tragique erreur ! Rendez-moi ma vie !

23 septembre

J'ai fait mes valises. Habits dans l'une, affaires de classe et divers dans l'autre. La pauvre petite pensionnaire va quitter ses parents. Je ne dis pas que je suis heureuse. Mais je dois avouer que je ne suis pas mécontente de filer de chez moi. Un jour, la facture de téléphone va débarquer. Ce jour-là, si on veut m'arracher les yeux, il va falloir venir me débusquer. Merci, Mamie. Tu es mon refuge et mon sauveur. Je compte sur toi !

Toujours fâchée

À Kim Leforestier
À Violette Platteau,

avec gratitude et affection

OCTOBRE

Ma vie chez mes ancêtres

2 octobre

Rien.

3 octobre

Rien.

4 octobre

Rien. Je suppose que c'est l'anniversaire de quelqu'un. Mais de qui ? Quelqu'un qui n'a pas d'amis est faiblement concerné par les dates d'anniversaire.

5 octobre

– Arrête de faire la tête, a dit Maman. Tu me fatigues.

– Je ne fais pas la tête. Ce n'est pas ma faute si on n'a rien à se dire.

Elle a continué à peloter sa salade dans le bac à légumes. Le temps qu'elle peut passer à tripoter une malheureuse laitue dans de l'eau glacée, c'est étonnant. Parfois je me demande ce qu'espèrent vraiment les parents. Une conversation sur les légumes ?

– C'est toi qui as demandé à partir chez tes grands-parents, je te le rappelle.

– Facile. Vous étiez trop contents de vous débarrasser de moi.

Elle a sorti une grosse feuille de la flotte et elle me l'a agitée sous le nez en criant.

– Tu râles sans arrêt ! Je n'en peux plus ! Fiche le camp !

– Ah non ! Tu ne peux pas me mettre à la porte ! Je suis encore ici chez moi pendant trois jours.

La feuille de laitue a bondi sur moi. Derrière, les mains toutes rouges de ma mère, et derrière encore son visage furieux et non moins rouge. Il y a eu de l'eau partout, tout juste si j'ai eu le temps de faire un saut en arrière.

– Hé, j'ai protesté, c'est la guerre civile ou quoi ?

La feuille de laitue a atterri en plein sur ma figure. C'était tellement violent que je suis sortie de la cuisine. Bien obligée. On ne sait jamais comment les choses vont dégénérer. Ça commence par une feuille de laitue et ça se termine par des tirs de roquette.

Quand j'ai fermé la porte, j'ai entendu ma mère qui riait toute seule. Cette femme est un danger public. J'ai peur de laisser mes sœurs derrière moi. Qui sait ce qui leur arrivera quand j'aurai quitté cet enfer ?

6 octobre

J'ai demandé à Jessica si elle avait de bons souvenirs de son séjour chez les ancêtres.

Après tout, elle a de l'expérience. Ils l'ont recueillie l'année dernière sous prétexte de persécutions familiales, elle et sa langue percée. Elle est restée dix jours sous protection avant d'être renvoyée en milieu hostile.

– C'était cool, a dit Jessica.

Le problème avec ma sœur aînée, c'est qu'elle n'a pas

beaucoup de vocabulaire. On a du mal à tenir une conversation un peu intéressante plus de deux secondes.

– Cool comment ?

– Cool. Bien cool.

Autant parler à un dauphin. Et encore. Il paraît que les dauphins ont une syntaxe.

– Sois cool, Jessica. Donne un exemple.

– La Blédine. La Blédine à la paille, c'était trop cool.

Rien d'autre à en tirer.

Un lexique de quatre mots et des souvenirs alimentaires.

Je me demande si j'aurai droit à la Blédine.

7 octobre

Quand je pense que dans deux jours je déménage, j'ai envie de fondre en larmes. Ou de sauter de joie. J'hésite. Je suis une personne qui ne sait jamais si elle est hyper excitée ou hyper malheureuse. Ma vie est un Himalaya d'hyper hésitations.

8 octobre à midi

Je suis très gentille depuis ce matin.

J'ai fait une bise à ma mère et une autre à mon père au petit déjeuner. Pourtant je ne connais rien de plus répugnant que d'embrasser des gens blanchâtres, chiffonnés, pas lavés et qui sortent du lit. J'ai même dit bonjour à mes sœurs ; sourire compris. Tout le monde m'a répondu aimablement. Ils étaient sous le charme de ma nouvelle gentillesse. Ils m'adorent. Ils n'oseront jamais m'envoyer là-bas, c'est tout vu.

8 octobre au soir
Je n'aime pas les endives à la béchamel. Pourquoi on fait des endives à la béchamel un samedi, mystère... C'est long à préparer et c'est mauvais. Pourquoi pas des pâtes au parmesan, comme dans toutes les familles normales ? Ma mère ne supporte aucune remarque sur sa cuisine. Elle en fait une affaire d'honneur. Où va se nicher l'honneur de ma mère ? Dans des endives, c'est quand même marrant.

Cette fois, c'est mon père qui m'a mise à la porte de la salle à manger. On ne peut rien dire dans cette famille sans que les gens vous jettent dehors.

8 octobre, plus tard
Je n'arrive pas à croire que, demain soir, je dormirai dans un autre lit que le mien. Mon pauvre petit lit, si moelleux, si sympathique, je t'aimais tant. Nous voilà séparés par des géniteurs impitoyables et une horrible note de téléphone.

9 octobre
Cher petit journal, tu es tout ce qui me reste de mon ancienne vie. Toi et la note de téléphone.

Ils l'ont fait. Mes parents viennent de me déposer chez Mamie et Papi. Plus exactement : mes parents viennent de me larguer sur zone. Je suis un sac de linge sale qu'on balance à la laverie. Une chose encombrante et moyennement propre. Même ma grand-mère avait l'air écœuré quand elle m'a ouvert la porte. Je suis entrée dans la maison la tête basse. Le couloir est décoré de portraits du dalaï-lama et de quelques autres vieillards anonymes énigmatiques et plus ou moins barbus. C'était comme si j'entrais dans un vieux couvent. Moi dans le rôle de la rebelle persécutée, Mamie dans le rôle de l'implacable geôlière.

J'ai traîné ma valise jusqu'à l'horrible chambre rose saumon, mystérieusement appelée chambre d'amis. Personne n'a jamais vu aucun ami dedans, ce qui n'est pas totalement étonnant. Quel ami au monde accepterait de dormir dans une chambre entièrement rose saumon (papier peint rose saumon, couvre-lit rose saumon, abat-jour rose saumon) ?

Je me suis couchée sur le lit sans enlever ma veste. J'ai regardé le plafond pendant des siècles en attendant que la terre s'arrête de tourner. Pour finir, Geôlière Implacable a entrouvert la porte.

– Bienvenue, ma chérie, a-t-elle dit avec son sourire d'illuminée. Ici commence ta nouvelle vie.

Qu'est-ce qu'on est censé répondre à ce genre de remarque démente ?

– Cette chambre sent le poisson.

Mamie n'a rien dit.

Elle a refermé doucement la porte et elle m'a abandonnée. Elle a choisi la stratégie de l'usure. Il n'est pas sûr qu'elle l'emporte. Pas sur ce terrain. La guerre des nerfs, c'est un peu mon truc aussi. Je suis sa petite-fille, jusqu'à preuve du contraire.

10 octobre

Mes gardiens me refusent la Blédine. Quand j'en ai fait la demande, on m'a souri méchamment.

– Un peu régressif pour une grande fille, tu ne trouves pas ?

– Oui, mais Jessica, elle…

– Jessica était blessée.

– Pas du tout. C'était sa langue.

– C'est bien ce que je te dis. Elle avait la langue percée.

– Elle l'a toujours.

– Je sais, mais enfin, la pauvre, elle était tuméfiée.

– Ça veut dire que, si je veux de la Blédine, il faut que je me tuméfie ?

– Par exemple, ma chérie. Mais réfléchis bien avant.

Je m'en fiche.

Je vais m'acheter un biberon avec mon argent de poche.

12 octobre

Mamie est contre les céréales. Trop gras, trop sucré, trop américain. J'ai fouillé tous les placards, pas un seul paquet. Le matin, elle fait griller des tranches de pain qu'elle beurre consciencieusement, avant de les empiler à côté de mon bol de thé. Je n'aime pas le thé. Le pain en tranches a un goût de poussière. Je me suis sentie terriblement déprimée toute la journée. Je crois que je fais une carence. Je manque de gras, de sucre et d'Amérique.

Je n'ose pas entrer dans une pharmacie pour demander un biberon. J'ai peur que le pharmacien appelle ma grand-mère et me balance.

13 octobre

Le téléphone est attaché à son socle par un câble énorme garanti incassable. Il est noir, il est gros, il est moche. Ils ont dû l'acheter à prix d'or dans une brocante. Des téléphones comme ça, on en fabrique plus depuis le Moyen Âge.

Le vrai souci, c'est qu'il est installé au beau milieu de la salle à manger, à côté du fauteuil de Papi. Or ce vieux Papi quitte rarement son fauteuil. En gros, on peut dire qu'il vit dedans. Il vit comme un vieux chien, avec tout le respect que je lui dois. Il dort, il lit, il regarde la télé. Le reste du temps, il se déplace légèrement de son fauteuil à sa chaise. C'est l'heure de manger et tout le monde passe à table.

J'ai du mal à comprendre ces histoires de retraite. Pourquoi faut-il qu'à un certain anniversaire les gens s'arrêtent de faire des trucs ? À ce compte-là, on pourrait les mettre directement à l'hôpital. Dans une société bien faite, tout le monde devrait travailler. Pas seulement les jeunes, les vieux aussi. Pas forcément beaucoup, mais un peu. Au moins, ils quitteraient leur fauteuil une fois par jour. Tout le monde serait content, les uns de faire un peu d'exercice, les autres de pouvoir approcher du téléphone.

À moins de déclencher une alerte à l'incendie et de faire évacuer les lieux, je n'ai aucune chance de m'approcher du poste. Adieu Julien, adieu mon cœur.

13 octobre, plus tard

Mon grand-père lit dans son fauteuil, ma grand-mère chantonne dans la cuisine. J'ai des angoisses nocturnes.

14 octobre

Je prends le bus. Il faut vingt minutes pour aller au collège le matin. Le soir, le trajet me prend presque deux heures.

Je ne sais plus quoi inventer pour traîner à la sortie des cours. Je guette de vagues connaissances. J'attends ceux qui sortent en retard. J'ai même essayé de discuter avec des gens de ma classe. Si ça continue, je vais finir par parler aux profs. Je suis devenue anormalement sociable. Quelqu'un devrait alerter le médecin scolaire.

15 octobre

Ma grand-mère a eu un brusque accès de santé mentale. Elle a remarqué que quelque chose ne tournait pas rond. Hélas, elle est aussitôt revenue à son état normal. Plutôt que de me poser les vraies questions (« Pourquoi es-tu si malheureuse, ma chérie ? »), elle m'a fait des propositions idiotes.

– Veux-tu faire des mots fléchés, ma chérie ?

– Veux-tu venir au supermarché avec moi, ma chérie ?

– Veux-tu apprendre à faire une pâte à crêpes, ma chérie ?

L'intérêt des questions idiotes, c'est qu'on n'a pas à se fatiguer pour répondre.

– Non, non et non.

J'aurais bien ajouté que ce que je voulais, c'était de la Blédine, mais je n'avais pas la patience de me taper une nouvelle leçon de morale. La conversation s'est arrêtée là. Mamie s'est remise à chantonner et je me suis réfugiée dans ma chambre. Un million d'années plus tard, j'en suis sortie et nous avons regardé « Fort Boyard » tous les trois. Un dans le fauteuil. Deux dans le canapé. Quand je suis allée me coucher, mes yeux pleuraient un peu, mes genoux étaient coincés et j'avais quatre-vingt-dix ans. Mes grands-parents sont contagieux. Je vais mourir de vieillesse avant d'avoir connu l'amour. Quelqu'un devrait faire un roman de ma vie. Ce serait un roman tragique.

16 octobre

Ma vie chez mes ancêtres est un tel marécage de nullité que j'étais furieusement contente à l'idée d'aller déjeuner dans mon ancien foyer. Un peu d'animation en perspective. Et au moins, ma mère ne chantonne pas.

Quand je suis entrée dans ce vieil appartement qui fut chez moi, ils m'attendaient tous les quatre, groupés comme des porcelets sous la truie, le visage dévoré de curiosité. Leurs regards allaient de moi à Mamie, de moi à Papi, et retour…

Je vais vous donner le fond de ma pensée : ils étaient inquiets et honteux. Je sais ce qu'ils auraient voulu. Que je leur saute au cou pour les embrasser. Que Mamie leur raconte combien j'étais adorable, et comme les choses se passaient bien dans notre merveilleuse nouvelle vie. Ils auraient voulu que je sois transformée par l'exil et que je sois devenue une gentille fille. Ils auraient voulu que je leur pardonne et que nous soyons tous heureux.

Eh bien, pas question.

Sorry, les amis. Je ne suis pas du bois dont on fait les cruches.

– Salut, ai-je fait et je n'ai embrassé personne.

Je me suis précipitée au fond du couloir et j'ai attrapé le téléphone.

– Allô, Lola ?

18 octobre

Une chose est vraie : l'éloignement vous fait découvrir des choses que vous ne soupçonniez même pas.

Par exemple, j'ai découvert qu'on se passe très bien de sa famille. Je ne les ai pas vus pendant toute une semaine et c'était comme si je ne les avais jamais quittés.

Les familles sont éternelles.

– Ne te bourre pas de pain avant de manger, m'a lancé mon père alors que je grignotais modestement quelques miettes en attendant le rôti.

– Tu pourrais te montrer un peu plus gentille avec ta grand-mère, m'a glissé ma mère.

– Pour avoir les félicitations du jury au bac, s'est inquiétée Sophie, il faut avoir seize de moyenne ou au-dessus de seize ?

Jessica cherchait ses mots.

Elle n'a pas eu le temps de remettre la main dessus parce qu'on a sonné.

Elle a bondi de sa chaise comme une fusée pour aller ouvrir. Stupéfaction : c'était l'affreux type du 14 Juillet. Il n'a pas embelli depuis l'été. Elle ne l'a présenté à personne. Elle s'est contentée de l'embrasser et elle est partie avec lui sans dire au revoir. Quand je pense que c'est moi qu'on accuse d'être désagréable, je me pince.

Ma famille ne me manque pas.

Ce qui me manque, c'est Lola. Même amoureuse d'un garçon qui était soi-disant son frère il y a encore six mois, Lola reste Lola.

En plus, elle habite en face.

Si Jessica a le droit de quitter la table pour déguerpir avec un type affreux inconnu de tous, rien ne m'empêche de filer chez ma voisine, que tout le monde connaît.

– Tu peux leur faire un procès, a dit Lola quand j'ai eu fini de lui expliquer ma situation. Les parents n'ont pas le droit de laisser tomber leurs enfants.

– Ils ne me laissent pas tomber. Ils me collent chez mes grands-parents. Donc, non seulement ils s'occupent de moi, mais ils se mettent à quatre pour le faire. Si je m'en mêle, c'est moi qu'on va finir par accuser, tu verras.

Lola a réfléchi un bon moment.

– Fais une fugue. Ça leur apprendra.

Cette fille n'a peut-être pas inventé la poudre à couper le beurre, mais il faut reconnaître que par moments elle a du génie. Nous avons passé le reste de l'après-midi à monter les opérations. Quel jour. À quelle heure. Où se cacher. Comment se ravitailler. Comment négocier. Trop de questions essentielles. Et zéro réponse, ça va sans dire. Nous étions tellement occupées que Maman a dû m'appeler pour que je rentre à l'appartement. Mes grands-parents m'attendaient pour partir.

Déjà l'heure de reprendre le chemin de l'horrible chambre rose saumon. Malédiction.

– On s'en reparle dimanche prochain, a proposé Lola.

– Pourquoi pas mercredi ?

– Impossible. Le mercredi, je vois Marceau.

Retour à la réalité. Avant d'être mon amie, cette fille fantastique est folle d'amour pour un grand type brun à bouche molle. J'ai eu une très forte envie de lui envoyer une claque. Mais je me suis retenue. Quand on n'a qu'une alliée dans la vie, on a intérêt à l'économiser.

– À dimanche, ai-je fait, et j'ai tortillé sept fois ma langue dans ma bouche pour m'empêcher de dire autre chose.

20 octobre

Je pense à cette fugue du matin au soir. Pensée délectable entre toutes. Si je ne fais pas attention, je suis capable de me mettre à chantonner. Mamie doit soupçonner quelque chose parce qu'elle me regarde du coin de l'œil. Elle ressemble terriblement à Inspecteur Gadget quand elle veut (pour ceux qui ont l'âge de se souvenir).

Elle m'est tombée dessus ce matin, alors que j'engloutissais quelques montagnes de pain grillé arôme poussière.

– Les choses ont l'air d'aller mieux, ma chérie...

– Et comment! ai-je fait en me levant d'un bond pour courir après le bus.

J'ai honte de tromper traîtreusement une aïeule qui n'a que de bons sentiments à mon égard. Je suis un monstre de dissimulation.

25 octobre

C'est Papi qui m'a appelée:

– Aurore! Téléphone! Pour toi!

Téléphone! Incroyable!

En une seconde, je me suis persuadée que Lola, après avoir plaqué Marceau, m'appelait pour me donner rendez-vous mercredi après-midi.

C'est fou comme l'imagination fait bien les choses, avant que la réalité lui rabatte le caquet.

– Allô ?

– Allô, c'est moi… Ça va ?

Mon cœur s'est mis à battre si fort que j'ai cru qu'il allait me sortir de la cage thoracique par la bouche, le nez et les oreilles.

– Julien ?

– Ben oui, j'ai pas changé de nom, aux dernières nouvelles…

Cher petit cœur, il a réussi à me localiser.

– Je dois te dire un truc. Mes parents ont reçu la note. J'ai plus le droit d'approcher du téléphone. Là je me sers du portable d'un copain, mais c'est bon pour une fois. Ça va être difficile de t'appeler.

– On peut s'écrire…

– Tu as un ordinateur ?

– Pas chez mes grands-parents. Mais je vais t'envoyer une lettre.

– C'est sympa. Des lettres, justement, j'en reçois jamais.

Quand j'ai raccroché, j'hésitais. Je me demande si ça vaut la peine de garder un amoureux virtuel. Un type qu'on ne voit jamais, qui n'a rien à dire et auquel on ne peut même pas téléphoner, à quoi bon ?

NOVEMBRE

Ruine de l'amour

1er novembre

Avantage de l'exil grand-parental : pas d'Halloween cette année. Ma grand-mère a déclaré la guerre aux céréales ET à Halloween. Elle déteste de près ou de loin tout ce qui vient d'Amérique. Je me demande ce qu'ils en pensent, en Amérique. Ils doivent avoir les jetons. Quant à Papi, il n'a jamais entendu parler d'Halloween. Logique pour un type qui n'entend plus grand-chose. Enfin, le résultat est là : j'ai échappé à l'apparition de cette courge de Sophie habilement déguisée en citrouille. Il n'y a pas que des inconvénients à vivre chez des sourds phobiques.

5 novembre

J'ai perdu Julien. Je l'ai perdu comme on perd un vieux chien. Je ne peux même pas dire que j'ai rompu. J'ai juste oublié d'y penser. Dans un sens, j'ai fait l'économie d'une lettre de rupture. Mais l'horrible vérité, c'est qu'il n'y avait rien à rompre. Il suffisait de ne rien faire. De toute façon, un type qui vous appelle pour vous dire qu'il ne vous appellera plus n'a rien à attendre d'une fille qui ne va même pas jusqu'à écrire qu'elle ne lui écrira plus (vous me suivez ?). Je me demande s'il se rendra compte que nous sommes séparés. Par télépathie, peut-être. Pauvre petit cœur.

6 novembre

Je me demande pourquoi je suis sortie avec Julien. Je me demande pourquoi je suis sortie avec Marceau. Le problème n'est pas que je ne suis pas amoureuse. C'est que je ne suis même pas malheureuse. Je suis la championne du monde de la non-histoire d'amour.

10 novembre

Mes parents biologiques ont reçu la note de téléphone. Ce qu'on peut dépenser d'argent rien qu'en parlant, c'est effrayant. Tout ça pour un type qui ne me sert plus à rien, c'est bête.

Ultime bénéfice de mon exil grand-parental, j'ai échappé à l'engueulade, au sermon et aux menaces en direct. Malheureusement pas au remboursement. J'ai reçu la note par la poste. Pas besoin de mot d'explication, je sais reconnaître l'écriture de mon père sur une enveloppe. Merci Papa. Je suis endettée jusqu'à la fin de mes jours.

Autant dire que l'amour, je fais une croix dessus. Trop cher pour moi.

11 novembre

J'ai passé cette sinistre journée à chercher une pharmacie de garde. Tout était fermé. Il reste quatre vieux soldats à moitié liquides à la surface de la terre et tout le monde en profite pour s'offrir une journée de congé. Vieille guerre de 14-18, tu es bien sympa de servir d'excuse.

J'ai fini par trouver une grosse croix verte allumée et une pharmacienne désœuvrée.

– Bonjour, j'ai dit, j'ai besoin d'un biberon.

Comme j'avais très chaud aux joues, je me suis pliée en deux. J'ai fouillé énergiquement dans les poches de mon pantalon pour en sortir ce qui me restait de monnaie. Elle s'est penchée sur son comptoir pour voir ce que je fabriquais. Je me suis relevée comme un ressort et elle a reculé brusquement.

– C'est pour mon petit frère ! j'ai hurlé.

– Au fond du magasin, près de la porte, sur le présentoir, à droite ! a-t-elle hurlé.

– Merci, j'ai hurlé.

Ensuite, c'était la fin des hurlements et je me suis jetée sur le présentoir. J'ai pris le biberon le moins cher, qui était aussi très logiquement le moins beau, une sorte de tube transparent imprimé de canards difformes. Le véritable canard Ninja post-explosion nucléaire : six pattes, des dents et le sourire irradié. À vous dégoûter de boire dedans. Cela dit, vu ce que j'avais d'argent de poche – et pour toutes les années à venir –, je n'avais pas le choix. C'était Canards Mutants ou rien.

– C'est pour mon petit frère, ai-je fait en claquant le biberon sur le comptoir.

– Je sais, vous me l'avez déjà dit, a répondu la pharmacienne.

Un peu grossière pour une pharmacienne, c'est ce que j'ai pensé. Mais je n'ai pas protesté (sept fois ma langue, etc.). Ce n'était pas le jour à faire la maligne et à repartir sans biberon. J'avais eu assez de mal à trouver un magasin ouvert.

– Vous savez vous en servir?

– Pas besoin d'avoir fait Polytechnique. Je mets de la flotte dedans et je tète. Vous voyez une autre possibilité?

Elle a haussé son sourcil finement épilé. Elle a eu un petit sourire supérieur.

– Je croyais que c'était pour votre petit frère?

– C'est AUSSI pour mon petit frère.

– Alors, pensez à le laver soigneusement entre deux utilisations.

– Vous pouvez me faire confiance. Je ne tiens pas à attraper la gangrène.

J'ai compté la monnaie que j'avais dans la main. Il n'y en avait pas assez pour la Blédine. J'ai réglé le prix faramineux de mon biberon nucléaire et j'ai quitté la pharmacie la tête haute. Sous prétexte que ça porte une blouse blanche, les pharmaciennes, ça se croit tout permis.

12 novembre

Je suis passée dire bonjour à mes parents biologiques. Pas un mot sur la note de téléphone. Pas d'argent de poche non plus. Je vais devoir mendier dans la rue.

Pharmacienne, ce n'est pas mal comme métier.

On a la main sur tout le stock des produits régressifs, bouillies, tétines et biberons. Et je ne parle pas des couches. En plus, on peut jouer à la fois au docteur et à la marchande. Dommage qu'il faille faire des études pendant mille ans pour avoir le droit de participer. Des études à quel titre, on se demande. Moi aussi, je suis capable de me balader en blouse blanche et de tripoter une caisse enregistreuse.

En attendant, je remplis mon biberon en cachette et je le planque sous mon lit quand je sors de ma chambre. J'ai toujours un peu la trouille que Mamie le trouve et le confisque. Je suis victime du stress de la clandestinité.

13 novembre
La merveilleuse Lola est passée me voir. Un dimanche Alors qu'elle aurait pu rester au lit à regarder la télé toute la journée. C'est l'amitié, la vraie, celle qui résiste à l'éloignement et aux amoureux de quatrième zone. Après les salutations d'usage à mes ancêtres, nous nous sommes réfugiées dans ma chambre. Lola a regardé autour d'elle avec une grimace.

– C'est bizarre, cette couleur. Comment tu fais pour vivre là-dedans ? On dirait de la purée moisie.

Sublime Lola ! Fille sensible et pleine de cœur ! C'était si gentil de sa part que j'ai eu envie de pleurer. Mettez-vous dans la peau de Robinson Crusoé, le jour où il rencontre Vendredi. Le pauvre gars n'a vu personne pendant des siècles… et voilà qu'il tombe sur un type à qui parler !

Chaque fois que je suis un Robinson seul au monde, Lola est mon Vendredi.

Dans mes bras, compréhensif Vendredi !

– C'est ignoble, « purée moisie ». Moi, je dis « rose saumon ».

– « Rose saumon » ? C'est pire !

Il a fallu discuter pour savoir ce qui était le pire du pire, le rose saumon ou le moisi purée. À la fin des débats, nous avons voté à l'unanimité : comparé à « rose saumon » qui est vraiment gras et immonde, « purée moisie » est presque mignon. Le père de Lola oublie souvent la vaisselle dans l'évier. Quand il a laissé la purée pendant quinze jours, elle devient rose. C'est scientifique. J'ai au moins appris une chose aujourd'hui. Merci, cher vieux père de Lola ! Ce n'est pas chez mes parents conjugaux et hygiénistes qu'on ferait des expériences sur la purée. Franchement, si mes parents avaient été Pasteur, je serais déjà morte de la rage. Mes parents sont des ennemis de la science.

– Purée moisie, c'est un traitement inhumain, a constaté Lola. Tu la fais quand, cette fugue ? J'ai besoin de le savoir un peu à l'avance, pour m'organiser.

14 novembre

Je me demande si la vraie fugueuse doit sécher le collège. Je n'ai pas de réponse.

Pourtant, j'y ai réfléchi toute la journée.

– Eh bien, Aurore, on rêve ? m'a lancé Ancelin à la fin du cours de maths.

Comme on était à cinq minutes de la sonnerie, je lui ai répondu franchement. D'abord parce que je préfère dire la vérité. Ensuite parce qu'un prof sain d'esprit ne vire pas un élève à cinq minutes de la sonnerie.

– Oui, madame.

– Dehors, a fait Ancelin.

J'aurais dû lui dire qu'elle était dingue. Mais j'étais trop occupée à ramasser mes affaires. Je ne peux pas tout faire en même temps.

Une fois dehors, je suis restée scotchée à la porte de la classe, bien collée entre deux portemanteaux. La rebelle invisible. Le vrai truc, c'est d'arriver à échapper au proviseur sadique qui hante les couloirs de cet établissement.

À la sonnerie, les nains malfaisants qu'on appelle mes camarades de classe sont sortis en me lançant des regards torves (je ne sais jamais s'ils me détestent ou si je leur fais peur, les deux je suppose).

Comme j'allais les suivre, Ancelin m'a attrapée par le bras.

– Qu'est-ce qui se passe, Aurore ?

Drôle de question pour un prof, non ?

– Rien, madame.

Elle a fait comme si c'était une vraie réponse et elle m'a regardée tellement longtemps que j'ai cru que j'allais m'évanouir sur place. Au bout de cent ans, elle a dit :

– C'est le redoublement qui te rend malheureuse ?

– Non, madame.

Elle m'a encore examinée d'un œil inquisiteur, comme si j'étais un machin extraterrestre ou un truc d'art contemporain.

Elle a dû voir que j'étais très mal, genre toute rouge ou toute blanche, parce qu'elle m'a lâché le bras. J'ai détalé vite fait.

Malheureuse. C'est quand même super bizarre comme question. Surtout de la part d'un prof. Ancelin est dinguissime, c'est clair. Et pourvu qu'elle arrête de me regarder. Ça me flingue.

14 novembre, plus tard

– Alors, ma chérie, tu rêves ?

Citation de ma grand-mère américanophobe, pas plus tard que ce soir à table. Ils se doutent de quelque chose ou quoi ?

15 novembre

J'ai l'impression que les gens lisent dans mes pensées. Mon crâne est peut-être devenu transparent. Je n'ose même plus réfléchir, des fois que je leur donnerais des informations sur ma fugue. Pour me défendre, j'essaie de ne penser à rien. Bizarrement, c'est plus dur de ne penser à rien que de penser à quelque chose. Le rien est supérieur. Je m'en suis toujours doutée.

16 novembre

Soit je regarde la télé non stop. Soit je me mets au boulot non stop. Une fille qui est incapable de tomber amoureuse n'a pas d'autre moyen d'arrêter de penser. Aujourd'hui, c'était plutôt la télé.

D'abord, je suis tombée sur une émission de parlote. L'animateur fait venir des gens atroces et il leur pose des questions atroces devant un public atroce, c'est le principe et tout le monde est content. Merveilles de la télé.

Aujourd'hui, c'était un homme et deux femmes (une jeune et une vieille), sexy comme des hyènes dans un zoo. Il ne manquait que la cage et les barreaux. Je résume le débat. Le type dit qu'il est amoureux de la jeune et qu'il couche avec la vieille (qui est la mère de la jeune).

La femme jeune dit qu'elle n'est pas contente que son type couche avec sa mère et elle traite sa mère de tous les noms. La femme vieille dit qu'elle trouve ça marrant de coucher avec le type de sa fille et elle traite sa fille de tous les noms. Pour finir, tous les trois se crient dessus en se traitant de tous les noms et les gens applaudissent en criant.

Le truc passe juste avant l'heure du dîner. J'ai pensé que j'avais de la chance de ne pas avoir de petit frère. Je n'aurais pas été très contente qu'on regarde ensemble. J'aurais préféré qu'il boive un vieux biberon Canards Mutants dans sa chambre en lisant *Babar.* Par chance, je n'étais qu'avec mon vieux Papi sourdingue. Il ronflait doucement dans son fauteuil.

Quand je regarde la télé, je me demande pourquoi les gens couchent ensemble. Soit c'est galérissime, soit c'est minablissime. Je ne vois pas bien l'intérêt. Ils feraient mieux de s'en passer.

Peut-être qu'une championne du monde de la non-histoire d'amour peut se dispenser de coucher. D'un côté, l'avantage : elle évite une vie de galérienne. D'un autre côté, l'inconvénient : elle renonce à passer à la télé. Coucher un jour ou jamais, c'est mon cruel dilemme.

Après, on a eu le journal. En gros, c'est toujours la guerre ici ou là. Les gens explosés ont l'air explosés partout pareil. On dirait que c'est toujours les mêmes. Il faut faire un effort pour penser que ce sont chaque fois des gens différents, des explosions différentes, du sang différent et des personnes différentes qui crient tout autour.

Je confirme par ailleurs que la banquise n'en a plus pour longtemps. C'est la nouvelle annonce de la nouvelle conférence internationale sur les vieux icebergs, le climat et tout le bazar. Que vont devenir les pingouins ?

Si j'avais eu un petit frère, j'aurais arrêté la télé.

Tout mais pas les pingouins. Pauvres pingouins.

Je suis très déprimée.

Un biberon et dodo.

19 novembre

Visite hebdomadaire à mes parents biologiques. Zéro argent de poche. Zéro conversation. Visiblement, les pingouins n'intéressent personne.

22 novembre

Ancelin, le retour. Ma parole, elle me persécute. Cette fois, elle m'a coincée au début du cours.

– Tu ne fais rien, tu dors les yeux ouverts. Ça ne peut pas durer comme ça.

J'étais sous le choc. On n'a pas idée de se jeter sur ses élèves le matin, quand ils sont encore à moitié endormis. Ce n'est pas loyal.

– Je veux voir tes parents.

– Ça va être compliqué. Vous ne voulez pas plutôt voir mes grands-parents ?

– Qu'est-ce qu'ils viennent faire là-dedans, tes grands-parents ?

– J'habite chez eux depuis que mes parents m'ont virée.

– Quoi ?

J'en ai pris pour dix bonnes minutes de regard qui tue.

– Dans ce cas, demande à ta grand-mère de passer me voir. Le plus tôt sera le mieux.

Il faut absolument que j'appelle Lola. L'option fugue est plus que jamais à l'ordre du jour.

23 novembre

J'ai attendu que mes ancêtres soient couchés. Je me suis glissée sur la pointe des pieds dans leur salle de séjour. J'ai décroché leur téléphone antique sous un coussin pour étouffer les bruits… Quelle misère. Pas de portable et même pas d'argent de poche pour acheter une carte. Je suis la fille qui vit en plein Moyen Âge. Il ne me manque que les sabots et la gale.

Heureusement que le père de Lola se couche quand les autres se lèvent. Il adore faire un brin de causette à une heure du matin. Je peux appeler toute la nuit (mais jamais le matin avant midi). « Je t'embrasse, ma grande, et je te passe Lola », voilà ce qu'il dit, et c'est formidable même si l'idée d'embrasser en pleine nuit un type qui a au moins quarante ans est plutôt flippante.

– Ma prof de maths veut voir ma grand-mère. Où je peux me planquer ?

– Tu n'as qu'à t'installer chez moi, a dit Lola.

– En cinq minutes, tout le monde aura deviné où je suis. Ça s'appelle un déménagement. Pas une fugue.

– Je te cacherai dans la chambre de bonne au sixième étage.

– Et ton père ?

– On ne lui dit rien.

– Et le collège ? Il faut que je sèche le collège ?

– Peut-être pas. Ça va déjà être assez chaud avec ta famille…

– Mais pour me retrouver, ils n'auront qu'à m'attendre à la sortie des cours !

J'ai entendu Lola réfléchir. C'est facile. Elle souffle par le nez quand elle réfléchit.

– Tu n'as qu'à fuguer pendant les vacances.

– Je ne vais pas attendre l'été !

– Les vacances de Noël, banane !

– Et en attendant ?

– Tu prépares tes revendications.

– Et la rencontre profs-grands-parents ?

– Laisse tomber. Qu'est-ce que tu veux qu'il t'arrive de plus ? Tu es déjà dans le caca jusqu'au cou. Bon, maintenant, on peut aller se coucher ?

Je n'ai pas insisté. M'entendre dire que j'étais dans le caca m'avait flanqué un coup sur la tête. Ce n'est pas du tout pareil de savoir les choses et de se les entendre dire. Surtout au milieu de la nuit sous le coussin d'un canapé.

Saleté de téléphone. Il ne fait pas seulement du bruit quand on décroche, il en fait aussi quand on raccroche. Heureusement que mes ancêtres ont le tympan en béton armé.

25 novembre

Ça se précipite.

Ancelin rencontre Mamie le 2 décembre. Je me demande qui va gagner. Je parie ma note de téléphone sur Mamie.

28 novembre

Cette liste de revendications, c'est du boulot. Il faut faire des propositions concrètes. Le problème, c'est qu'à part sauver les pingouins je n'ai pas vraiment d'idée. Qu'est-ce que je pourrais bien demander ? Encore heureux que j'aie presque un mois pour me préparer. Lola a raison : fuguer, c'est surtout une question d'organisation.

DÉCEMBRE

Le problème avec Lola

1er décembre

C'est demain. Mon ancêtre phobique a rendez-vous avec mon enseignante illuminée. Pour parler de moi, ma vie, mon œuvre. Je suis victime de harcèlement scolaire. Le seul harcèlement au monde contre lequel on ne peut pas porter plainte.

2 décembre

C'était aujourd'hui. Je suis rentrée du collège sur la pointe des pieds. J'ai rangé ma chambre.

Après, j'ai essayé de nettoyer la cuisine, mais une grand-mère retraitée ne laisse aucune chance à l'amateur de ménage. Elle passe la journée à traquer la moindre petite poussière et, quand elle l'a trouvée, elle lui fait sa fête. Je ne savais plus comment me rendre aimable, alors j'ai fait un thé à mon vieux Papi.

– C'est très gentil, mon chéri, m'a-t-il dit, mais tu sais bien que je n'en bois pas, ça m'empêche de dormir.

Quelle blague. Il n'est pas né, le thé qui l'empêchera de dormir.

J'étais à bout de nerfs et d'initiatives imbéciles quand ma grand-mère est rentrée du collège. Elle était habillée comme un dimanche, chemisier à froufrous, frisure fraîchement restaurée et maquillage de gala. Je me demande ce que pense le dalaï-lama de ce genre de débauche. Pas beaucoup de bien, à mon avis. Enfin bref, j'attendais terriblement qu'elle me dise quelque chose. Mais rien.

Mon ancêtre cause face à face avec ma prof de maths et elle ne me dit rien. Elle fait celle qui n'a rencontré personne. Elle tourne dans sa cuisine. Si elle espère que je vais lui poser des questions, elle se fourre le coude dans l'œil. J'ai mon honneur. Je préfère encore réviser ma géo.

On fait le Japon. C'est dingue tout ce qu'il faut savoir. Tout ça pour trois îles de rien du tout. Je suppose que c'est ça, le miracle japonais : un tout petit machin et des tonnes de trucs à apprendre.

3 décembre

Début de week-end. Télé à fond et chantonnements divers. Visiblement, c'est la stratégie du bouche cousue. Mais qu'est-ce qu'elles ont bien pu se raconter ?

4 décembre

– Tu as vu Ancelin, pour finir ? (ton dégagé, pop pom pom)

– Oui, vendredi. Je croyais que tu étais au courant. (sourire bonasse)

– OK, OK, j'étais au courant (légèrement tendue).

– … (silence, elle regarde autour d'elle comme si elle cherchait quelque chose à épousseter, je crois que je vais la tuer)

– ET ALORS ? (hurlement incontrôlé, dérapage dans les aigus)

– Alors, tu as de la chance d'avoir un professeur de cette qualité. Elle t'aime beaucoup. (regard triomphant, elle l'emporte, je suis à terre)

L'amour, toujours l'amour. Venant de mon ancêtre, la chose ne me surprend pas. Venant de ma prof de maths, la situation est grave. Hélas, je n'ai pas le temps d'y réfléchir, c'est l'heure de notre déjeuner hebdomadaire et silencieux chez mes parents biologiques. Franchement, ce repas familial, c'est toujours un mauvais moment.

Un jour, il faudra bien que j'y rentre, dans mon foyer biologique. Je me demande si je vais me réacclimater. Tout le monde n'y arrive pas. Les gorilles, par exemple. Une fois qu'ils sont déshabitués de la forêt, c'est fini. Remettez-les dans la nature et c'est le désastre. Quand je pense à mon avenir, j'ai le vertige.

7 décembre

Lola m'a appelée deux fois. Elle attend ma liste de revendications. Je n'ose pas lui dire que je veux bien revendiquer, mais que je ne sais pas quoi, vu que je n'ai pas une folle envie de rentrer dans mon milieu naturel. Je crains l'effet gorille. La vérité, c'est que je me suis bien habituée au thé et au pain grillé. On ne va pas me changer de biotope tous les quatre matins.

Sans blague, je ne sais pas si la fugue vaut vraiment le coup. Plus il fait froid dehors, moins j'ai envie de me claquer dans une chambre de bonne pas chauffée, avec une lampe de poche et un sachet de chips. Le pire, c'est que je n'ai qu'une seule raison de fuguer, et c'est Lola. Elle en a fait une affaire personnelle. Cette fille rêve d'aventures. Elle se projette à mort. Pourquoi est-ce qu'elle ne s'intéresse pas à sa vie à elle ? Pourquoi faut-il que ça tombe sur moi ?

Elle a pourtant une existence géniale. Comparée à la mienne, c'est Hollywood et Saint-Tropez réunis. Non seulement ses parents sont divorcés, non seulement elle peut téléphoner à son père en pleine nuit, mais en plus elle a un petit ami dont elle n'a pas encore mesuré la capacité d'ennui.

Sacré Marceau! Réveille-toi, mon vieux. Je me demande ce que tu fabriques. Tu lui tiens la main, je suppose.

10 décembre

« Chers parents, chers grands-parents et toute autre personne concernée par mon sort, comme vous le constatez, j'ai fait une fugue. Inutile de me chercher, je suis carrément introuvable. Ci-joint mes revendications :

– un téléphone portable et deux cartes d'avance ;

– de l'argent pour acheter de quoi repeindre ma chambre (je veux bien faire les travaux moi-même) ;

– des chèques pour Noël, même petits. Pas de cadeaux ;

– fin des vacances en famille ;

– pas d'obligation d'assister au déjeuner du dimanche.

Déposer votre réponse dans la boîte aux lettres de Lola. Merci. »

12 décembre

Lola passe sa vie à me critiquer. Elle m'énerve.

– Le téléphone portable, c'est mesquin.

– Peut-être, mais j'en ai besoin.

– Comme tu veux. C'est ta fugue, après tout. Mais je peux te demander un truc ?

– Vas-y.

– Pourquoi tu ne demandes pas à revenir chez tes parents ? Ils t'ont chassée, tu veux rentrer. Au départ, c'est quand même ça, l'idée de la fugue.

– Attends… c'est TA revendication. Tu n'as qu'à fuguer toi-même si tu veux tellement que je rentre.

Le problème avec Lola, c'est qu'elle n'a pas le sens de l'humour. Pas pour ce qui la touche en tout cas.

– Débrouille-toi toute seule. Je ne vois pas pourquoi je perds mon temps à essayer d'aider une fille qui se fiche complètement de ce que je fais pour elle…

Mettez-vous à ma place. Je n'ai plus de famille, je redouble, je suis victime de l'attention maniaque de mon prof principal, je n'ai pas de petit ami (et aucune intention d'en chercher un), mes seuls soutiens dans l'existence sont un grand-père hypersomniaque et une grand-mère bouddhiste…

Autant dire qu'une fille dans ma situation ne peut pas se permettre de ne pas fuguer sous le prétexte minable que ça ne sert rigoureusement à rien. Car elle a intérêt à garder sa meilleure amie. Et si le seul moyen, c'est de fuguer…

Eh bien, elle fugue !

– Excuse-moi. Je ne voulais pas te blesser. Je n'ai pas très envie de revenir chez mes parents mais je vais fuguer quand même. J'adore fuguer. C'est l'activité que je préfère au monde.

– On va bien rigoler, tu vas voir, a dit Lola en me regardant avec des yeux brillants (la reconnaissance ? l'émotion ? la fièvre ?).

N'empêche que l'objectif était atteint. Elle est partie de chez moi complètement réconciliée.

C'est fou ce qu'il faut faire pour garder ses amis.

« J'adore fuguer. » « C'est l'activité que je préfère au monde. » Mais qu'est-ce que je raconte ? Je suis en train de perdre la boule ou quoi ?

13 décembre

L'idéal, ce serait de fuguer le soir de Noël. Au moins, ça règle la question des cadeaux.

13 décembre, plus tard

Quelle poisse ! Je me suis fourrée dans un affreux pétrin. Imaginons que cette histoire de fugue marche, tout ce que je risque de gagner, c'est de me retrouver dare-dare dans ma vieille chambre. Retour à la vie d'avant, et en plus je serai obligée d'être CONTENTE.

Plus j'y réfléchis, plus j'aime mes deux petits vieux. Personne n'a intérêt à échanger deux ancêtres pacifiques contre deux sœurs concurrentes. Et je ne parle même pas de deux parents biologiques.

Et si je fuguais pour rester chez eux ?

14 décembre
À condition de préparer mes affaires discrètement à l'avance et de guetter la sonnerie, j'arrive à m'enfuir de la salle avant qu'Ancelin me mette le grappin dessus. J'ai atrocement peur qu'elle me fasse la conversation. J'ai atrocement peur qu'elle me parle d'amour. Laissez-moi être nulle en paix. Laissez-moi gâcher mon avenir toute seule. Ne m'aimez pas. Pitié.

15 décembre
Demain, vacances. Dans dix jours, Noël. Entre deux, fugue. Je suis un peu stressée. Surcharge d'emploi du temps.

16 décembre
Encore battue.

Ancelin m'a chopée AVANT la sonnerie. Elle s'est collée à mon bureau. Elle a posé la main sur mon épaule. À moins de déclencher des affrontements physiques (bousculade, coups, cris, etc.), impossible de s'enfuir. Tous les cancrelats ont filé en couinant vers les vacances. Je suis restée. J'avais envie de pleurer.

– Aurore, a dit Ancelin.

– C'est moi, ai-je répondu.

– J'ai parlé à ta grand-mère.

– Je sais.

– Elle t'aime beaucoup.

– Je sais.

– Moi aussi, j'ai de l'affection pour toi.

– …

– Tu sais tout, c'est merveilleux. Maintenant, écoute-moi. Je t'offre un cours de rattrapage, toutes les semaines, au collège. En échange, tu t'engages à faire des exercices chez toi. Si ta moyenne augmente, on continue et je te promets que tu seras bonne en maths. Si on n'arrive à rien, je te fiche la paix et tu peux roupiller au fond de la classe jusqu'à la fin de l'année. Qu'est-ce que tu en penses?

Une prof qui travaille gratuitement pour une élève redoublante, nulle et même pas aimable. Qu'est-ce que vous voulez penser d'un truc pareil? J'ai répondu direct.

– Vous êtes complètement dingue.

– C'est oui ou non?

J'ai regardé la porte fixement. Et j'ai répondu:

– Oui. Je peux partir maintenant?

17 décembre

Mes grands-parents ont reçu mon bulletin ce matin. Mamie me l'a montré avant de partir faire ses courses. Rien de très neuf. Je suis en dessous du niveau de la mer. En prime, j'ai un avertissement.

– Le mieux, c'est que tu en parles toi-même à tes parents, a suggéré Mamie.

– Tu ne m'attrapes même pas?

– Pour quoi faire? Je ne suis pas ta mère.

– Alors Papi… Il ne devrait pas me menacer, Papi?

– Mais pourquoi veux-tu qu'on crie ou qu'on te menace? a demandé Mamie avec son éternel sourire de lama. C'est ton bulletin, ma chérie. Pas le nôtre.

Là-dessus, elle a pris son panier et elle est sortie. Complètement démissionnaire, si je suis autorisée à avoir un avis.

Je ne suis pas persuadée qu'il faut que j'en parle à mes parents. C'est idiot de leur gâcher les fêtes avec de mauvaises nouvelles.

Lola m'a appelée. Elle veut que je fugue dimanche.

– C'est plus pratique. Tu seras dans l'immeuble. Après le déjeuner, tu sors discrètement, tu sonnes discrètement chez moi et je te cache discrètement au sixième.

J'aurais pu essayer de me défendre une dernière fois. Mais j'étais très abattue par mon bulletin. À un certain stade de nullité, on perd toute confiance.

– D'accord. Mais quand même, il faut que je te dise… Si j'avais pu faire autrement, j'aurais fait autrement.

– Je ne comprends rien à ce que tu racontes.

Misère. Il fait moins cinquante dehors. Je vais finir gelée dans sa chambre de bonne pourrie.

– N'oublie pas ta liste de revendications, a fait Lola d'un ton de commandante en chef, et elle a raccroché.

Cette fugue, ça lui monte à la tête.

18 décembre

Normalement, cette page ne devrait pas exister. Normalement, je devrais être en train de regarder mes doigts devenir tout bleus au bout de mes mains. Je devrais être privée de chaleur, de lumière, de nourriture, de télé, de radio, d'eau et de toilettes. Je devrais attendre en claquant des dents que ma famille aux abois m'achète un téléphone portable. Mais pas du tout. Je suis propre, vivante et au chaud. Merci mon Dieu.

D'abord, j'ai déjeuné. C'était sympa. Curieusement, tout le monde avait des trucs à dire. Jessica a proposé la trêve des cadeaux de Noël. Sophie était d'accord pour ne pas en recevoir. Maman a dit qu'elle signerait des chèques, elle n'a pas le temps de courir les magasins. L'ambiance était bonne, personne ne m'a posé de questions sur mon bulletin et j'ai raconté l'histoire d'Ancelin et sa proposition de dingue. Ils m'écoutaient, ils avaient même l'air intéressé. J'avais un peu mal au cœur de leur faire le coup de la fugue après ça. Pour une fois qu'on m'écoute.

Mais Lola m'attendait. J'ai donc scotché ma liste sur le téléphone et j'ai filé. Elle trépignait sur le pas de sa porte. Elle m'a conduite illico au sixième étage, couloir crasseux des chambres de bonne, tout au fond. Elle a ouvert une vieille porte avec une vieille clé grinçante et m'a poussée dans un débarras grand comme une armoire. Il y avait : une fenêtre minuscule au plafond, un matelas tout gris par terre, une couverture rose saumon dessus, une lampe de poche genre camping, un paquet de chips à l'ancienne, un vieux magazine pour filles qui disait : « Le sexe en été, un plaisir ou une obligation ? » Et pas de place pour autre chose.

– OK. Pas question que je reste là-dedans plus de deux minutes.

– Tu déconnes, a dit Lola. J'ai tout organisé.

– Tant pis. Je préfère mourir dans ma chambre rose saumon que dormir une seule nuit sous la couverture de la même couleur.

– C'est la dernière fois que je t'aide, a menacé Lola.

– Parfait. Ne m'aide plus jamais. Surtout.

J'ai dégringolé l'escalier, j'ai traversé la cour et j'ai sonné comme une perdue à la porte de l'appartement de mes parents biologiques. Je suis sans doute fâchée à mort avec Lola. Mais ce n'est pas le pire. Le pire, c'est que, pendant mon quart d'heure de fugue, Mamie a trouvé ma liste de revendications. Elle l'a déscotchée du téléphone et elle se demandait visiblement ce qu'elle allait en faire quand je suis rentrée…

– Tu vois, maman ? lui a dit ma mère. Ce n'était pas la peine de t'inquiéter. La voilà, ta petite-fille chérie.

– Ma petite-fille chérie, a répété Mamie en chiffonnant discrètement la liste. Quelle bonne surprise… Alors, comme ça, tu veux repeindre ta chambre ?

– Comment tu as deviné ? Tu es magicienne ou quoi ?

– Magicienne, sûrement. Tu préfères la peinture ou le papier peint ?

19 décembre

Aucune nouvelle de Lola. Je suppute que je vais passer mes vacances sans meilleure amie. Joyeux Noël.

20 décembre

Mamie est allée voir le dalaï-lama à Bercy. Elle m'a invitée. J'ai décliné. Je ne suis pas dingue, moi. Du coup, Papi, m'a emmenée au cinéma. Il n'y avait pas le choix. C'était *Harry Potter* ou rien. Donc, ça a été *Harry Potter*. La vraie information, c'est que le gars a grandi d'un an. Qu'est-ce qu'ils lui donnent à manger? On dirait qu'il a muté. Quand je pense qu'il était si mignon quand il était petit…

Personne ne devrait grandir. C'est trop moche.

Après les festivités, Mamie était toute contente et j'étais complètement déprimée.

– Je ne veux pas grandir. Est-ce qu'il y a un moyen d'arrêter le truc?

– Qu'est-ce que tu me dis, ma chérie? C'est si beau d'avancer sur le chemin de la vie…

Je ne vois même pas pourquoi je lui parle. Elle ne comprend rien à rien.

Quand il dort au cinéma, Papi ne ronfle pas. Il incline légèrement le menton sur sa poitrine et il respire très doucement. C'est la télé qui le fait ronfler.

21 décembre

J'ai passé toute la journée à fabriquer des décorations de Noël. Le cauchemar type: claquemurée avec son aïeule à tresser des étoiles en paille pendant des heures. J'ai fait des efforts surhumains pour me sentir désespérée. Mais, mystère de la vie familiale, je ne pouvais pas m'empêcher d'être contente. Elle m'a raconté des histoires de quand elle était petite et que c'était la guerre. Je n'avais jamais pensé que ma grand-mère avait été une petite fille.

Après, elle est allée chercher de vieilles photos que Papi a regardées avec nous. Pour le goûter, j'ai fait du thé et Mamie a sorti les madeleines. C'était tellement bien que Papi a oublié qu'il ne buvait pas de thé. Sa nuit est fichue, pauvre gars.

Quelquefois, j'adore ma vie chez mes geôliers. Il paraît que c'est normal. Les prisonniers tombent toujours super amoureux de leurs gardiens, ça s'appelle le syndrome de Stockholm, il y a des films là-dessus.

Je suis stockholmisée. La preuve : si Lola débarquait pour me délivrer, je la chasserais à coups de bâton.

Je les aime. C'est maladif mais c'est comme ça.

25 décembre

C'est marrant, un Noël sans cadeaux. Ou plutôt : avec chèques et presque sans cadeaux. Sophie avait bricolé d'affreux petits pendentifs en émail qu'elle a cuits dans le four de Maman. Tout le monde lui a dit merci mais, à part Mamie, je ne vois pas qui aura le courage de les porter. Mamie justement. Elle avait préparé une petite surprise tout à fait dans son genre. Elle a fouillé dans ses vieilles affaires et déniché un objet pour chacun. À Maman, elle a offert une bague. Quand elle l'a mise à son doigt, j'ai cru que ma pauvre mère allait se mettre à fondre en larmes. Dans le genre cadeau qui fait pleurer, on peut parler d'un triomphe.

À Papa, elle a donné un briquet en or contre la promesse qu'il n'allumerait plus de cigarettes. C'était aussi bête que de donner de l'héroïne à un héroïnomane en lui demandant de la garder à jamais dans son tiroir à chaussettes. Le véritable cadeau qui ne sert à rien. Mon père a promis et il empoché le briquet. Pauvre vieux toxico.

Pour Sophie, c'était une boîte en bois peint pour classer les trucs que ce genre de fille adore classer, vieux bouts de papier griffonnés et autres feutres fluo pour surligner. Pour Jessica, elle a retrouvé une chemise de nuit ancienne, avec des broderies sur les bretelles. Une boîte et une nuisette : double preuve que, contre toute apparence, cette vieille Mamie a été jeune autrefois. Et mieux, c'est probable, adolescente.

Dans sa bonté, elle a même pensé à l'affreux type du 14 Juillet. Elle s'est fendue d'un cadeau neuf (enfin, j'espère). Elle lui a acheté une boîte de pâtes de fruits. Comme s'il n'était pas déjà assez gros.

– Tu l'offriras à ton ami, a-t-elle dit à Jessica, qui lui a souri avec tellement d'enthousiasme que le clou de sa langue scintillait de mille feux dans la lumière des bougies.

Et pour moi, dans un cadre, une toute petite peinture qui représente un jardin plein de fleurs en été.

Nous étions tous si contents que plus personne n'arrivait à faire la conversation. J'ai essayé de trouver quelque chose de désagréable à dire pour détendre l'ambiance. Mais j'étais ramollie par mon jardin en été. Il était si réussi que j'avais l'impression de m'y être déjà promenée et d'en avoir gardé le souvenir. J'avais sans cesse envie de le regarder.

– Et Papi ? Le Père Noël l'a oublié ?

C'est tout ce que j'ai trouvé. C'était nul. Mamie en a profité pour lui tendre un paquet emballé.

– Je les ai fait refaire, a-t-elle dit en le regardant dans les yeux.

Dans le paquet, il a trouvé les deux parfums qu'ils portaient quand ils se sont rencontrés.

– Ma femme est magicienne, a dit Papi en ôtant doucement le bouchon du premier flacon.

C'était un peu gonflé de sa part. J'ai protesté.

– Excuse-moi, mais tu me l'as piquée, celle-là. Magicienne, je l'ai faite avant toi.

– Ne te fatigue pas, ma chérie. De toute façon, je n'entends rien.

C'était ma dernière tentative. Ensuite, je n'ai plus fait aucun effort. Je me suis laissée couler à pic dans la mollesse générale. Appelez ça le bonheur si vous voulez. C'est Noël après tout.

JANVIER

La guerre en famille

1er janvier

C'est dingue, ce qu'on change en un an. Harry Potter, mon frère, tu n'es pas seul au monde ! Moi aussi, je mute. L'année dernière, j'étais une fille splendide et pleine d'illusions. Bien dans sa peau, à l'aise dans sa vie, heureuse en famille. Un an plus tard, je suis virée de chez moi. Fâchée avec ma meilleure copine. Lourdée par mes petits copains. Harcelée par ma prof de maths. Rose saumonisée par mes grands-parents. Totale désabusée.

Fêtes de fin d'année, je vous maudis. Tout ce qu'on y gagne, c'est la gueule de bois.

2 janvier

Le Père Noël m'a parachuté un téléphone portable. Il s'est cotisé à mort. Merci, chèques magiques. Gracias, Père Noël. Et comme un bonheur ne vient jamais seul, Mamie m'a filé de l'argent pour les cartes. Gratuitement.

– Pour tes étrennes, ma poussine.

Et hop, une enveloppe farcie d'un beau billet bleu. Dommage que je n'aie personne à appeler.

Elle m'a appelée « Poussine ».

« Poussine » ? C'est grotesque.

3 janvier
Rentrée des classes. On ne devrait pas laisser les gosses si longtemps en vacances. Ce truc de Noël, ça les détruit. L'assemblée des cancrelats avait des cernes bleus sous les yeux. Avec leur peau livide, ils faisaient un très bel effet sous les néons. Ce collège, c'est *Poltergeist* dès huit heures du matin.

Je laisse mon téléphone allumé dans mon sac pendant les cours. Je ne crains rien. C'est l'avantage des sans amis. Ils n'ont personne pour les déranger.

Des fois, j'ai envie de m'appeler moi-même.

4 janvier
Ancelin m'a chopée au début de l'heure (la nouvelle tactique). Elle me prend en cours particulier demain soir. C'est tout à fait comme une colle, sauf que cette fois je n'ai rien fait de mal.

– Ne fais pas cette tête, a-t-elle dit. Ce n'est pas une punition, c'est un privilège.

– Vous voulez mon numéro de portable ?

Ce soir, trois personnes au monde possèdent mon numéro : ma mère, ma grand-mère, ma prof de maths. Je pourrais me dire que c'est un début. Mais le début de quoi ? J'ai du mal à imaginer la suite. Mes sœurs ? Le principal ?

5 janvier
Pas la peine de se faire des idées. Le cours particulier de maths n'a rien de particulier. C'est un cours de maths.

Sauf qu'on est toute seule contre le prof. Impossible d'essayer de penser à autre chose pendant cinq minutes. Elle est là, assise juste à côté, à regarder ce que vous écrivez en même temps que vous l'écrivez. Le stress mortel. Ils font des stages comme ça dans l'armée américaine. Des entraînements super durs pour tester la résistance. Je l'ai vu à la télé, dans un film. Ou aux infos. Je ne sais plus.

À la fin des trois quarts d'heure, j'étais épuisée, à bout de souffle et en nage. Ancelin m'a regardée avec un sourire intraitable.

– Tu vois que tu peux y arriver, quand tu te concentres...

J'ai assuré un effort physique dément pour lui sourire aussi (au lieu de m'effondrer au sol comme un soldat rompu).

– J'ai tout donné. Je ne sais pas si je pourrais le refaire éternellement.

Voilà ce que j'ai répondu. Puis, pour qu'elle m'oublie, j'ai fait semblant de vouloir envoyer un texto à quelqu'un.

– Éternellement, a répété Ancelin pendant que je tapotais comme une furie sur mon clavier, il ne faut peut-être pas exagérer. Je n'aurais pas la patience.

Là-dessus, elle est partie. Cette prof vient de me donner un cours de maths, et elle rêve déjà de me laisser tomber. J'ai la gale ou quoi ?

8 janvier

Bon, ils veulent me reprendre. Après Lola, mes parents. Ils se sont donné le mot pour me gâcher la vie ou quoi ?

Mon père l'a annoncé en apéritif au déjeuner dominical. Il a regardé Mamie droit dans sa nouvelle permanente (frisée batavia, l'erreur totale).

– Les trois mois sont passés. Je crois qu'il est temps qu'Aurore revienne. Elle va retrouver sa chambre et ses habitudes dans l'appartement de sa famille.

La permanente de Mamie a vaguement tremblé sur ses racines. Elle ne s'y attendait pas, c'est net. Mon père est complètement taré. À son âge, elle aurait pu faire une crise cardiaque. Elle a au moins soixante ans. Bref, elle était si choquée qu'elle n'a rien répondu. Même le fameux petit chantonnement lui est resté en travers de la gorge.

J'étais tellement traumatisée que je n'ai rien dit non plus. Je cherchais désespérément la phrase qui tue quand le secours est venu de là où on ne l'attendait pas.

– Vous auriez pu nous en parler avant de faire une annonce publique, a dit grand-père, qui d'un coup n'était plus si sourd que ça. Je ne tiens pas un chenil pour la SPA.

Il a vidé son verre de porto dans un silence énorme.

– Tu n'es plus sourd, Papi ? a demandé Sophie, qui a l'esprit scientifique et pas beaucoup de psychologie.

Il s'est levé pour se servir un autre verre de porto. Il n'a pas répondu.

– Vous avez accueilli gentiment Aurore cet automne, a finement ajouté maman, dans l'idée bien maternelle d'en remettre une couche. Il est temps qu'elle rentre chez ses parents. Je ne vois pas où est le problème.

– Tu ne vois pas ? a fait Papi. Si je suis sourd, ma petite fille, tu es aveugle.

Mon grand-père sourd était miraculé. D'une façon habile, il venait de me comparer à un chien abandonné et je ne savais pas encore comment je devais le prendre. Mon père était couleur framboise et j'ai pensé qu'il allait se la faire, la crise cardiaque. Les yeux de ma mère sont devenus tout globuleux à cause des larmes qui n'allaient pas tarder à jaillir en geysers. Sophie ne comprenait rien et Jessica ne s'intéressait à rien. Total, l'ambiance était formidable. Nous allions probablement passer au massacre interfamilial à coups de fourchettes à dessert quand on a sonné à la porte.

– Qu'est-ce que c'est, ENCORE ? a rugi mon père.

– Je crois que c'est Vladouch… a murmuré Jessica, et elle s'est précipitée vers la porte.

– Quoi, VLADOUCH ? a hurlé mon père.

Tout le monde a tourné la tête, et on a vu, sur le pas de la porte, l'horrible type du 14 Juillet.

– Bonjour messieurs madame, a dit cet innocent de Vladouch, comme s'il arrivait dans une famille normale, un dimanche normal, à l'heure normale de l'apéritif.

Il aurait mieux fait de la fermer parce que tout le monde a clairement entendu qu'il avait un accent.

– QUI EST CE TYPE ?

Le pauvre gars allait payer pour mon grand-père miraculé, c'était l'évidence même. Mais Jessica a fait un truc formidable. Elle est allée se coller sous le nez de mon père, elle lui a tiré sa langue à piercing (un machin en forme de pointe de lance) et elle a dit :

– Tu ne devrais parler comme ça à personne, et surtout pas à l'homme que j'aime.

Toujours sur son pas de porte, le Vladouch ouvrait des yeux effrayés, il ne comprenait rien à ce qui était en train de lui arriver, une vraie petite biche.

– Viens, Vladouch, on s'en va, a ordonné Jessica.

Elle a pris son sac, sa veste et son type, la porte a claqué, et hop, elle était partie. Ma sœur aînée est la spécialiste internationale du claquage de porte dominical.

J'en ai profité pour donner mon avis sur tout ça.

– Franchement, j'ai dit, merci bien, mais si c'est ça la vie de famille, je crois que je vais rester chez Mamie et Papi.

9 janvier

– Papi, pourquoi tu as parlé d'un chenil de la SPA ?

– Quoi ? Articule, on n'entend rien !

– TU PENSES QUE JE SUIS UN CHIEN ABANDONNÉ ???

– (Il me regarde, il réfléchit, il hésite, il répond.) J'ai exagéré, ils ne t'ont pas vraiment abandonnée…

– MAIS JE M'EN FICHE, D'ÊTRE ABANDONNÉE ! EST-CE QUE JE RESSEMBLE À UN CHIEN, OUI OU QUOI ?

– (Il me regarde encore pendant deux mille ans.) À un lévrier, alors. Rapide mais un peu maigre. Tu devrais te nourrir plus sérieusement. Si tu veux réussir à attraper un homme un jour, bien sûr (il sourit, l'air ravi). C'est tout à fait ça, oui, un lévrier… Et si tu faisais de l'athlétisme ?

Le miraculé est un sourd zoophile.

10 janvier

Demain, Mamie m'emmène acheter de la peinture pour ma chambre. J'hésite sur les couleurs. Orange et parme. Peut-être. Si je veux, je peux avoir les rideaux assortis.

– D'accord pour les rideaux, a dit Mamie. Mais pas tout de suite. En février, quand on aura fini les surfaces.

« Fini les surfaces », mots magiques et professionnels… J'emménage, les amis, j'emménage. Quand je pense que j'ai failli mourir congelée dans une chambre de bonne à demi moisie, je me dis que je m'en sors plutôt bien.

11 janvier

Juste avant de dormir, je me repasse le film de Jessica. Elle prend l'affreux type du 14 Juillet par le bras et elle balance à mon père cette réplique fameuse :

– Tu ne devrais parler comme ça à personne, et surtout pas à l'homme que j'aime.

Et elle sort de la pièce. Classieuse, talentueuse et fougueuse Jessica !

Dommage qu'il faille aimer un homme pour sortir ce genre de trucs à son père. Dommage aussi que Jessica fasse un BTS Action commerciale et pas une école de théâtre. J'espère qu'elle pourra dire des choses aussi belles à son futur patron chez Sephora :

– Vous ne devriez parler comme ça à personne… et surtout pas au vigile que j'aime !

Ou :

– … au caissier que j'aime !

Ou :

– … à la crème lissante anti-capitons que j'aime !

Quand je m'endors, j'ai tendance à penser n'importe quoi.

12 janvier

J'ai eu commando de maths. J'ai cru que j'allais mourir. Trois quarts d'heure d'exos sans rien à boire ni à manger. L'enfer sur terre.

– J'ai l'impression que ça va un peu mieux, a constaté l'intraitable Ancelin. Qu'est-ce que tu en penses ?

– Vous avez toujours mon numéro de portable ?

– Oui. Si tu dépasses dix au prochain contrôle, je t'appelle.

La politique de l'exploit. Typique.

13 janvier

Vendredi 13. J'ai attendu toute la journée qu'il se passe un truc vraiment terrible. Il est déjà vingt-deux heures trente et rien du tout. Sauf chute inopinée de météorites dans la nuit, c'est encore fichu pour cette fois.

15 janvier

C'est la brouille interfamiliale. Pas de déjeuner dominical. Chacun reste chez soi, et moi chez mes ancêtres. Mon grand-père est redevenu tout à fait sourd. Conclusion : mon père fait des miracles à durée déterminée.

16 janvier

Si je ne vais plus déjeuner le dimanche chez mes parents biologiques, je vais peut-être les oublier. Je serai une sorte d'orpheline amnésique adoptée par un couple vieillissant. Excuse, Papi : une sorte de lévrier amnésique adopté par un couple vieillissant.

17 janvier

Jessica a téléphoné à Mamie. Elle veut se marier avec Vladouch.

– Par chance, m'a dit Mamie, il semble que ce Vladouch a déjà une femme et deux enfants. Le temps qu'il divorce, elle aura changé d'amoureux.

Parfois, je pense que Mamie n'a pas de cœur. Jessica ne devrait pas faire ses confidences à n'importe qui.

Pour la peinture, j'ai pris parme et vert d'eau. Côté rideaux, je m'interroge encore.

19 janvier

Entraînement formidable. J'étais physiquement à bout, mais j'ai fait le maximum. Ancelin l'a remarqué. Elle m'a serré la main et elle m'a dit : « Fortiche ». Fortiche. Fortiche ?

Renseignements pris, ça veut dire « très fort ».

Mamie est spécialement fortiche pour tout ce vieux lexique un peu militaire. Elle n'a pas de cœur, mais elle a du vocabulaire.

22 janvier

Il y a de la réconciliation dans l'air. Mes parents sont venus prendre le thé chez mes ancêtres. Je suppose qu'ils ont négocié sec. Mais apparemment, personne n'a jugé utile de me mettre au courant.

Je les ai parfaitement reconnus. L'absence n'a pas détruit tout lien entre nous. Elle a même amélioré les relations. Je dois reconnaître que mon père s'est montré très aimable.

– Jolies couleurs, a-t-il dit quand je lui ai présenté mes pots de peinture.

Tout le monde savait qu'il n'en pensait pas un mot. Mais tout le monde a été content qu'il fasse l'effort de mentir. Papi était sourd, Mamie avait préparé de la charlotte aux poires (en boîte, les poires). Et personne n'a parlé de mon lieu d'habitation. Apparemment, c'est devenu le sujet tabou. Il faudra que je m'en souvienne pour une prochaine animation.

23 janvier

Fatalité. Il a sonné en plein cours d'histoire.

Mme Messeigner en a laissé tomber sa craie. Puis elle s'est jetée sur moi pour me le confisquer. Mais j'avais été plus rapide. J'avais eu le temps de lire le texto : « DOUZE. PAS MAL. ANCELIN. »

J'aurais bien répondu mais Messeigner m'a arraché l'appareil des mains.

– Eh, j'ai dit. Faites un peu gaffe. C'est un téléphone tout neuf.

Je suis virée d'histoire pour une semaine. Je me demande si on peut appeler ça une punition.

26 janvier

Je suis complètement endoctrinée. Ou complètement intoxiquée.

Genre secte ou drogue, si quelqu'un voit ce que je veux dire.

Toute la journée, j'ai attendu le moment d'aller au cours particulier. Et quand il s'est terminé, j'ai regretté qu'il ne dure pas plus longtemps. Il faut croire que j'aime ça. Je suis la victime type. Si ça continue, je vais finir femme battue. Moi aussi, j'ai vu le film sur les violences familiales, hier, sur la Deux. Ou alors c'était aux infos. Allez savoir.

27 janvier
J'ai le numéro d'Ancelin dans la mémoire de mon téléphone. Si je voulais, je pourrais l'appeler. C'est hallucinant.

29 janvier
Mamie a commencé le nettoyage de ma chambre avant travaux. Elle aurait pu me prévenir. Mais non, elle s'est précipitée avec son aspirateur et son chiffon pendant que j'étais au collège. Ce qui devait arriver est arrivé. Elle a trouvé le biberon Canards Mutants.

Quand je suis rentrée en fin d'après-midi, il était propre et posé droit sur la table de nuit. Je la trouve un peu gonflée de laver mes affaires sans me demander la permission.

J'attendais le retour de la leçon sur la régression pour le dîner. Erreur. Je devrais pourtant la connaître... elle a fait comme si de rien n'était. La stratégie du Pas-Un-Mot. Mon biberon Canards Mutants vient de faire son entrée dans la vie officielle de notre petite communauté.

30 janvier

Mamie m'a acheté une nouvelle tétine.

– L'ancienne est un peu molle, a-t-elle dit en me tendant le sachet de la pharmacie.

– Merci, j'ai répondu. C'est cool.

Cette femme est folle. Ma brosse à dents est complètement usée et elle s'en fiche comme de sa première bouillie.

Tout ce qui l'intéresse désormais, c'est les biberons. Le biberon a l'aval des lamas, je présume.

FÉVRIER

L'univers parallèle

1er février

Les travaux de ma chambre ont commencé. J'ai déménagé dans le salon. Je dors sur le canapé. Mes affaires sont dans des caisses. Aujourd'hui, j'ai lavé les murs avec une grosse éponge molle et une vieille lessive puante. L'éponge fuit. J'avais de la coulure collante jusque sous les aisselles. Sexy. Samedi, je lave le plafond. J'ai déjà la peau des mains complètement desséchée (et je ne parle pas des aisselles). Je vais finir craquelée comme un crocodile. Cette histoire de peinture est en train de se retourner contre moi. Tout ce que je fais se retourne contre moi.

2 février

Ancelin était satisfaite à la fin de l'entraînement.

– Tu progresses vite. Tu seras bientôt capable de te débrouiller toute seule.

Je n'ai rien répondu. J'ai pensé que j'allais juste arrêter de travailler. Si c'est ce qu'elle veut, après tout, je ne vais pas la contrarier.

– Tu fais la tête ? m'a demandé Ancelin.

– Ben oui. Je redeviens comme j'étais avant.

– C'est-à-dire ?

– Nulle, désagréable et fainéante.

3 février

– Aurore, a crié Papi. Téléphone !

Stupidement, j'ai pensé que ce vieux Julien venait de retrouver mon numéro. Pendant un court instant (très court), j'ai eu le cœur qui battait à cent à l'heure. On ne devrait jamais avoir le cœur qui bat à cent à l'heure. Tout ce qu'on y gagne, c'est d'avoir l'air bête.

– Aurore, a gémi Lola. C'est moi.

J'aurais été moins émue d'entendre Julien. Je croyais qu'elle ne voulait plus jamais me parler. Enfin… elle ne me parlait pas vraiment. Elle me soufflait dans l'oreille.

– Tu me manques.

Ça m'a sciée. Jamais un type ne m'a dit un truc pareil. D'un autre côté, jamais je n'ai dit un truc pareil à un type. D'un troisième côté, aucun type ne m'a jamais manqué.

– Je m'ennuie de toi.

– Arrête, j'ai dit. Tu me fais peur. Qu'est-ce qui se passe ?

– Rien, justement. Puisque je te dis que je m'ennuie.

– Tu n'as qu'à faire une fugue.

– Très drôle, a dit Lola. Quand est-ce qu'on se voit ?

Évidemment, quand j'habitais sur place, c'était plus simple. Il suffisait d'ouvrir la fenêtre et de se pencher un peu.

– Je déjeune dimanche chez mes parents.

– Alors dimanche ?

– Alors dimanche.

Je ne veux pas passer pour une fille atrocement sentimentale, mais j'étais assez contente en allant me coucher.

Vivre sans amoureux, c'est possible. Sans amie, c'est moche.

4 février

Opération plafond. J'ai passé la journée à lessiver, debout sur un escabeau, le bras en l'air, l'éponge au-dessus de la tête. Des litres d'eau jaune puante m'ont dégouliné sur la figure, sans interruption, entre quatorze à dix-huit heures. Il paraît que le plafond est propre. C'est une hallucination grand-parentale. La vérité, c'est qu'il est couvert de traînées immondes.

– Tu es formidable, m'a dit Mamie.

– Oui, mais ce plafond, maintenant qu'il est lavé, je ne le peins pas. J'ai trop mal au dos. Tu peux me supplier à genoux, il va rester rose saumon, je te le jure.

Là-dessus, mon éponge s'est suicidée. Elle est tombée en plein sur la tête de Mamie.

– Ma permanente, a gémi mon ancêtre.

Je ne vois pas pourquoi elle s'en faisait. Elle porte assez bien l'éponge. Mieux que la permanente, en tout cas.

5 février

Déjeuner multiculturel chez mes parents biologiques. Apparemment, Jessica a remporté la première manche. Elle a réussi à faire inviter l'affreux type du 14 Juillet. Jamais vu personne manger autant. Je suppose que c'est pour dissimuler son accent. Tant qu'il a la bouche pleine, il ne peut pas parler. Dans un sens, c'était idiot de faire tellement d'efforts. Personne n'avait l'intention de lui adresser la parole. C'était le boycott général. Tout le monde parlait nerveusement à Sophie. Cette pauvre chose stupide s'est mise à croire qu'elle intéressait la terre entière. J'en avais tellement marre de l'entendre pérorer que j'ai décidé d'être polie avec l'invité. Je me suis tournée vers lui, et j'ai demandé en articulant soigneusement :

– À propos, comment vont votre femme et vos deux enfants ?

Ensuite, le déjeuner a passé très vite. Jessica m'a traitée de punaise, de tarte et de morpion. Morpion était de trop. Papa a demandé à Jessica de sortir de table. Comme elle pleurait, c'est moi qui suis sortie. De toute façon, je n'aime pas les desserts. Morpion peut-être, mais pas goinfre.

J'en ai profité pour aller sonner chez Lola. Quand elle m'a ouvert, elle avait les yeux tout rouges.

Elle m'a serrée dans ses bras comme si on ne s'était pas vues depuis des semaines. Dans un sens, elle pouvait. On ne s'était pas vues depuis des semaines.

– Tu me sauves la vie ! J'allais me jeter par la fenêtre.

– C'est idiot. Du deuxième étage, tu risques une fracture du pied. Au pire une entorse. Et au pire du pire, rien du tout.

– Je voudrais mourir, a dit Lola, et là-dessus elle a vaguement reniflé.

Je n'ai pas pris les choses au tragique. Pas mon genre. Je l'ai emmenée dans sa chambre. Je l'ai fait asseoir sur son lit. Elle s'est remise à couiner en se mouchant.

Le drame, c'est qu'elle est en train de larguer son espèce de beau-frère. Pas de quoi pleurer tout l'après-midi. Voilà ce que j'ai essayé de lui expliquer devant un paquet de chips parfaitement mous et un Coca parfaitement sans bulles.

– Il s'en remettra. Toi aussi. Regarde ce qui m'est arrivé. Je suis sortie avec lui et c'est comme s'il ne s'était rien passé du tout.

– Oui, mais tu n'es pas obligée de le fréquenter. Moi, même si je le largue, il reste mon beau-frère.

C'est un argument. Un type qu'on largue, normalement on ne le voit plus. Fini. Débarrassé. Vacances. Youpi. Un beau-frère, c'est plus compliqué. Elle ne peut pas faire autrement que de continuer à le voir. Même s'il l'énerve à mourir. D'ailleurs, il l'énerve à mourir. Elle a le front couvert de boutons.

Ça lui apprendra à faire ses petits machins en famille. Tout le monde sait que la famille, c'est Over Interdit. On n'a pas inventé Œdipe pour rien. J'ai essayé de lui expliquer gentiment que c'était sa faute si elle se retrouvait dans le caca.

– Il faut être un peu tarée pour sortir avec son beau-frère, tu ne crois pas?

Comme elle recommençait à chouiner («Je sais bien que je suis dans le caca, mais ça me fait flipper que tu me le dises, etc.»), je lui ai fait des propositions pour reconstruire sa vie.

– Demande à ton père de rompre avec sa vieille petite amie (c'était la première).

– Va habiter chez tes grands-parents (c'était la deuxième).

– Monte dans ta chambre de bonne et saute (c'était la troisième).

Elle s'est essuyé les yeux et elle s'est mise à glousser. Après, on riait tellement qu'il est devenu impossible de discuter un peu sérieusement.

– Arrête de déconner, j'ai dit. J'ai un vrai truc à te proposer… J'ai besoin de quelqu'un pour peindre les murs, mercredi. Tu n'as qu'à venir chez moi.

– Chez toi ?

– Chez mes grands-parents.

– Bonne idée. Je lui dirai que je ne peux pas le voir parce que je dois peindre chez toi.

Non seulement tu récupères ta copine, mais en prime elle repeint tes murs. Bien joué, Aurore.

– Et si ça peut rendre service, je t'annonce que tu es prise samedi. Tu repeins mon plafond.

8 février

Quand on rit beaucoup, il est très difficile : de ne pas se tacher, de ne pas laisser la peinture goutter par terre, d'éviter les coulures, de ne pas faire de traces avec le rouleau.

La première couche est un désastre. La couleur parme est un autre désastre. Et je n'ose même pas penser à ce que donnera le vert d'eau.

Désastrissimo, probable.

Rose saumon, je ne savais pas. J'ai déconné. Pardon.

9 février

– Tu veux connaître ta note au contrôle que je rends demain ?

– Oui.

– Dix-sept.

– Dix-sept ?

– Dix-sept. Première.

– Ah bon.

– Tu n'as pas l'air contente…

– Si je suis trop forte, vous allez me laisser tomber.

– Tu ne vas pas te mettre à pleurer, quand même ?

– Je pleure si je veux.

– Tu me fatigues… Exercice 23, page 37. Concentre-toi ! Mieux que ça !

10 février

Elle a rendu le contrôle. Ma copie était au-dessus de la pile. Je me demande si je ne préférais pas avant. Quand j'étais nulle. Tous les cloportes me regardaient avec des yeux mauvais. Comme si j'avais volé ma place. Du coup, j'avais l'impression d'avoir abusé. D'avoir fait quelque chose que je n'aurais pas dû faire. D'être immonde. J'ai eu très envie de sortir de la classe et de m'en aller.

Personne ne vous pardonne de changer. Personne ne vous pardonne d'être meilleure que les autres.

En sortant du cours, Élodie Magnan, qui est toujours la première en tout, a fait exprès de me bousculer. Elle est idiote parce que je suis beaucoup plus grande qu'elle. Si je lui envoie une claque, je l'assomme.

– Qu'est-ce qui se passe, Magnan ? On n'est pas contente ?

Cette ahurie a eu tellement peur de ma grosse voix qu'elle a filé dans le couloir sans demander son reste. Quand ils ne m'insultent pas, ils me fuient. Misère.

11 février

Plus rien n'est pareil. Mon thème astral débloque. Je vis une sorte de tsunami stellaire. Par exemple, aujourd'hui, c'est dimanche. Normalement, le dimanche, je m'ennuie chez mes parents, je me dispute avec une ou plusieurs personnes de ma famille (généralement plusieurs), ensuite je fais des plans foireux avec Lola. À la fin, je rentre chez mes ancêtres et je me couche déprimée. Pendant ce temps-là, le climat de la planète s'est dégradé et les espèces menacées sont un peu plus menacées. Le lendemain, je vais au collège. Je suis nulle ou immonde et toujours méprisée. Je n'aime personne et je m'ennuie. Voilà ma vie normale.

Ce dimanche bizarre, mes ancêtres invitent mes parents à déjeuner. Lola nous rejoint pour le dessert. Son vieux père prend le café avec nous. Personne ne se dispute. Après le café, mon père, ma mère, ma copine, mes deux sœurs et l'affreux type du 14 Juillet prennent des pinceaux et des rouleaux, et peignent ma chambre. Opération deuxième couche. L'affreux type est un professionnel de la profession. Il donne des ordres que personne ne comprend à cause de son accent, mais tout le monde fait semblant et travaille dans la bonne humeur. Ma grand-mère prépare un gâteau de semoule dans la cuisine. Mon grand-père fait la sieste devant la télé. À l'heure du goûter, c'est presque fini. Nous sommes tellement contents de manger du gâteau de semoule que je m'excuse auprès de Vladouch.

– Je regrette d'avoir parlé de votre vieille famille dimanche dernier.

– J'ai divorcé deux ans, me répond Vladouch avec son affreux sourire du 14 Juillet. Passé pas grave. Tu pardonnes.

Lola rigole aimablement. Maintenant qu'elle est revenue au célibat, c'est comme si nous n'avions jamais été séparées. Elle ne décolle plus. Elle m'a proposé de m'aider pour les rideaux. Mes parents sourient. Même mes deux sœurs, anciennement prénommées Javotte et Anastasie, sont de bonne compagnie. Nous sommes heureux comme des gorets. Et demain, la première heure est à Ancelin.

– Je pense que tu es douée, m'a dit Ancelin vendredi dernier. Ça valait le coup de travailler.

J'ai cru tomber dans les pommes. Maintenant, j'attends tellement d'aller à son cours que j'ai peur de la voir en vrai.

Mettez-vous à ma place. J'ai l'impression super flippante d'avoir changé d'univers. Où est passée ma vraie vie ? Je veux la revoir une dernière fois. Elle était naze, mais je m'étais attachée.

12 février

Ce n'est pas la première fois. J'ai regardé dans mon vieux cahier. L'année dernière, au mois de février, j'ai été victime d'une crise d'excellence. J'ai eu quatre bons contrôles à la suite parce que je travaillais la nuit. La terre entière a pensé que j'étais miraculée, à commencer par mes parents qui étaient très inquiets. Ensuite, je suis sortie avec Marceau et les choses sont redevenues normales. Plus un instant pour penser au travail. Toute mon existence vouée à l'amour. Quand j'y repense, j'aurais mieux fait de laisser tomber l'amour et de vouer mon existence au travail. J'aurais ce brevet à la noix. Je serais en seconde avec Samira. Et je sortirais avec ses cinq frères. Je suis la reine de la stratégie pourrie.

Février est le mois de l'excellence. Par ailleurs, février n'a que vingt-huit jours. L'excellence n'est pas faite pour durer.

Pas d'autre conclusion possible.

13 février

Je me suis bien observée dans la glace. Jessica est belle. Sophie a un appareil dentaire. Je suis moche. Plus je me regarde, plus je suis moche. Et quand je souris, je suis pire. Je suis moche et tarte.

Peut-être avec un bon gros voile noir de la tête aux pieds ?

Mais si j'ai le voile noir, je risque de décrocher le mari barbu qui va avec. C'est trop triste d'être à la fois moche et mal habillée ET mariée à un type poilu et mal habillé.

Je renonce. Le mieux, dans ces cas-là, c'est d'accepter son destin.

Pour moi, ce sera Laide, Visible et Célibataire.

14 février

Saint-Valentin, fête des amoureux. Va au diable, saint Valentin, toi, tes cœurs ridicules, tes baisers grotesques, tes promesses à deux sous et tes bouquets de fleurs à la con.

15 février

Est-il possible de vivre toute une vie sans amour ? Ma réponse est : oui. À condition de dormir dans une chambre sans miroir et de couleur supportable.

16 février

Je vais consacrer mon existence à l'étude des mathématiques. Je serai une scientifique avec un tablier blanc croisé sur le devant. J'étudierai avec mes collègues internationaux. Nous serons d'abord anonymes et ensuite incroyablement célèbres. J'écrirai des formules au tableau noir devant des photographes de presse. Je serai obligée de m'exiler à l'étranger, genre la Californie, pour travailler dans des bureaux géants, au milieu d'un parc avec vue sur la mer. J'inviterai mes parents pour les vacances, et Vladouch aussi je l'inviterai, il épatera tout le monde avec son accent. Si Lola veut, elle pourra venir. Et Samira. Et ses cinq frères. Nos maisons sont assez grandes, en Californie.

Si je veux m'en sortir, j'ai intérêt à faire des progrès en anglais. Autre chose que *the leaf on the tree, the dog on the log*. Quand je fais un effort de mémoire, je retrouve bien la trace d'un cours d'anglais, et même d'un prof qui s'appelle M. Souiza. Je t'ai trop négligé jusqu'alors. Ça va changer. Dans mes bras, mon vieux Souiza !

22 février

Je regarde mes murs parme et mon plafond vert d'eau. Les rideaux dorés sont une erreur tragique. Je n'aurais jamais dû écouter Lola. Depuis qu'elle a rompu, elle a perdu le sens de la mesure.

J'ai un gros doute. Je crois que je suis heureuse. Il ne reste qu'une personne heureuse à la surface de cette planète pourrie, et c'est moi. À ce point-là, c'est une maladie. Je suis au courant, j'ai vu un reportage sur des gens qui l'avaient attrapée. Un jour, ils sont excités et ils vident leur compte en banque pour rigoler. Le lendemain, ils boivent de l'alcool et ils pleurent toute la journée pour rien. À la fin, la famille n'en peut plus et ils se suicident. Tout à fait mon genre. Comme j'avais la trouille, j'ai appelé Lola. Elle a regardé sur Internet. Puis elle m'a envoyé un texto. « c la maniako dpression. »

Dans un sens, ça m'a fait plaisir d'avoir une vraie maladie avec un nom. Même si le nom est un peu moche.

MARS

Je est une autre

1er mars
Mardi gras, le genre de fête totalement passée de mode. Pas étonnant avec un nom pareil. Les ancêtres adorent ce genre de réjouissances diabétiques et pas chères. Mamie chantonnait en faisant glisser la pâte dans la poêle. Elle ne m'énervait même pas.

J'ai mangé sept crêpes, Papi deux et Mamie en a envoyé une au-dessus du frigo pour être riche toute l'année. Mes ancêtres sont rêveurs.

J'ai pris quatre kilos et je me suis couchée dans ma chambre repeinte. Tout était beau et calme. J'aime les crêpes, mes grands-parents et la couleur de mes murs.

Même les rideaux dorés ne m'énervent pas.

Plus rien ne m'énerve.

Je suis transformée en limace.

2 mars
Il pleut. C'est normal. Mon cerveau de limace aime ce qui est normal.

3 mars
Je suis une limace pleine d'ambition.

Tout droit jusqu'à la laitue : telle est ma nouvelle devise. J'ai coincé Souiza à la fin du cours.

– Si quelqu'un veut faire des progrès en anglais, qu'est-ce que…

Il m'a regardée avec la figure de celui qui n'en croit pas ses oreilles (facile, je sais le faire aussi).

– Qu'est-ce qui se passe ? Tu te décides à travailler ?

Je n'ai pas voulu me griller.

– Je ne parle pas pour moi. Je voulais juste l'information pour quelqu'un que je connais. C'est possible de rattraper ?

– Avec du travail, tout est possible, figure-toi.

– Ah d'accord, merci.

J'ai laissé tomber et j'ai couru rejoindre les autres dans le couloir. Je ne parle pas aux gens qui prennent l'air supérieur pour me dire des trucs que je peux très bien me dire moi-même. Je me fiche de Souiza. J'apprendrai l'anglais quand je serai chercheuse en Amérique. Pour le moment, tous les gens que je connais parlent français. Pourquoi j'irais me casser la tête à apprendre un truc qui ne sert à rien, c'est un peu la question.

8 mars

Journée des femmes.

La prof d'histoire a fait le cours là-dessus. Même les garçons ont dû rester. Thomas Jabourdeau a essayé de dire que ce n'était pas juste, que l'histoire des femmes, c'est pour les femmes. Du coup, il a pris un avertissement. Le cours était super déprimant. Les femmes n'arrêtaient pas d'avoir des vies atroces et des ennuis catastrophiques. Conclusion : dans la vie, il vaut toujours mieux être un homme (sauf en cours d'histoire des femmes). Tout le monde était dégoûté en sortant. Surtout Thomas Jabourdeau. Il n'arrêtait pas de râler que ce n'était pas juste, mais il ne parlait pas des femmes, il parlait de son avertissement.

– Jabourdeau, vous êtes un imbécile, lui a dit Messeigner.

Dans un sens, c'est vrai. Il est même complètement idiot.

Dans un autre sens, il est tellement bête que ça ne sert à rien de le lui dire. Ce qui lui manque, c'est la matière grise pour comprendre. Ce qui manque à Messeigner, c'est de la psychologie.

9 mars

Le collège organise un voyage de classe. Juste après les vacances de Pâques. Cinq jours. À Londres. Si Souiza croit que je vais apprendre l'anglais d'ici là, il se fourre le doigt dans l'œil.

Je n'irai pas.

Je ne suis pas le genre de fille qui voyage avec sa classe, qui chante dans le bus et qui applaudit le chauffeur. Je sais comment les choses se passent. Moi aussi, j'ai fait une colo. Une fois dans ma vie. Sache-le, Souiza : pour moi, la colo, c'est plus jamais.

J'ai regardé le papier d'inscription, je l'ai chiffonné et je l'ai lancé dans la corbeille.

– Eh ! a fait Thomas Jabourdeau. Fais gaffe ! C'est le papier pour le voyage !

– Jabourdeau, j'ai dit, n'oublie jamais que tu es un imbécile.

10 mars

Il ne pleut pas. Il fait même du soleil. Je suis encore contente. Rien n'abat la limace.

11 mars

J'ai parlé avec Lola. Elle pense que j'ai changé de personnalité. Avant, j'étais une adolescente moyenne. Maintenant, personne ne sait exactement ce que je suis.

– Des fois, je ne te reconnais plus.

– Quand tu sortais avec Marceau, moi non plus je ne te reconnaissais plus…

– Ce n'était pas pareil, j'étais amoureuse.

Je me suis rendu compte que je n'avais même plus envie d'être amoureuse. J'étais devenue le genre de fille qui ne pense qu'à avoir des super notes en maths et à décorer sa chambre. D'un seul coup, la vérité m'a sauté aux yeux.

– Lola, j'ai murmuré, j'ai trouvé : JE SUIS DEVENUE SOPHIE.

12 mars

J'ai regardé Sophie tout le temps pendant le déjeuner interfamilial du dimanche. Elle a fini par s'en rendre compte, entre la salade et le fromage. Elle m'a fait un sourire plutôt gentil. Je me demande comment une personne humaine peut supporter un appareil dentaire aussi monstrueux.

C'est simple, on dirait qu'elle a un Airbus dans la bouche.

13 mars

Ancelin arrête mon cours de maths.

– Il faut que tu apprennes à travailler seule, c'est tout ce qu'elle a trouvé à me dire.

– Ma carrière est fichue, c'est tout ce que j'ai trouvé à lui répondre.

Après, elle m'a averti que, si mes résultats descendaient, elle s'arrangerait pour me faire punir par mes parents, mes grands-parents et même le principal.

– Je te jure que tu passeras le reste de l'année en colle.

– C'est une menace ?

– C'est une promesse : si tu descends en dessous de quinze, je te ruine la vie.

– Ça marche, j'ai dit. Quinze de moyenne, alors.

16 mars, matin

Mamie m'a apporté mon petit déjeuner dans ma chambre. Elle a ouvert les rideaux dorés et elle a posé le plateau sur mon lit. D'abord, j'ai eu l'impression d'être dans un film. Après, je me suis dit que j'avais changé d'univers. Encore après, j'ai pensé que quelqu'un était mort et qu'il fallait me l'annoncer gentiment.

J'ai crié :

– Qu'est-ce qui se passe ?

– Bon anniversaire, ma chérie !

C'était tellement classe que j'ai failli fondre en larmes.

16 mars, soir

Normalement, ils attendent le dimanche pour sortir le

gâteau et les cadeaux. Cette année, ils se sont arrangés pour le faire le jour exact. Un vrai repas de dimanche midi en plein jeudi soir, avec tout le monde. Même Lola était invitée. Même Vladouch le polygame et ma sœur sa fiancée. J'étais super gênée. J'ai été voir Mamie dans la cuisine :

– Franchement, c'est exagéré.

Mamie a secoué la tête. Ses joues roses et ses frisures jaunes ont tremblé ensemble. Ça faisait un très chic mouvement de vague polychrome.

– Tais-toi ! Ça fait plaisir à tout le monde.

Pour lui montrer que j'étais contente, j'ai mis la table pendant que mes invités buvaient un verre en mon honneur. Ensuite, j'ai ouvert mes cadeaux. Bon, je le dis tout de suite : j'ai eu un ordinateur. Je n'avais même pas osé le demander. Ils ont dû lire dans mes pensées. Cette fille rêve d'avoir un ordinateur, voilà ce qui était écrit dans mon cerveau transparent.

– OK, j'ai dit. Vous m'avez coupé la chique. Aujourd'hui est le début d'une nouvelle vie. D'abord, je vous dis merci. Ensuite, je regrette tout le mal que j'ai pu dire de vous et je jure de faire des efforts pour vous aimer…

À part Vladouch qui ne comprend rien et Mamie qui sourit sans arrêt, ils me regardaient tous d'un air bizarre. Je me suis sentie obligée d'expliquer.

– C'est vrai, mince… Je n'étais pas sûre que vous m'aimiez et même je pensais que vous ne m'aimiez pas beaucoup, ce qui fait que je pensais que je ne vous aimais pas non plus, et même souvent que je vous détestais, et maintenant vous m'aidez à repeindre ma chambre et vous m'offrez un ordinateur... C'est trop étonnant, je veux dire je suis sciée, et je ne dirai plus jamais que vous n'êtes pas ma vraie famille et...

– Mais qu'est-ce qu'elle raconte ? a demandé mon grand-père en regardant ma grand-mère.

– Elle essaie de nous dire qu'elle nous aime, a soupiré Mamie.

Visiblement, plus personne n'avait très envie que je fasse de discours. Pendant que je parlais, ils se sont tous levés pour s'asseoir à table. J'ai dû arrêter mes remerciements. Après tout, tant mieux. C'est toujours difficile de terminer dignement. Dans mon assiette, j'avais encore trois cadeaux.

– Le petit bleu, c'est le mien, a dit Lola. À côté, celui de Sophie. En dessous, celui de Jessica.

– Tu peux les ouvrir, a ajouté Jessica. À condition de ne pas nous remercier.

– Par pitié, a fait Lola. Ta nouvelle personnalité est complètement nulle en discours.

17 mars

Sophie m'a offert une souris en peluche grise. Elle croit peut-être que je viens d'avoir quatre ans. Jessica m'a trouvé des boucles d'oreilles noires qui ressemblent à des crottes de lapin et que je pourrai toujours porter le jour de mon enterrement. Et Lola m'a acheté un livre. C'est une drôle d'idée d'offrir un livre à sa meilleure copine pour son anniversaire. Dommage qu'elles m'aient dispensée de discours. J'avais des trucs à dire.

18 mars

Le livre de Lola est l'horoscope de l'année. Sur la couverture, quelques étoiles en vrac et un poisson. Étoiles = zodiaque. Poisson = poissons. Avis aux illettrés.

Rien qu'à la couverture, on sait à quoi s'attendre. Sornettes et fariboles. L'avantage, c'est qu'il est vite lu : vingt minutes entre le titre et le résumé de dernière page.

La surprise, c'est son prix : douze euros, ça fait cher de la minute. Surtout de la minute naze. Je résume. Côté santé, j'ai intérêt à surveiller mes veines. Côté travail, j'ai intérêt à avoir de grands succès. Côté cœur, j'ai intérêt à rencontrer l'amour. Le tout pour douze euros. La pure arnaque. Quand je serai grande, si je ne suis pas chercheuse californienne, je pourrai toujours écrire des horoscopes dans ma chambre. Au moins un truc que j'ai appris sur mon avenir. Merci, Lola.

19 mars

Lola m'a offert une photo de nous deux quand on était petites, agrandie et encadrée dans un cadre en bois doré. On était déguisées avec des ailes d'ange. Trop mignonnes.

Je remarque que le cadre est assorti à mes rideaux. Lola a un complexe avec le doré. Je me demande ce que ça veut dire.

– C'est ton vrai cadeau, patate. L'horoscope, c'était pour rigoler.

– Et la souris et les boucles d'oreilles ? C'est aussi pour rigoler ?

– Demande à tes sœurs, a dit Lola.

– Ce ne sont pas mes sœurs. Mes parents m'ont trouvée dans la rue.

– Arrête avec ta vieille personnalité, a dit Lola. Même moi, j'en ai marre.

Mes amies me préfèrent en limace. Mon avenir est dans les choux.

20 mars

Comment c'est possible d'avoir été si mignonne quand on était petite et d'être si immonde quand on est grande ? C'est un programme génétique maudit ou quoi ?

Je n'ai plus de cours particuliers. Je continue à faire mes exos chez moi. J'ai de bonnes notes. Élodie Magnan me regarde avec des yeux pleins de haine et d'incompréhension. Mais je m'en fiche. J'ai remarqué qu'elle est très moche. Quelquefois même, je pense qu'elle est beaucoup plus moche que moi. Je suis une splendeur flamboyante et elle se dessèche de jalousie. Bon, ça recommence. Il faut que je me calme. Je déconne à pleins tubes.

21 mars

Printemps. Saison pluvieuse. Triomphe de la limace.

22 mars

Maintenant que j'ai un ordinateur, je n'ai plus le temps de regarder la télé. Je suppose que la même guerre continue, que la même conférence se répète, et que les mêmes gens couchent ensemble à répétition. Le monde tourne et je ne suis au courant de rien. Je suis en train de me couper de la réalité.

23 mars

En tout cas, je ne me coupe pas de Lola. Quand on a raccroché le téléphone, on ouvre l'ordinateur et on se retrouve sur la messagerie. Même éloignées, nous sommes inséparables.

En même temps, je n'ai pas l'impression de lui dire plus de choses qu'avant. La vérité, c'est que je n'arrive même pas à me souvenir de ce qu'on se dit. Les mêmes choses à longueur de temps, je suppose.

24 mars

J'ai honte de le dire, mais j'en ai marre de Lola. Pas tout le temps. Mais souvent. C'est minable, je sais. Mais j'ai honte. Zut, je l'ai déjà dit. J'ai honte, honte, honte. Zut, flûte, crotte.

C'est à cause de la messagerie. On n'a jamais le temps de s'oublier un peu. On est tout le temps obligées de se parler. C'est minant. Peut-être que je devrais essayer de me disputer.

Une bonne dispute, quelques semaines de vacances, et après tout s'arrange.

24 mars, avant de me coucher

Je suis un monstre.

25 mars

J'aimerais bien revoir Samira mais je n'ose pas lui parler. Elle fait semblant de ne pas me voir à la sortie des cours. Elle traîne toujours avec des grands de première. Peut-être qu'elle est au courant que je suis une amie foireuse. Peut-être qu'une fille de seconde ne s'abaisse pas à causer à une redoublante de troisième. Samira, je te hais. Et que deviennent tes cinq frères ?

27 mars

J'ai attendu qu'elle sorte du lycée. Je me suis plantée devant elle et je suis tombée par terre. Plus exactement, je me suis laissée glisser mollement, avec mon sac sur les épaules. Et pour être sûre qu'elle ne fasse pas semblant de m'ignorer, je me suis écrasée sur ses chaussures.

– Je crois que j'ai la jambe cassée, j'ai dit.

– Ça m'étonnerait. Ou alors c'est très grave. On a jamais vu une jambe qui se casse toute seule.

Je suis restée un peu par terre à me rouler à ses pieds. Comme elle ne faisait aucun geste pour me ramasser, j'ai fini par me relever toute seule.

– Ça va mieux ?

– Je cicatrise vite. Tu vas bien ?

Voilà, c'est assez simple pour finir. Je ne connais pas de meilleure stratégie que la jambe cassée pour renouer avec ses vieux amis.

– Je croyais que tu ne voulais plus me voir, a dit Samira.

– Je pensais que tu avais honte de moi.

– Je me disais que tu préférais ta copine Lola.

– J'imaginais que tu t'étais fait des amis plus intéressants.

– C'est bizarre comme on se fait des idées.

– C'est vrai, c'est bizarre. Et comment va la famille ?

Je me demande si Sophie ferait semblant de se casser la jambe dans l'unique but de renouer avec une ancienne copine dont elle lorgne les cinq frères… Ça m'étonnerait.

30 mars

J'ai écouté la radio dans la cuisine avec Mamie. Ou plutôt : j'étais dans la cuisine et Mamie écoutait la radio. C'était une émission nulle sur l'adolescence. Des gens nuls disaient des trucs nuls en vrac. À un moment, une femme a expliqué que le gros souci de l'adolescence, c'était l'identité. L'adolescent doit trouver son identité, première galère. Ensuite, il doit l'accepter, et les choses deviennent pires que tout. Je me suis demandé s'il fallait que j'accepte d'être Sophie. Ou une moitié de Sophie. Et qu'est-ce que je vais bien pouvoir trouver pour l'autre moitié ? Jack l'Éventreur ?

Je suppose que tout le monde ne peut pas être la moitié de Marie Curie et l'autre moitié d'Angelina Jolie.

AVRIL

Faire une fête

1er avril

– On prend une copie double et un stylo ! a lancé Ancelin en entrant dans la classe. Contrôle !

Vent de panique sur le troupeau. Regards affolés dans tous les sens. Élodie Magnan triomphante. Thomas Jabourdeau au bord des larmes. Bruits de feuilles divers et recherches fébriles de stylos en état de marche. Ancelin nous a laissés nous agiter avec un petit sourire en coin. Et puis elle a dit :

– Poisson d'avril !

Exactement le genre de blague que mérite le ministère de l'Éducation nationale. Réforme des collèges ? Poisson d'avril ! Suppression du bac ? Poisson d'avril ! Simplification de l'orthographe ? Poisson d'avril ! Au moins, les gens seraient réveillés. Un peu comme cette bande de cancrelats qui se regardaient complètement effarés, pas vraiment sûrs de pouvoir ranger leur feuille et leur stylo.

– Ne faites pas cette tête, s'est excusée Ancelin. C'était une plaisanterie…

Rien à faire, ils n'osaient pas bouger. Un prof qui plaisante, ça fait peur. Un peu comme un dingue armé d'une mitraillette qui vous annonce qu'il a envie rigoler un peu. Tout le monde n'a pas la même conception de l'amusement.

2 avril

– Devine ? m'a dit Lola au téléphone – ce qui était complètement idiot, je ne pouvais pas savoir puisque je venais de décrocher.

– Devine quoi ?

– Un truc trop génial…

Parmi toutes les inventions minables de l'existence, les devinettes sont de loin les plus minables. Les devinettes sont minablissimes. À part énerver les gens et leur faire perdre du temps, je ne vois pas à quoi elles servent.

– Ou tu le dis direct ou je raccroche.

– Je fais une fête.

– Poisson d'avril ?

– Justement pas. Mon père est d'accord. Il prête l'appart. On invite qui on veut.

– Quoi, « qui on veut » ?

– Qui on veut, c'est tout.

– Qui tu veux ?

– Qui tu veux aussi. Propose à Aurore d'inviter qui elle veut, c'est ce qu'il a dit.

– Qu'est-ce que tu as répondu ?

– D'accord.

– Tu es devenue dingue ? Qui je peux inviter ? Je ne connais PERSONNE.

– Et alors ? Moi non plus.

Jamais vu une fête aussi mal partie de ma vie. Jamais vu de fête du tout, d'un autre côté. J'avais assez envie de laisser tomber. Sauf que c'était trop bête d'abandonner simplement parce qu'on n'avait pas d'invités.

– Tu peux toujours appeler Marceau… Il connaît peut-être des gens…

– Et toi, demande à Samira. Tu m'as dit qu'elle avait des frères…

Deux invités en moins de deux minutes. Encourageant.

– Elle est quand, cette fête ?

– Dans quinze jours.

– C'est bon. On a le temps de chercher.

3 avril

J'ai passé toute ma journée à regarder discrètement autour de moi pour trouver des invités possibles. Je n'ai vu que des trolls en quête de leur identité. L'adolescence est un âge maudit.

6 avril

Lola a invité deux filles de sa classe. Une fille atroce qui a un cousin très beau (elle a promis d'inviter le cousin). Une fille normale qui n'a pas de cousin mais une jumelle qui lui ressemble de façon monstrueuse (la jumelle est invitée). Une beauté unique et une paire de monstres : si on n'a pas d'invités, on a au moins deux attractions.

Je n'ai trouvé personne. Je suis un zéro social.

10 avril

Je n'ai pas le choix. La seule personne humaine dans ce collège trollesque est malheureusement une enseignante. Je suis allée la voir. J'ai pris l'air de la fille qui ne doute de rien et je lui ai demandé :

– Madame Ancelin, sans indiscrétion, est-ce que vous avez des enfants de mon âge ou à peu près ?

– Non. Pourquoi ?

– Pour rien. Je fais une fête et je cherchais des invités.

Elle a eu son drôle de petit sourire, le pur sourire du poisson d'avril.

– J'ai un filleul. Il fait du basket.

– C'est pas grave. J'invite le filleul.

– Et pour le basket ? Si tu veux, je peux t'avoir toute l'équipe…

13 avril

Samira avait l'air assez flattée d'être invitée.

– J'espère que ta jambe va mieux.

Si elle espère me casser avec ce genre de moquerie, elle a oublié à qui elle parlait.

– C'était psychosomatique. Vertige consécutif à d'anciens traumatismes.

Je l'ai bien eue. Elle en est restée comme deux ronds de flan. Samira adore le lexique médical. Toute sorte de médical. Ça va du trouble intestinal aux angoisses nocturnes. Elle est raide dingue de tout ce qui déconne.

J'aurais bien arrêté les frais mais elle avait l'air passionnée par mon histoire. C'était un peu embarrassant parce que j'avais piqué la phrase dans le *Télé 7 jours* de Papi. Je l'avais trouvée dans une lettre du courrier des lecteurs. Une bonne femme complètement tapée qui ne savait plus quoi inventer pour se rendre intéressante. Quand je lis, je me souviens parfois de phrases entières. Elles restent dans mon cerveau.

Elles stagnent. Le plus étrange, c'est qu'elles n'ont aucun intérêt. Heureusement que je ne lis pas souvent.

– Consécutif à d'anciens traumatismes ? a répété Samira avec une sorte d'avidité. Quels traumatismes ?

J'étais dans la poisse. J'ai fait semblant d'être gênée, le temps de trouver une réponse.

– Traumatismes ovariens, j'ai répondu, et là j'ai vu que j'avais marqué un point.

Elle a pris un visage incroyablement respectueux. Beaucoup plus respectueux que si je lui avais appris que je venais de décrocher un dix-neuf en maths. Pour une Samira, le dix-neuf en maths est banal. Le trouble ovarien est miraculeux.

– Tu as un truc aux ovaires ?

Misère. Je ne me souvenais plus du tout qu'« ovarien » avait un rapport avec « ovaires ». S'il y a un truc dont je déteste parler, c'est bien les ovaires et tout ce qui va avec. D'ailleurs, je n'en parle jamais. Ça me dégoûte.

– Des problèmes de règles ?

Elle voulait ma mort ou quoi ? Règles ? Encore pire qu'ovaires ! Et pourquoi pas règles douloureuses, pendant qu'on y était ?

– Des règles douloureuses ?

Bon sang ! Elle avait perdu la boule ! On n'a pas idée de poser des questions pareilles. Déjà, ce n'est pas drôle que tous ces trucs existent. Mais s'il faut en parler en plus, c'est la fin des haricots. Comment voulez-vous que je m'en tire ?

– C'est tellement douloureux que je ne peux même pas en parler. C'est pour ça que j'ai un traumatisme.

Pauvre petit chat. Elle a eu l'air complètement affolée.

– Tu devrais en parler à ton médecin.

– Je ne lui parle que de ça, qu'est-ce que tu crois ?

J'ai vu arriver le moment où on allait passer l'après-midi à parler de problèmes de ventre. Je crois que j'avais épuisé mon stock de patience. Pitié.

– En fait, je voulais te dire… À propos de la fête… Si tu veux inviter des gens que tu connais…

Tout en parlant, j'essayais la transmission de pensée. Je lui envoyais des ondes de toutes mes forces pour qu'elle arrête de penser à des ovaires et qu'elle pense plutôt à ses frères.

– C'est sympa. Je vais demander à ma nouvelle copine. Elle est très marrante, tu verras.

Échec sur toute la ligne. Je suis nulle en télépathie.

14 avril

Cours de maths. J'ai dit oui pour l'équipe de basket. Quelqu'un sait à combien on joue, au basket ?

15 avril

Marceau a proposé à Lola de s'occuper de la musique. Pour un gars qui s'est fait plaquer deux fois à six mois d'intervalle, et par deux copines, je n'ai qu'une chose à dire : il est sans rancune.

16 avril

Le déjeuner interfamilial du dimanche a été entièrement consacré à la fête de Lola. Ils étaient tous enchantés de tenir un sujet de conversation. Pour une fois.

– Pas d'alcool, hein! a fait mon père.

– Je peux venir? a demandé Sophie.

– Tu t'habilles comment? m'a dit Jessica.

– Tu dors chez elle? s'est inquiétée ma mère.

– Je peux vous préparer des gâteaux, a proposé Mamie.

– Il reste de la purée? a lancé Papi.

J'ai attendu un peu mais Vladouch n'a rien dit. Il a profité du vacarme général pour finir la purée. Quand le tour de table a été terminé, j'ai répondu à tout le monde. J'ai dit :

– Oui à mon père.

– Tu rêves ta vie à ma sœur.

– De quoi tu te mêles? à mon autre sœur.

– Sauf si je me trouve un petit copain à ma mère.

– D'accord, mais au chocolat à ma grand-mère.

– Vladouch a tout mangé mais il reste de la salade à mon grand-père

17 avril

Je suis tellement énervée que je n'arrive pas à m'endormir. Et quand je m'endors, je fais des rêves désolants. Je marche toute nue dans la rue et je dois me cacher dans les entrées d'immeubles en attendant de trouver la maison de Lola. Ou alors un gros imam barbu arrive à la fête et tout le monde est très embêté parce qu'il casse l'ambiance. Je me réveille épuisée. Vive l'insomnie, c'est ma nouvelle devise.

18 avril

Comment je vais m'habiller? Comment je vais m'habiller? Comment je vais m'habiller?

19 avril

Je déteste préparer une fête. Je déteste plus encore préparer une fête que répondre à une devinette. Le seul truc est qu'au moins, quand j'organise une fête, je suis invitée. Je me dis que je devrais répondre aux devinettes que je me pose. Voilà ma nouvelle nouvelle devise : organiser mes fêtes moi-même et répondre à mes propres devinettes. Et renoncer à jamais à rencontrer les frères de Samira.

20 avril

Je ne pense qu'à ça. Ma vie tout entière tourne autour d'une soirée qui durera de vingt heures à minuit. Tout le reste se déroule dans un brouillard confus, le collège, les ancêtres, la famille biologique. Je suis en train de passer à côté de ma vie pour exactement quatre heures de musique pourrie, de Coca éventé, de pizzas refroidies et d'équipe de basket inconnue. Et je n'arrive même pas à en vouloir à Lola.

Elle s'est fait couper les cheveux. Elle a une frange. Mauvais plan. Elle ressemble vaguement à un poney (mais je ne lui ai pas dit). C'est triste.

21 avril

C'est demain. Je n'arrive pas à le croire.

Surtout, je n'arrive pas à penser qu'après-demain tout sera fini. Qu'est-ce que je vais faire de ma vie, après ?

22 avril à midi

Ce matin, Mamie m'a conduite au supermarché. J'ai acheté du Coca, du jus d'orange et sept pizzas surgelées. J'ai pris jambon-champignons, et tomates-mozzarella.

Moitié moitié. C'est plus raisonnable.

Mamie m'a fait acheter du Sopalin et de la lessive pour nettoyer par terre, après. C'est raisonnablissime.

Lola m'a promis qu'elle achetait de la bière (on ne sait jamais, avec l'équipe de basket) et des sacs de bonbons. Quand on est passées à la caisse, j'ai eu envie d'embrasser la caissière. Quand Mamie a payé, j'ai eu envie d'embrasser Mamie. Je suis à cran.

22 avril, une heure plus tard

C'est décidé. Je mets un jean et une chemise blanche. Je pourrai toujours ouvrir les boutons du haut si le prince charmant débarque à minuit en citrouille.

22 avril, cinq minutes plus tard

Je me demande pour les oreilles. Boucles ou pas boucles ?

22 avril, une minute plus tard

Je me suis maquillé les yeux. Résultat : deux cocards géants. Mon karma de femme battue, probablement.

22 avril, cinq secondes plus tard

Marceau est arrivé avec son ordinateur et sa playlist. Il va se brancher sur les enceintes du vieux père de Lola. Marceau, tu es un génie. Je t'embrasse quand tu veux. Tout est pardonné.

22 avril, une seconde plus tard

Les choses s'accélèrent. Mamie a déposé trois gâteaux au chocolat. Le vieux père de Lola et sa vieille petite amie nous ont aidés à pousser les meubles. Miracle ! Alléluia ! Le salon parental était transformé en boîte… Après, ils nous ont dit au revoir très gentiment. Vieux père de Lola, tu es un ange. Je t'embrasse quand tu veux. Non, je déconne. C'était pour rire.

22 avril, fin d'après-midi

Lola a des battements cardiaques.

Elle devrait en parler à Samira, c'est peut-être ovarien. Je ne me sens pas très bien. Est-ce qu'on peut mourir de panique ? Réponse tout à l'heure.

22 avril, dix-neuf heures

Je suis démaquillé les yeux. Lola a maquillé les siens. Marceau est calme et beau comme une statue. On dirait qu'il a fait DJ toute sa vie. Ce type est un mystère. Un mystère d'ennui peut-être, mais un mystère quand même.

22 avril, dix-neuf heures trente

On sonne. C'est complètement fou.

23 avril

Ma vie a changé. Hier, j'étais un zéro social. Aujourd'hui, je suis une fille populaire. Je suis même la fille la plus populaire que je connaisse, mis à part Lola (qui a toutefois ce problème qu'elle ressemble vaguement à un poney). Le plus dingue, c'était de voir arriver tous ces gens qu'on avait invités. Samira et sa nouvelle copine qui ressemble à Mariah Carey en plus grosse. Marceau et trois filles de son lycée, qui ont l'air dindes mais gentilles. Les jumelles et le cousin soi-disant très beau. Des gens que Lola avait invités et dont elle avait complètement oublié le nom. Et le filleul d'Ancelin avec ses potes du basket. Presque vingt personnes, tassées dans le petit appart de Lola et noyées dans la musique de Marceau.

Marceau est un amoureux lamentable mais un DJ formidable. Dommage qu'il ait fallu passer par la case Un avant de découvrir la Deux. Lola a fait un discours génial pour dire à tout le monde – et surtout aux filles – qu'il était le champion des ex. Tout le monde a compris qu'il ne fallait surtout pas sortir avec lui. Sur le coup, il a eu l'air vexé, mais comme il est sorti avec Mariah Carey cinq minutes après, il était content et tout s'est bien terminé.

Les invités ont mangé les pizzas, bu le Coca et dansé (pas tous mais presque). Même moi, j'ai dansé (et, comme il faisait très chaud, j'ai défait le deuxième bouton de mon chemisier). Je n'ai pas tellement eu le temps de me dire que je dansais comme une brique parce qu'il a fallu que je m'occupe de Lola qui était obsédée par le filleul d'Ancelin. Il s'appelle Antoine et son problème, c'est qu'il est beaucoup trop beau. Comme Lola l'aimait à la folie, je n'ai pas eu l'occasion de m'y intéresser. De toute façon, j'étais trop occupée par la fête : tous ces gens me trouvaient super sympa, je n'allais pas me gâcher le plaisir en m'enfermant dans la cuisine avec un seul type. Appelez-moi désormais super sympa, c'est ma nouvelle nouvelle nouvelle devise.

À un moment, un type du basket a dansé avec moi en me serrant de près.

– Tu sais que tu es trop mignonne ?

Voilà ce qu'il m'a dit (dans l'oreille).

– Si tu veux savoir, je déteste les ovaires et je ne couche avec personne.

Voilà ce que je lui ai dit (en face).

– Tu es trop marrante.

Voilà ce qu'il m'a dit (dans le cou), et après je n'en ai plus entendu parler. Encore un type qui me trouve repoussante.

À la fin, le voisin du dessous est venu pour nous ordonner d'arrêter la musique ou alors il appelait les flics. On a essayé de l'inviter (c'était un conseil du père de Lola : un voisin qui râle, on l'invite). Puis, comme il était en pyjama et de très mauvaise humeur, on lui a dit d'appeler les flics si ça lui faisait plaisir. Ils pouvaient venir, la fête était presque finie.

– Soirée géniale, nous a dit Antoine, dit Filleul-de-Rêve, en cherchant son blouson dans le tas des blousons. J'espère qu'on va se revoir.

– J'espère, a murmuré Lola avant de commencer à s'évanouir à ses pieds (mais il a claqué la porte et elle a renoncé à l'évanouissement complet).

– Je crois que je vais m'inscrire au basket, a-t-elle dit ensuite.

Nous étions au lit. Elle n'arrêtait pas de parler et j'en avais super marre.

– Demain. À cette heure-ci, le club est fermé.

Là-dessus, je me suis endormie. J'ai rêvé qu'un tas de sportifs tout nus sortaient de gâteaux au chocolat géants pour fêter mon anniversaire. Je me demande ce que ça veut dire.

MAI

Congrès de trolls en Angleterre

1er mai

Au début, j'ai fait semblant de ne pas l'avoir. Ensuite, j'ai fait semblant de le chercher. Enfin, je l'ai retrouvé dans mon classeur de maths. J'ai appelé Lola. Elle m'aime. Elle m'adore. Je viens de lui donner le numéro de téléphone de Filleul-de-Rêve.

Toute cette blague m'a pris une semaine. J'espérais qu'en une semaine elle aurait le temps de se calmer. C'était mal connaître Lola. Elle a profité de sa semaine pour s'inscrire à un club de basket. Cette fille est possédée. Le poney qui sommeillait en elle est réveillé. Apparemment, il est indomptable.

L'opération Téléphone-Pour-Lola a occupé une bonne partie de ma journée. Pour le reste, la limace qui sommeille en moi s'est traînée inlassablement de mon lit à mon bureau et retour. J'ai passé trois heures à glandouiller sur Internet. Ne me demandez pas ce que je cherchais. J'ai oublié. Des clips peut-être.

2 mai

– Tu n'as pas l'air contente, a fait Mamie.

– Ne parle pas si fort, a protesté Papi. On n'entend plus le présentateur.

Du coup, Mamie l'a fermée et plus personne n'a rien dit. Juste un demi-type (moitié supérieure) assis derrière un demi-bureau (*idem*) qui hurlait qu'il y aurait sécheresse cet été. C'était étrange. C'était irréel. C'était le journal télévisé.

– Qu'est-ce qui ne va pas? a recommencé Mamie dans la cuisine pendant que je rangeais les assiettes dans le lave-vaisselle.

Toute cette gentillesse grand-maternelle, franchement, je n'en peux plus. Souvent, je me dis qu'elle fait exprès de parler doucement pour m'énerver. Dans ces moment-là, j'aimerais assez remettre la main sur mes vieux parents biologiques, ces rustres à grosse voix, et leurs filles malfaisantes. Une bonne engueulade, c'est comme l'orage après la canicule. Ça décape.

– Ma chérie, a soupiré Mamie, je vois bien que tu te fais du souci…

Elle me rend dingue avec ses soupirs. Elle joue avec mes nerfs. À la fin, c'est radical. Je craque. J'avoue tout et même plus. Effet Guantanamo.

– Je ne veux pas aller à Londres. Je déteste l'anglais, je déteste ma classe, je déteste les voyages. Si seulement on prenait l'Eurostar… Mais en plus, il faut se taper le bus!

Je râlais comme un vieil acteur français dans un film du dimanche soir. Ce qui n'avait visiblement aucun effet. Le visage de ma grand-mère s'est éclairé subitement (les premiers ravages du vieillissement, sans doute).

– Mais ça va être formidable! Quelle chance tu as de partir une semaine entière! Et entre jeunes! Si seulement je pouvais vous accompagner…

En une fraction de seconde, j'ai visualisé le désastre : Souiza embauchant mon ancêtre pour encadrer notre joyeuse petite troupe. La frisure ancestrale traversant le *channel*, copinant à qui mieux mieux avec des enseignants désœuvrés et des jeunes privés d'affection.

Et moi appelant en vain un typhon pour nous anéantir tous.

Total nightmare.

J'ai mis un stop à la conversation.

– Laisse tomber. Tu ne peux pas comprendre. De toute façon, je n'ai pas le choix. J'irai. C'est au programme.

4 mai

Mon petit poney m'a téléphoné. Elle est allée à son entraînement de basket. Sa crinière ne l'a pas empêchée de mettre des paniers. J'espère qu'elle ne compte pas m'appeler tous les soirs pour me donner les scores.

Je ne tiens pas un hara.

5 mai

Quand je pense qu'elle était amoureuse folle de Marceau il y a quatre mois ! Tout ça pour venir me pleurer dans le paletot le jour où elle a voulu s'en débarrasser… Apparemment, elle n'a RIEN appris. L'expérience ne lui sert à RIEN. Tout recommence exactement pareil. La terre tourne autour du nombril d'un type qu'elle a rencontré il n'y a pas quinze jours. Elle ne parle que de lui, elle ne pense qu'à lui. Je n'existe plus.

Lola est une *love addict*. Et je suis une bonne poire.

6 mai
Ce voyage à Londres me ruine le moral. Je hais l'Angleterre. Vingt heures de bus. Et en plus, il faut prendre un bateau. Misère.

6 mai, plus tard
Sans blague, à part le pudding, qu'est-ce qu'ils ont jamais fait de si intéressant, les Anglais ? On aimerait bien savoir. On aimerait bien comprendre ce qui les justifie, tous ces voyages à Londres.

7 mai
Le déjeuner dominical a été largement consacré aux charmes du voyage de classe. C'est marrant comme des gens qui n'ont rien à dire en général deviennent bavards dès qu'ils ont l'occasion de vous déprimer.

– Londres est très belle ville, a dit Vladouch, avec un grand sourire constellé de débris de petits pois mal cuits.

Je suppose qu'il est gagné par la maladie de la gentillesse, qui est clairement l'épidémie contagieuse et dégénérative du moment.

– Une très belle ville, mon chéri, a repris ma sœur avec son sourire de mère de quatorze enfants.

C'est dingue comme l'amour a vite fait de transformer une gothique à langue percée en chouchoute à son chéri.

– Il va pleuvoir toute la semaine, a grommelé Papi. J'ai vu la météo à la télé. L'Angleterre est sous la flotte.

Il ne m'a même pas jeté un coup d'œil. Il s'est coupé un bout de gruyère monumental. Ce vieux Papi résiste aux pandémies. Il a repoussé la vache folle et la grippe aviaire. Ce n'est pas la gentillesse qui l'aura.

7 mai, plus tard

Dans quelques heures, je prends mon vieux sac à dos et mon pique-nique rassis et je monte dans le car. Avec un peu de chance, je serai assise entre nos accompagnateurs, M. Souiza, prof d'anglais, et Mme Messeigner, prof d'histoire. Ancelin s'est défilée, c'est tout dire.

Je n'arrive même pas à imaginer à quoi peut ressembler un voyage de classe à l'étranger. À un voyage de classe en France, sans doute. En pire. Pourquoi faut-il que j'en sois ? Je suis victime d'une volonté beaucoup plus puissante que la mienne. Le destin, je ne vois que ça.

Mektoub.

8 mai, à l'aube

Adieu, petit journal. Je te laisse derrière moi comme la preuve minuscule que j'ai existé un jour.

Si Dieu veut, je te retrouverai à mon retour.

Si je ne reviens pas, embrasse bien fort mon petit poney pour moi. Je regrette toutes les blagues que j'ai faites sur son compte. Je lui souhaite d'épouser Filleul-de-Rêve, d'être heureuse et d'avoir beaucoup de petits ballons.

14 mai

Mamie est venue me chercher à l'aube. Une bande de collégiens crasseux et exténués sont descendus du car en traînant leurs sacs, suivis par deux enseignants splendides et transfigurés.

Souiza s'appelle Christophe. Messeigner s'appelle Anita. Anita. Drôle de nom pour un prof d'histoire. On apprend beaucoup de choses sur les enseignants pendant les voyages de classe. Si désagréable que soit l'idée, il faut admettre qu'ils ont une vie sexuelle. C'est répugnant, je sais.

Thomas Jabourdeau les a vus en train de s'embrasser. C'était le matin, juste avant le petit déjeuner, dans le hall de l'auberge de jeunesse. Jabourdeau, qui est un imbécile, n'est pas vraiment sûr qu'ils s'embrassaient, mais il jure qu'ils étaient scotchés l'un à l'autre et qu'ils avaient l'air amoureux.

J'en conclus que Jabourdeau n'a jamais vu deux personnes s'embrasser.

Deux profs qui montent tout un voyage pour sortir ensemble, c'est effrayant. Je me demande ce qui me retient de me mettre en grève.

À part ça : vingt heures de bus. Et quelques vomissements sur le bateau. J'ai mal au ventre, j'ai mal aux pieds, j'ai mal au dos, j'ai mal aux fesses. Il a plu pendant cinq jours, je n'ai mangé que des choses grasses et molles, et je déteste les musées.

– Tu as dû apprendre beaucoup de choses, a soupiré cette vieille rêveuse de Mamie en montant dans la voiture.

– J'ai fumé des cigarettes, ai-je répondu. J'ai bu de la bière. J'ai passé une nuit blanche. J'ai voulu me faire tatouer avec mon argent de poche mais la tatoueuse n'a pas voulu me prendre.

– Pas mal, a dit Mamie en véritable femme de fer. C'était quoi, le tatouage ?

Pour impressionner ma grand-mère, il faut toujours en faire des tonnes. C'est fatigant, à la fin. Je me suis dégonflée.

– Je te raconte n'importe quoi. En Angleterre, personne n'a le droit de fumer, ils ne vendent pas de bière aux jeunes, et jamais je ne paierai quelqu'un pour me faire des trous dans la peau.

– Je n'ai jamais aimé la bière, a remarqué Mamie, exactement comme si nous avions une conversation normale. J'espère qu'au moins tu as eu ta nuit blanche...

Si elle savait, la pauvre. Au collège, ce sont les profs qui se la donnent. Les élèves, la nuit, ils dorment. La génération sacrifiée, jusqu'à nouvel ordre, c'est nous.

15 mai

J'ai sorti le sachet de thé et la boîte d'encens que j'ai achetés pour Mamie et Papi. Surtout pour Mamie, c'est vrai. Mais qu'est-ce qu'on peut bien offrir à Papi ? Un sonotone ? Une zappette ? Enfin... j'avais deux choses pour deux grands-parents et elles étaient également ratatinées par un voyage au fond du sac.

Mamie a ouvert des yeux comme des billes (oh ! la surprise du chef !). Elle a poussé différents cris pour qu'il soit bien clair qu'elle était très contente de l'encens. Pour une adoratrice de Bouddha, j'avoue que c'était bien choisi. Papi l'a vaguement imitée (chic ! du thé !) mais, comme il n'en boit pas, c'était super raté.

Acheter de l'encens qui pue et du thé à la poussière, j'aurais pu le faire en France. Tout ce qu'on achète en Angleterre s'achète en France. Sauf la nourriture. Mais personne ne veut acheter de nourriture en Angleterre.

J'ai quand même trouvé des bonbons pour ma famille biologique. Je les ai choisis pour les couleurs (rose et noir, vert et noir, bleu et noir, jaune et noir, noir). Et ils n'étaient pas chers du tout. S'ils sont empoisonnés, j'espère que ça ne sera pas retenu contre moi. Quand on a visité les vieilles prisons de Londres, on se tient à carreau.

16 mai
C'est rigolo. Maintenant que je les connais de bus et d'auberge de jeunesse, je ne les vois plus du tout de la même façon. Cette grosse Célianthe par exemple (on se demande ce que les parents ont dans la tête quand ils choisissent les prénoms… du placenta ?). Comme elle est toujours assise au premier rang, on pense qu'elle est demeurée. Mais pas du tout. Elle a un vrai génie pour faire très discrètement des blagues horrifiantes, et elle choisit toujours le pire moment. Ça demande beaucoup d'intelligence, figurez-vous. Comment j'ai fait pour ne pas le voir plus tôt ? Mystère.

Sa copine Samantha est marrante aussi. Elle se maquille les yeux comme une déesse, elle siffle avec deux doigts dans la bouche. Et elle est championne régionale de patin à glace. Toutes informations inconnues de moi jusqu'alors.

Et puis ce type, Bastien, avec des lunettes et des cheveux longs. Il suivait Samantha comme un petit chien, et il était tellement timide qu'il n'arrivait pas à lui parler sans devenir tout rouge et bégayer. Dommage parce qu'il n'est pas moche du tout. Il serait même plutôt mignon s'il arrêtait de rougir pendant trente secondes.

Même Jabourdeau est marrant. Il fait des efforts de dingue pour qu'on l'aime. Il a passé son temps à suivre Souiza et Messeigner. Il nous donnait des informations dix fois par jour. Pauvres vieux. Dans le fond, je n'aurais pas aimé être à leur place. Espionnés à longueur de journée par un demi-dingue… Même pendant le pique-nique au parc, il ne les a pas lâchés d'une semelle. Pourtant, sous la pluie battante et entourés de vingt trolls en imper, ils ne risquaient pas de faire beaucoup de trucs intéressants.

J'aurais pu me forcer à détester Élodie Magnan, mais elle n'était pas du voyage. Ses parents ont fait une lettre au collège pour l'excuser, sous prétexte d'allergies diverses. Mais elle a dit à tout le monde qu'elle préférait mourir plutôt que de venir avec nous, qu'elle détestait l'Angleterre, le car et les voyages en groupe. Élodie Magnan est une quiche.

Je ne dis pas que ce ne sont pas des cloportes et des trolls. Mais ce sont de bons cloportes et de chouettes trolls.

– Je ne pensais pas que tu pouvais être sympa, m'a dit Célianthe dans le bus.

– Franchement, je ne pensais pas non plus.

Elle en a profité pour s'endormir sur mon épaule. Je n'ai plus osé remuer. Ses cheveux me chatouillaient la figure. J'étais dégoûtée. Je ne déteste pas les nouveaux amis, mais il y a des limites à tout.

17 mai

Lola est arrivée à ses fins. À force de basket et de téléphone, elle sort avec ce type que je lui ai obligeamment présenté. On peut même dire que je lui ai livré sur un plateau.

– Et pour mademoiselle ?

– Ce sera un beau garçon, cheveux noirs, peau café au lait, yeux vert clair. Avec un ballon de basket-ball, s'il vous plaît.

– C'est pour emporter ?

– Ah non. C'est pour consommer tout de suite.

18 mai

Je ne sais pas si Ancelin est au courant que son filleul sort avec ma meilleure amie. Il faut peut-être que quelqu'un l'avertisse.

19 mai

– J'aime autant que ce ne soit pas avec toi, m'a dit Ancelin.

– Ah bon ?

– Il est gentil mais il n'a pas l'air très stable.

– Il se drogue ?

– Pas du tout. Ou alors aux petites copines.

Un maniaque sexuel. Je me demande s'il faut que quelqu'un avertisse Lola.

19 mai au soir

Avertir ou pas ? En tout cas, ce ne sera pas moi. Elle s'est sortie toute seule de l'affaire Marceau et autres interminables baisers. Elle se débrouillera toute seule avec le cinglé des petites copines.

20 mai

– Si tu refais une fête, j'invite des gens de ma classe.

– Pourquoi c'est toujours à moi de tout faire ? a demandé Lola en secouant ses crins. Tu n'as qu'à la faire toi-même, la fête. Pourquoi tu ne demandes pas à tes grands-parents ?

Elle ne sait plus ce qu'elle dit, celle-là. La grande fête de la gentillesse universelle… Elle rêve ou quoi ?

21 mai

Résultats du brevet blanc. Quinze en maths. Sept en français. Cinq en histoire-géo.

– Et si tu faisais un tout petit effort dans les matières littéraires ? m'a demandé Ancelin. Tu pourrais être brillante…

– Pour quoi faire ?

J'ai rigolé et elle m'a regardée avec des yeux ronds. Comme prof de maths, elle est super forte. Mais en discussion sérieuse, elle est super nulle.

22 mai

Il a fait du soleil toute la journée. La sécheresse arrive à grands pas.

Comme d'habitude, tout le monde s'en fiche. À part quelques paysans qui parlent à la télé. Autant dire dans le vide.

Dommage que je n'aie pas plus de pouvoir sur le monde. Les choses iraient un peu mieux qu'elles ne vont. Au moins, on écouterait les phoques et les paysans.

23 mai

Les filles de ma classe mettent des habits de plus en plus courts et de plus en plus serrés. Si ça continue, elles vont venir en maillot de bain.

Pas envie de montrer mon ventre. Pas envie de montrer mes bras. Pas envie de montrer mes jambes. Pas envie de montrer rien du tout. Je suis habillée de la tête aux pieds. Il fait beaucoup trop chaud pour moi. Je déteste l'été.

JUIN

Toutes les premières fois

5 juin

Bientôt le brevet. Bientôt les vacances. Bientôt la fin du collège. Je me sens bizarre. J'ai passé cinq ans de ma vie à détester ça. Et maintenant que ça s'arrête, j'ai peur de partir. Je suis une bécasse.

Je peux peut-être encore faire un effort pour tripler.

6 juin

Pitié ! Laissez-moi au collège ! Pour une fois que je m'entends bien avec un prof, au moment précis où je me mets à parler aux gnomes de ma classe, on m'oblige à tout abandonner. Je suis forcée d'aller dans un affreux lycée qui n'est pas même sûr de vouloir de moi. Au milieu de gens que je ne connais même pas. Avec des profs drogués à la compétition qui veulent des résultats au bac.

Adieu, cher vieux collège adoré. Adieu, profs libidineux. Adieu, trolls chéris. Adieu, ma douce vie d'antan.

7 juin

Samira me trouve idiote. Elle prétend que le lycée est plus marrant que la troisième, sans compter qu'il n'y a pas d'examen en seconde et qu'on peut voir des types de terminale se promener en liberté dans les couloirs. Je me demande pourquoi je lui parle. Elle ne comprend rien. Pour elle, tout est simple. Elle a cinq frères aînés à la maison et elle est super excellente dans toutes les matières. Les gens intelligents n'ont ni peurs, ni soucis, ni regrets. Ils ont un cerveau à la place du cœur. Malheureusement pour moi, je suis une personne naïve et sensible. L'amour me ruine la vie.

9 juin

Ancelin est sûre que j'aurai mon brevet. Elle m'énerve. Elle me donne envie de le rater.

Elle n'a qu'à le passer elle-même, si ça lui paraît si facile.

– Si tu fais l'effort de relire tes cours d'histoire-géo, tu auras une moyenne excellente.

– Pour quoi faire ?

J'ai un nouveau truc avec les gens. À tout ce qu'on me dit, je réponds: « Pour quoi faire ? » Avec Ancelin, c'est facile.

– Aurore, dit-elle, tu devrais avoir un peu plus d'ambition…

– Pour quoi faire ?

J'adore sa figure quand elle est déstabilisée. Comment je vais pouvoir me passer de cette femme, c'est la grande question.

11 juin

Sale ambiance au déjeuner rituel interfamilial. Jessica est enceinte, ce qui a l'air de faire plaisir à tout le monde, à commencer par ma mère et ma grand-mère. Comme si elles ne savaient pas ce que c'est que d'avoir des enfants. Quand je pense aux histoires qu'on lui a faites pour un clou dans la langue, je m'étonne que personne ne dise rien pour un bébé dans le ventre. Un bébé. Avec la tête de Vladouch. Cette gourde de Sophie a manqué s'évanouir de bonheur à la seule idée de le tenir dans les bras. Il faudrait que quelqu'un lui dise que le Tamagotchi sera vivant et qu'on ne le rendra pas au magasin quand elle en aura marre. Comme personne n'osait, j'ai décidé de poser moi-même les vraies questions.

– Tu as pensé à tes études ?

Jessica m'a regardée droit dans les yeux et elle m'a répondu :

– Pour quoi faire ?

Je sais reconnaître quand j'ai perdu la partie. J'ai plongé le nez dans mon gratin et j'ai laissé tomber le débat.

De toute façon, ils ont tout prévu. Après son congé maternité de vendeuse chez Sephora, elle sera assistante maternelle. Vladouch trouve que c'est une bonne idée. Visiblement, un gosse à la maison ne lui suffit pas. Il en veut toute une tripotée. Ce type est fou d'amour, j'en ai peur. Il la regarde en permanence avec des yeux comme des soucoupes et un sourire en tranche de melon. C'est ignoble ce qu'ils ont l'air de bien s'entendre, ces deux-là. Ça me fait froid dans le dos.

Je croyais que j'avais atteint le fond de la détestation quand mon père a fait une annonce qui me concernait directement.

– Jessica va quitter officiellement l'appartement. Et Aurore va y revenir. Ce sera plus pratique pour toi d'habiter près du lycée. Sans compter que tes grands-parents ont envie de retrouver leur vie à deux.

J'ai observé Mamie. Elle avait les yeux dans le vague, cette hypocrite.

– C'est vrai ? je lui ai demandé. Vous ne voulez plus de moi ? Qu'est-ce que j'ai fait de mal ?

12 juin

Je suis tellement traumatisée que je me demande si je vais pouvoir passer mon brevet. Non seulement je vais être tante, mais je vais devoir abandonner ma chambre à moi, ma belle chambre parme aux rideaux dorés. Un peu comme Marie-Antoinette chassée de Versailles et enfermée dans la prison du Temple. Prochaine étape, la guillotine.

Mes ancêtres se sont vaguement excusés sous des prétextes divers. Le lycée serait trop loin. Ils ont prévu de partir en voyage. Il paraît par ailleurs que mes parents rêvent de me retrouver. En gros, ils ne savent plus quoi inventer pour me mettre à la rue.

– Tu garderas toujours ta chambre ici, m'a dit Mamie d'un air coupable.

Elle m'énervait. J'ai répondu sèchement :

– Pour quoi faire ?

14 juin

Je vis des drames atroces à répétition. Dans la plus grande solitude, évidemment. Tout le monde trouve que j'ai une chance dingue : avoir son brevet, passer en seconde, aller au lycée, attendre un neveu (ou une nièce), me réinstaller chez mes parents. La farandole du bonheur…

Je suis une fille pourrie de chance dramatiquement malheureuse et incomprise.

15 juin

– Allô, Aurore ? C'est Jessica. Vladouch et moi, on veut te demander un truc. Est-ce que tu veux être la marraine du bébé ?

– Pour quoi faire ?

Si Jessica n'avait pas été Jessica, elle m'aurait raccroché au nez. Mais Jessica est ma sœur aînée. Le genre de fille qui porte à la fois un piercing à la langue et un bébé dans le ventre. Pas le genre à se dégonfler ni à pleurnicher.

– Pour faire marraine, patate.

– D'accord. Mais pas plus de deux cadeaux par an, alors.

– Et une médaille de baptême.

– Et une médaille, ça marche.

J'ai raccroché et j'ai réfléchi un bon coup. Je veux bien du bébé. Combien coûte la médaille? C'est la question.

16 juin

Samira m'invite pour son anniversaire. Elle m'a demandé d'amener Lola.

Elle n'a pas tout compris, c'est clair. Lola a beau se prétendre éperdument amoureuse d'un type perdu de réputation, je serais étonnée qu'elle résiste à un joli garçon. Pour peu qu'elle soit en forme, elle est capable de repartir avec les cinq frères à la fois.

Je n'ai aucune vie amoureuse. Lola compense. Elle aime pour deux (au moins). Curieusement, je n'en tire pas tellement de satisfaction. Encore plus curieusement, tout en déplorant sa coupe de cheveux, il m'arrive de l'envier. Moi aussi, j'aurais pu sortir avec Filleul-de-Rêve, même relooké Dragueur-des-Terrains-de-Basket. J'ai laissé passer ma chance. Pas assez de maquillage aux yeux, sans doute.

Je suis contente d'être marraine. Surtout quand je pense que c'est moi qui suis choisie et pas Sophie. D'ailleurs, rien qu'à penser à sa tête, j'ai envie de courir acheter la médaille. Pourvu qu'on ne me demande pas de changer les couches, et tout ira bien.

17 juin

Mamie a déposé une petite boîte sur ma table de nuit. Dans la boîte, il y avait une bague avec une petite pierre jaune. À l'intérieur de l'anneau, on pouvait lire un message gravé : « À notre petite-fille chérie. » Quand même, c'est bizarre, pour des grands-parents, d'offrir un cadeau pareil. Ce n'est même pas Noël, même pas mon anniversaire. Alors quoi ? Qu'est-ce qu'ils cherchent ? Ils veulent me faire pleurer ou quoi ?

J'ai remis la bague dans la boîte et la boîte sur la table de nuit. Je refuse de m'y intéresser. Ma famille me prend la tête. Juste quand il faut que je pense à mon brevet. Ils veulent que je le rate, je ne vois que ça.

21 juin
C'est l'été. Rien de neuf sur le front de la sécheresse. Les paysans ne passent plus à la télé. Ils ont dit ce qu'ils avaient à dire, maintenant ils n'ont plus qu'à s'amuser avec leurs arrosoirs. Bonne chance, les gars.

Les filles projettent visiblement de venir à poil au collège.

Aujourd'hui, on voyait la culotte (taille haute) d'Élodie Magnan dépasser de la ceinture de son pantalon (taille basse). Suis-je obligée d'être au courant de la couleur des petites culottes d'Élodie Magnan? Je me pose la question.

J'ai passé le brevet. Même pas peur. Trois épreuves seulement. Deux petites heures chacune. Et ceux qui se plantent peuvent être rattrapés par le contrôle continu. Trop facile. Ça me donne presque envie de passer le bac. Le bac.

Si j'y arrive sans redoubler, je serai une vieille marraine. Le bébé Vladouch aura trois ans. Moi, dix-huit. Mais qu'on ne compte pas sur moi pour être enceinte. Je n'ai pas de passion malsaine pour les enfants (et leurs pères).

Pour fêter l'été, j'ai remercié mes grands-parents. J'ai mis la bague à mon annulaire (elle me va pile juste), et je suis allée les embrasser. C'était un moment horrible. Nous nous aimions tellement que nous avions les larmes aux yeux tous les trois. Franchement, c'est trop d'émotions. Je déteste aimer les gens dans ces conditions. Je déteste à fond les larmes, les sentiments et tout le grand tralala.

22 juin

C'était bien la peine de se couvrir de ridicule. Bague ou pas bague, c'est pareil. Mes ancêtres sont intraitables. Il faut que je m'arrange pour déménager début juillet.

Pour être sûre que je décampe, Mamie a frappé un grand coup. Elle a pris un billet d'avion pour Delhi. Papi refuse de l'accompagner. Il reste dans ses meubles, mais apparemment il refuse de me garder. J'ai essayé de lui dire que j'étais son lévrier préféré mais il a fait celui qui n'entendait rien. La vieille stratégie sourdingue.

Je laisse mes rideaux. De toute façon, ils n'iront pas aux fenêtres minables de l'appartement de mes parents. J'emporte ma bague, mon tableau avec le jardin, ma photo d'enfance avec Lola dans le cadre doré. Je suis une presque sans domicile fixe.

23 juin

Fin du collège le 30 juin. Résultats du brevet le 5 juillet. Déménagement le 7. Avion indien le 12. Le 13, je suis seule au monde.

24 juin

J'ai amené Lola à l'anniversaire de Samira. Elle avait convoqué Filleul-de-Rêve. À croire qu'elle ne peut plus se déplacer sans lui. Étant donné que tout le monde a des amis partout (sauf moi qui n'en ai aucun), nous avons découvert qu'il connaissait Areski, dit Frère-Interdit-Numéro-Trois. Ces deux types ont fait du basket ensemble, ou de l'informatique, ou du roller, ou fumé des clopes derrière le gymnase, je n'ai pas tout suivi. Mais enfin, l'essentiel était que nous étions complètement excités et charmés de ce hasard prodigieux (sachant que tout le monde habite le même quartier depuis quinze ans, ce qui limite la notion de hasard, mais enfin, l'idée était de s'étonner en poussant de petits hululements de satisfaction). J'étais de mon côté spécialement charmée par la présence d'Areski.

Est-ce qu'Areski n'est pas le prénom le plus superbissime qui soit à la surface de la Terre ? Quand on le prononce doucement, on entend Exquis. C'est de la poésie ou je ne m'y connais pas.

Dommage qu'il rime aussi avec Interdit.

Ce type ressemble à Samira. En garçon. En plus cool. Et en moins snob. Peau mate, yeux bruns, cheveux finement bouclés, grand pif (il faut bien le dire).

J'étais à moitié morte tellement je l'aimais. J'avais aussi tellement peur que Samira m'en veuille à mort de draguer un de ses frères que c'est à peine si j'ai osé lui parler. Dans un sens, ça ne me change pas beaucoup. Je ne parle jamais beaucoup. Je suis abonnée au rôle de la fille désagréable et qui regarde méchamment par terre sans rien dire. Personne ne soupçonne que je suis un pauvre petit oiseau loyal et timide. Tout le monde me prend pour un tapir.

Comment puis-je seulement espérer qu'un garçon comme Areski pose ses splendides yeux bruns sur un tapir mutique ? Il faudrait d'abord que je me fasse relooker par une fée déshydratée à qui j'aurais filé à boire auprès d'une fontaine... Personne ne connaît une fée ? Une fontaine, à la rigueur ?

25 juin

Samira m'a appelée à dix heures du matin. Je venais à peine de sortir du lit. Quelqu'un devrait la prévenir que le dimanche est férié.

– Tu n'avais pas l'air très en forme hier.

– Ah bon ?

Les gens sont tarés. Je fais des efforts dingues pour être odieuse avec son frère et, au lieu de me remercier, elle s'étonne.

– J'aime bien ton cadeau.

– Ah oui ?

Je suis épuisée par la sollicitude de cette fille. Qu'est-ce que je pouvais lui répondre ? « Tant mieux parce que je ne me suis pas foulée » ?

Je suis entrée dans une librairie. J'ai demandé à la libraire un livre à moins de dix euros pour une fille de quatorze ans. La bonne femme était trop contente de tomber sur une cliente. Elle m'a posé dix mille questions auxquelles je n'ai pas su répondre. Comme si j'étais au courant de ce que Samira aime lire, a déjà lu, a envie de lire et autres billevesées… J'en avais tellement marre qu'elle me bassine avec des fiches de lecture de bouquins que je ne lirai jamais que j'ai attrapé celui qu'elle avait dans la main.

– Celui-là ! Je prends celui-là !

Elle a eu l'air déçue que je mette un stop à la discussion. Mais bon, je n'ai pas que ça à faire, de l'écouter. Moi aussi, j'ai une vie. En payant, j'ai regretté d'avoir choisi si vite. C'était le plus cher. En même temps, c'était le plus gros. Mais au final Samira était contente. Et au moins, elle ne l'avait pas lu.

J'ai bien vu dans son regard qu'elle était stupéfaite de mon choix. Elle s'attendait à quoi ? À l'horoscope du Cancer ? Elle me prend pour une débile, c'est clair. L'avantage, c'est qu'il ne faut pas grand-chose pour que je remonte dans son estime. Je devais être assez haut parce qu'elle a fait un truc inimaginable. Elle m'a posé une question.

– Est-ce que tu veux venir au concert samedi prochain ?

– Ça dépend. Quel concert ?

Pour une fille qui n'est jamais allée à un concert de sa vie, j'ai réussi à prendre une voix atrocement blasée.

– Areski joue de la basse dans un groupe.

– QUOI ?

Fin de la voix blasée et autres grands airs supérieurs. Bienvenue dans l'hystérie pure.

– Un concert. Avec Areski. Samedi prochain.

– Et si je dis oui ?... Tu m'en voudras à mort ?

– Essaie toujours. On verra.

Là-dessus, elle a raccroché. Morale de l'histoire : il suffit que je la boucle et que je regarde férocement par terre pour intéresser le Frère Interdit. Mystère de l'amour. Victoire du tapir.

26 juin

Première fugue. Première fête. Premier concert. Et je n'en suis qu'à la moitié de l'année... C'est fou.

27 juin
Je ne pense plus à rien. Adieu, résultats du brevet. Adieu, seconde flippante. Adieu, vieux collège adoré. Je me fiche de tout. Je ricane stupidement toute la journée. Et je n'arrive même pas à me dire que je suis contente. Je suis juste atrocement stressée.

28 juin
Comment je vais m'habiller ?
Comment je vais m'habiller ?
Comment je vais m'habiller ?
Cette fois, je me maquille les yeux. Et pas un peu.

29 juin
Je suis inscrite au lycée. Mais je ne sais pas encore si je vais y aller. Très drôle, non ? Si seulement quelqu'un pensait à me demander mon avis… C'est quand même étrange de ne jamais décider de rien. Tout le monde décide pour moi. Tout le monde sauf moi. Personne ne devrait avoir envie d'être jeune.

Je me demande ce que je déciderais si j'avais le choix. D'aller au lycée, probablement. C'est bien ça le pire, je n'ai aucune alternative.

J'ai fait mon possible pour trouver un lycée super loin de chez moi. J'ai envisagé option chinois. Puis option hébreu. Puis option cirque. À chinois, mon père a levé le sourcil.

– Pour une fille doublement mauvaise en anglais et en espagnol, je ne vois pas ce que tu gagnerais à faire du chinois.

À option hébreu, il m'a demandé si je savais où on parlait hébreu.

– Pour une fille assez nulle en géographie pour ne pas savoir dans quel pays on parle l'hébreu, je ne vois pas l'urgence d'apprendre la langue.

À option cirque, il a jeté les bras au ciel.

– Mais enfin ! Tu refuses de faire du sport depuis le CP ! Qu'est-ce que tu ficherais dans un cirque ?

– Clown, figure-toi. Tout le monde ne peut pas faire portier dans un hôtel...

– Un grand hôtel ! Et tais-toi ou je te fiche dehors !

Résultat, je ne fais pas d'option. Je vais au lycée à côté de la boulangerie. Mes ambitions sont réduites à zéro. Je n'ai pas d'avenir professionnel.

30 juin

Un putride parfum de vacances plane sur le collège. Messeigner est venue faire cours en débardeur. Elle a un tatouage sur l'épaule. Je serais curieuse de savoir ce qu'en pense Souiza.

Je me demande par ailleurs si on a le droit d'enseigner avec un crâne tatoué sur l'épaule. Sûrement pas à des troisièmes. Et sûrement pas entre deux tibias croisés.

Demain, concert.

JUILLET

Retour à la case départ

2 juillet
Je n'ai pas invité Lola. Il ne faut pas me prendre pour une pomme. Surprise, elle était là quand même, traînée par Filleul-de-rêve. Elle avait les yeux violets, option femme battue, droguée et insomniaque. À côté, les miens avaient l'air naturels. Les vrais yeux authentiques d'appellation contrôlée.

Pour être sûres de ne pas arriver en retard, on s'est pointées bien à l'avance, Samira et moi. J'ai pu m'asseoir par terre pendant des heures et regarder le groupe installer tout son petit matériel. Je me demande comment je ne suis pas morte d'ennui. Areski avait douze mille choses à faire, et pas une seconde pour s'intéresser à sa petite sœur et autres amies minuscules. C'est effrayant ce qu'il faut brancher de fils juste pour faire de la musique. Enfin bref, au bout d'une éternité, les gens ont commencé à arriver. Il n'y avait pas beaucoup de vieux. Même les parents avaient séché. Les seuls vieux qui avaient fait le déplacement étaient habillés comme des jeunes mais ils étaient faciles à repérer. Partout où il va, le vieux se repère, même de dos. Pauvre vieux.

Quand la salle a été pleine (soit une bonne heure après l'heure prévue), la musique a commencé. « Musique » est largement exagéré. Je n'ai pas suivi les paroles. Impossible de savoir s'ils chantaient en anglais ou en français. Ils faisaient tellement de bruit que j'avais envie de tomber par terre et de mourir. Devant l'estrade, des filles sautaient sur place comme des enragées. Il y avait aussi quelques garçons et Filleul-de-rêve n'était pas le dernier. C'était horriblement gênant.

Dans l'ensemble, le concert était atroce et je déteste le rock plus que tout au monde. La seule chose intéressante était de voir Areski accroché à sa basse. Rien n'est plus sexy qu'un beau garçon qui joue de la basse, même dans un groupe de rock. C'est malheureux que celui-là se soit planqué derrière les amplis. On ne le voyait presque pas. Et quand on le voyait, il avait la tête baissée sur sa guitare. La scène était encombrée par un chanteur qui se la pétait à mort, un guitariste qui se la pétait à mort et un batteur qui se la pétait à mort. Le gâchis.

À la fin du concert, j'avais les oreilles comme des marshmallows cuits.

– Viens, on va dire bonsoir à Areski, m'a dit Samira.

– PARLE PLUS FORT, j'ai hurlé. J'ENTENDS RIEN.

Il a fallu se précipiter vers la scène au milieu des admiratrices échevelées et autres copains de derrière le gymnase. Areski était en train de débrancher ses douze mille fils pendant que les autres faisaient les malins au milieu des groupies. Je me suis approchée et j'ai crié :

– FORMIDABLE, EXCELLENT.

– Pas la peine de hurler, a fait Areski. Content que ça t'ait plu.

– GÉNIAL.

Le mieux, quand on déteste, c'est de dire qu'on adore. Pas mal comme nouvelle stratégie, non ? L'exagération délirante marche à tous les coups. Sous prétexte de compliment, n'importe qui est prêt à avaler n'importe quelle ânerie géante.

– On en fait un autre dans quinze jours. Il faudra que tu viennes.

– MERCI. C'EST TROP BIEN.

Il m'a regardée d'un air inquiet. Visiblement, il ne savait pas comment se débarrasser de cette fille hurlante. Il s'est jeté sur moi avec une sorte de désespoir et il m'a fait la bise. Ensuite, on est rentrées, Samira et moi. Il restait encore pas mal de monde dans la salle, mais j'étais atrocement découragée.

Est-ce qu'une fille manipulatrice, sourde et qui déteste le rock peut espérer quelque chose d'un bassiste séduisant qui l'invite à des concerts ? Encore une histoire mal barrée.

3 juillet
À quoi bon se maquiller comme un babouin pour aller s'enquiquiner dans le noir à des concerts assourdissants ?

4 juillet
Tout me rend triste. Devoir partir de chez mes grands-parents. Ne pas oser leur dire que je suis désespérée. Ne pas avoir salué Ancelin en quittant le collège. Ne pas lui avoir offert de cadeau d'adieu. N'avoir même pas

demandé son adresse. Tomber amoureuse d'un garçon qui joue de la daube.

Je pleure à longueur de journée, mais c'est à cause de l'ozone. Je suis la victime innocente du dérèglement climatique, de la pollution urbaine et de l'amour.

Je suis tristissime.

Quelle existence merdique.

5 juillet

Mention bien. J'ai relu le papier trois fois. C'était écrit trois fois : mention bien. À moins d'une erreur tragique ou d'une blague administrative, je suis brevetée et mentionnée.

J'ai espéré quelques minutes que ma famille me félicite dignement (fleurs, champagne, illuminations). Mirages de l'optimisme. J'ai eu droit à quelques remarques basiques (du type : « Bravo, ma chérie »). Et tous les remerciements sont allés à mes grands-parents. Une procession familiale menée par mon père s'est déplacée pour aller honorer mes ancêtres dans leur retraite. Offrandes de bouquets et de verres de porto divers. Mamie avait préparé le traditionnel rôti-purée des jours de festivités.

– Jamais nous ne vous remercierons assez pour tout ce que vous avez fait… a bredouillé mon père.

Embrassades et autres fariboles. On aurait juré que c'étaient les deux vieux qui avaient décroché la mention. À force de congratulations, Mamie a fini par se rendre compte que je me tenais discrètement dans un coin et que personne ne s'intéressait à moi.

– C'est Aurore qu'il faut féliciter, a-t-elle dit.

Mes parents se sont donc tournés vers moi en levant leurs verres. Mais c'était trop tard. Je n'avais plus envie de félicitations. J'avais envie d'un peu d'animation.

– Est-ce que vous êtes obligés de profiter de toutes les occasions pour vous soûler ? Vous auriez pu faire une exception pour mon brevet. Je suis quand même la première mention de la famille.

Personne n'a essayé de me répondre. Ils se sont contentés de se détourner et de continuer à discuter entre eux, le verre à la main. L'esprit sportif se perd dans cette famille. Plus aucune réactivité. J'en avais tellement marre que j'ai allumé la télé. Vu le bruit qu'ils faisaient, il a fallu que je monte le son. Mais on m'a forcée à le baisser. Pour une fille qui venait d'obtenir son brevet, je me suis sentie carrément niée.

6 juillet

Mamie met ses affaires dans une valise à roulettes. Je mets les miennes dans des caisses en carton.

– Eh bien, ma chérie ? C'est une nouvelle étape pour toi comme pour moi, m'a-t-elle dit avec son sourire bonasse.

Je ne me suis même pas énervée. J'avais trop envie de pleurer, rapport à l'ozone. Elle a dû le deviner parce qu'elle m'a demandé très gentiment :

– Tu veux emporter un portrait du dalaï-lama ? Choisis celui que tu veux, je te le donne.

J'ai pris le dalaï classique. On voit juste sa tête ronde et ses petits yeux qui brillent derrière ses lunettes. Je vais l'accrocher dans ma nouvelle ancienne chambre. Et le premier qui se moque de lui, je le tue.

7 juillet

Mes parents sont venus m'embarquer, moi et mes caisses. C'était bizarre de faire la bise à mes ancêtres comme si rien ne s'était passé. La parenthèse s'est refermée. Tout est redevenu exactement comme avant.

Je me suis réinstallée dans ma chambre. J'ai viré la planche à repasser et le panier de linge que Maman avait plantés au milieu, je ne tiens pas un Lavomatic. J'ai planté deux clous dans le mur, un pour le dalaï-lama et un pour le jardin en été. J'ai rangé la photo de Lola dans le tiroir de mon bureau. Elle m'énerve trop, celle-là. Je sortirai son portrait quand elle se sera fait lourder.

Après, je me suis plantée devant la télé. Vacances : dessins animés et séries américaines à tous les étages. J'ai regardé pendant quatre heures sans interruption. Après, j'avais très envie de faire pipi et Maman est rentrée du travail.

Alors je suis allée dans ma chambre et j'ai cherché des trucs sur l'ordinateur. Si seulement j'avais l'âge de travailler, je pourrais m'acheter des jeux. Pour le moment, j'ai juste le droit de m'ennuyer.

8 juillet

Mamie m'a appelée de l'aéroport. Elle m'a souhaité de bonnes vacances, mais je suppose que c'était ironique. Elle a dit qu'elle me rapporterait de l'encens, du vrai encens comme là-bas. J'espère que c'est une plaisanterie.

Jessica a déménagé hier. Elle est partie glorieusement vers son avenir avec deux caisses de fringues, son mari polygame et mon filleul dans le ventre. Elle n'avait pas l'air triste de quitter l'appartement où elle a passé toute sa jeunesse. Cela dit, Maman n'avait pas l'air triste non plus. Sa fille avait à peine fermé la porte qu'elle a collé sa table à repasser et son panier de linge dans la chambre vide. Victoire du Lavomatic. Personne n'était triste, sauf moi. Je suis l'erreur génétique de cette famille de brutes.

Sophie est partie ce matin. Elle est invitée quinze jours chez une copine. Malheureusement, elle va revenir, elle. Quinze jours. Ça laisse au moins le temps de fouiller dans ses affaires, même si je n'espère pas vraiment découvrir quoi que ce soit d'un peu intéressant.

Je suis seule.

Sinon, rien.

9 juillet

« Chère madame Ancelin,

Je n'ai pas eu le temps de vous dire au revoir à la fin du collège parce que j'avais beaucoup de soucis. C'est donc la raison pour laquelle je vous écris, pour vous dire au revoir, et aussi que j'ai eu le brevet avec une mention bien. Je ne suis pas complètement idiote, je sais très bien que sans vous je n'aurais pas eu de mention, et même pas de brevet du tout. Vous êtes très bizarre pour un professeur, et surtout pour un professeur de maths, ce qui fait que j'ai eu de la chance de vous rencontrer, parce que je me sens très bizarre aussi. J'ai l'impression que les professeurs de lycée n'ont rien de bizarre, ce qui fait que je n'ai pas très envie d'aller au lycée. Mais j'irai quand même, ne soyez pas inquiète, de toute façon je n'ai pas le choix.

J'espère vous revoir un jour, ce qui prouve que j'ai au moins une ambition dans la vie.

Aurore. »

J'ai décidé de recopier le brouillon de mes lettres. C'est trop bête de se fatiguer à écrire des lettres pour une seule personne et sans être sûr qu'elle vous répondra. Au moins, si quelqu'un lit mon journal après ma mort, il aura des informations sur ma correspondance.

Peut-être que je devrais faire un blog pour mettre ma lettre.

Maintenant, il faut encore que je trouve une enveloppe et un timbre. La vieille méthode.

12 juillet

Mes parents sont trop snobs pour les bals du 14 Juillet. Ou trop vieux. Ils n'aiment ni les drapeaux, ni les pétards, ni la foule dans la rue. Ce qu'ils aiment, c'est la tranquillité pépère. C'est fou ce qu'on apprend sur ses parents quand on vit seule avec eux.

Comme ils sont opposés au 14, ma mère a décidé de faire une sortie familiale le 12. Elle a préparé un pique-nique en sortant du boulot, avec des cuisses de poulet et des chips. Mon père n'a pas pris de service de nuit. Et nous sommes allés dîner tous les trois, assis par terre au bord du canal.

Par chance, ils ont choisi un coin un peu planqué où personne ne pouvait nous voir. Il ne faisait plus si chaud. Le canal avait une couleur verte répugnante, mais je me suis assise en lui tournant le dos.

Maman a levé son verre à la paix dans le monde, et papa a trinqué avec moi au protocole de Kyoto contre le réchauffement. Ils étaient tellement gentils que j'ai eu une hallucination : je les ai vus en train de se transformer en mes grands-parents. C'était une hallucination réaliste, vu que grands-parents, ils le seront bientôt grâce à mon filleul. C'est moche de voir ses parents vieillir. Une mère bouddhiste et un père sourdingue.

Il va falloir s'habituer.

13 juillet

Dans une vie idéale, le téléphone ne sonne pas dans le vide, et Samira décroche, et nous allons toutes les deux au bal du 14 Juillet, et nous croisons par hasard son frère dans la rue, et il nous propose de rester avec nous, et nous partons danser tous les trois.

Samira, c'est moi ! Décroche par pitié !

14 juillet

Je n'ose même plus appeler. Cinquante-sept appels en deux jours, ça s'appelle du harcèlement, et je sais de quoi je parle. De toute façon, personne ne répond. Soit ils sont sourds, soit ils sont morts.

15 juillet

– Je dormirai chez Lola.

Ils n'ont pas demandé à quelle heure nous allions rentrer. Ils ont décidé de me faire confiance. Mes parents vieillissent, ça se confirme.

Lola est venue me chercher à huit heures.

Deux heures après, nous étions habillées et maquillées. Encore une demi-heure pour attendre Filleul-de-Rêve, puis une autre demi-heure pour avaler une pizza molle en regardant vaguement des gens s'insulter à la télé. C'était très gênant et j'avais envie de changer de chaîne, mais Filleul-de-Rêve aimait bien les insultes, les cris et tout le cirque.

Miracle de la télé: allez-y, les gars, comportez-vous comme des porcs, tout le monde vous regarde!

– Qu'est-ce que vous faites ce soir? a demandé le père de Lola, j'ai regardé l'horloge et il était onze heures.

Lola voulait aller au bal des pompiers, Filleul-de-Rêve voulait bien la suivre et moi j'avais juste envie de me coucher. Nous sommes enfin partis à onze heures et demie. Je ne voyais plus très bien l'intérêt de sortir, mais il paraît que je n'y connais rien. Les bals, ça commence à minuit, comme tout le monde sait. Si Cendrillon avait été la copine de Lola, elle serait toujours en train de passer l'aspirateur chez sa marâtre.

Je ne vois même pas pourquoi je raconte cette soirée parfaitement nulle. Lola et Filleul-de-Rêve n'étaient d'accord sur rien, ni sur l'achat d'une canette de Coca («Non, pas tout de suite, il y a trop de monde au bar, de toute façon je préfère l'Oasis, etc.»), ni sur le bal

(« La musique est nulle, c'est toi qui es snob, arrête de me marcher sur les pieds, etc. »). J'avais le choix entre les écouter se disputer ou les regarder s'embrasser. À minuit et demie, tout le monde s'amusait follement et j'avais envie de me pendre. Je suis rentrée chez moi.

– Tu as dit que tu dormais chez moi, a protesté Lola.

– Oui mais non.

– Va au diable, toi et tes fiancés à répétition, j'ai dit entre mes dents avant de mettre les voiles.

Jusqu'au moment où j'ai ouvert la porte de mon immeuble, j'ai bêtement imaginé que j'allais rencontrer Samira par hasard. Ou même Areski. Mais je n'ai rencontré personne et je me suis couchée complètement démoralisée. Trop d'espoir tue l'espoir. Le prochain 14 Juillet, au pieu et dodo.

16 juillet

J'inspecte le courrier tous les jours. Tous les jours rien. Ancelin n'a pas l'intention de me répondre. Ça ne m'étonne pas vraiment. Pourquoi répondre à une redoublante caractérielle et sans ambition ?

Pourquoi ?

17 juillet

Pour finir, c'est moi qui me suis pris l'engueulade. On croit rêver.

– Évidemment que personne ne décroche ! a fait Samira de sa voix de maîtresse d'école. Ils sont tous au boulot !

– Oui mais toi ? Tu n'es pas au boulot, toi ?

– J'étais en stage toute la semaine.

– En stage ?

– J'ai passé mon brevet de secouriste.

Quand je pense que j'ai failli me casser la jambe à ses pieds… Quelle erreur ! Si elle soigne les gens comme elle leur parle, je plains les malheureux ! Le jour, chez Samira, tout le monde est trop occupé pour répondre au téléphone. Le soir, tout le monde est trop fatigué pour avoir envie de décrocher.

Allez mourir, les amis, il n'y a plus personne au bout du fil !

Comme c'était elle qui m'appelait, étant donné que le stage était fini et la stagiaire diplômée, j'ai quand même osé demander la raison de son appel.

– C'est Areski qui me dit de te dire qu'il fait un concert dans trois jours. C'est en plein air, dans un parc. Si tu veux, on ira ensemble.

J'avais moyennement envie de voir Samira et pas du tout envie de me taper le concert. Mais très envie de hurler quelques nouveaux compliments à l'oreille de son frère. J'ai donc habilement rusé en proposant de la retrouver sur place. Comme ça, je peux arriver super en retard. Toute la ruse étant d'échapper à la musique et de choper le musicien.

18 juillet

Je n'aurais pas dû lui écrire qu'elle était bizarre. Elle s'est vexée. C'est dingue comme les gens sont susceptibles. Surtout les profs.

19 juillet
Permission de sortie accordée pour le concert. Merveilleux parents d'une fille unique temporaire ! Pour remercier, j'ai rangé ma chambre et la salle de séjour, j'ai nettoyé les deux vieilles casseroles qui traînaient dans l'évier et j'ai même raté un gâteau au chocolat dans lequel j'avais mis des flocons d'avoine pour voir ce que ça ferait. Le résultat est sans appel.

Ça fait un gâteau raté, c'est tout.

20 juillet
Je suis arrivée dans le parc avec une bonne heure de retard. J'ai eu un peu de mal à trouver l'endroit parce qu'on n'entendait rien du tout. J'ai cru un moment que le concert était fini. Il n'avait pas commencé. L'élu de mon cœur branchait toujours des fils dans des câbles. Samira était assise par terre sous un arbre. Je suis allée m'asseoir à côté d'elle, elle n'a même pas fait un effort pour avoir l'air contente. Cette fille en a atrocement marre des concerts de rock, c'est clair. Nous étions tristement effondrées au pied d'un vieil arbre quand elle m'a soufflé :

– On se barre et on revient à la fin.

– Mais si on se fait repérer ?

– Laisse tomber. Il ne voit rien quand il joue.

On a filé jusqu'au café sur le boulevard et on a pris deux Coca pour la modique somme de douze mille euros. J'ai payé, trop soulagée d'échapper au bruit atroce qu'on entendait de loin.

– Qu'est-ce que tu fais en août ? m'a demandé Samira en touillant dans son verre avec sa paille.

– Je reste avec mes parents. Ils ne partent pas cet été.

– Tu veux venir au camping ? On dormira à deux dans ma tente. Si tu supportes ma famille…

– Je ne la connais pas, ta famille.

– Tu connais ma mère et Areski.

– ARESKI ?

– Arrête de hurler, je ne suis pas sourde.

Ensuite, nous sommes retournées au parc pour voir Areski retirer les fils, rouler des câbles et les ranger dans des boîtes.

– Alors ?

– Super, a dit Samira.

– Vachement bien, ai-je dit. GRANDIOSE. SUBLIME. GÉANT.

Il a rigolé.

– Si vous croyez que je ne vous ai pas vues vous barrer…

J'ai eu très chaud.

Mes oreilles rouge brique cramaient doucement.

– Tu nous espionnes maintenant ? a crié Samira, l'air fou de rage (hurler est la bonne stratégie quand on a complètement tort).

– Pas la peine de t'énerver, a fait Areski. Moi aussi, j'en ai marre de ce groupe. C'est de la bouillie. De toute façon, je n'aime pas le rock. Ça me soûle.

Là-dessus, il nous a dit au revoir parce qu'il avait encore un tas de trucs à ranger. Quelque chose genre

« Salut les filles, c'était sympa de venir ». Il ne m'a pas fait la bise. Si ce type n'aime pas le rock, il ne m'aime pas non plus, c'est clair.

Je suis en train de vivre le mois de juillet de toutes les désillusions.

Personne ne m'aime, c'est malheureusement une évidence.

22 juillet

Ses parents sont d'accord, mes parents sont d'accord, nous sommes d'accord, tout le monde est d'accord pour que j'aille passer une semaine au camping.

Je crois me souvenir que je hais le camping.

23 juillet

Il y avait quelque chose pour moi dans le courrier. Une carte postale de Thomas Jabourdeau, postée de Mexico. On voit des immeubles et un peu de ciel, c'est super moche. Le texte est super bête : « Amitiés de Mexico où je passe de bonnes vacances. Thomas Jabourdeau (qui n'oublie pas qu'il est un imbécile) » C'est très bizarre d'espérer une lettre d'Ancelin et d'en recevoir une de Jabourdeau. N'empêche que je suis contente que quelqu'un pense à moi quelque part dans le monde. Ma vie est un tel désert sentimental que tout est bon à prendre. *Gracias*, vieux Jabourdeau. J'ai accroché la carte au-dessus de mon bureau. Maman a pris des airs très malins en faisant semblant de croire que ce type était amoureux de moi. Je suis dégoûtée de tout.

AOÛT

Félicités des campings

4 août

Ma mère a emprunté un duvet à une copine de boulot. Elle est contente parce qu'il est très chaud. C'est vrai, il suffit de le regarder pour transpirer. Second motif de satisfaction : il est bourré de plumes à l'ancienne (et pas d'horrible mousse synthétique moderne). On s'en aperçoit tout de suite. Le truc perd ses poils de partout, sous forme de petits machins blancs volants qui font tousser.

Les vacances s'annoncent bien.

7 août

Qui aurait pu deviner que ma mère était une sorte de championne du monde des copines ? Elle en a trouvé une autre pour lui prêter un sac à dos. Je l'ai essayé. Ce sac à dos est le grand-père de tous les sacs à dos. Il est trop grand, trop moche et abîmé de partout.

– Alors ? a-t-elle fièrement demandé.

– Vieux et moche, ai-je répondu.

Et comme elle me regardait fixement :

– Mais sympathique.

Ma vie étant ratée de A à Z, j'ai décidé de tout prendre avec bonne humeur.

8 août

Jusqu'à quand ma mère se sentira obligée de vider mon sac à dos pour vérifier que j'ai emporté le nombre de culottes réglementaire ?

9 août

J'ai toutes les informations en main. Nous partons samedi en voiture, avec ma nouvelle famille. Devant, nouveau papa et nouvelle maman. Derrière, nouveau frère et nouvelle sœur. Et moi. C'est tout. Les autres frères sont trop vieux pour partir avec nous.

J'ai décidé que je n'étais pas amoureuse d'Areski. Je m'étais monté la tête. Dès que j'arrête de voir Lola, je ne me sens plus obligée de tomber amoureuse de n'importe qui. Je suis influençable, c'est mon problème. Areski est juste un type normal et nous sommes juste une chouette famille normale qui part en vacances au camping. Au camping ? Au camping. Argl.

Non, je ne t'emporte pas, cher petit journal. Je n'ai aucune envie d'écrire du mal de Samira, allongée sur le sol, à la lueur d'une lampe de poche, et sous son nez. Sans compter qu'elle me fera la tête jusqu'à ce que je lui donne le droit de lire ce que j'écris. Écrire son journal au camping est un suicide social. Le problème est de savoir où te cacher pendant mon absence. Je connais la mère qui hante cet appartement. Dès qu'il s'agit de ses propres filles, cette femme est saisie de curiosité délirante. Elle va retourner ma chambre jusqu'à ce qu'elle trouve et qu'elle lise. Laisser son journal à sa mère est un suicide familial.

Le mieux est de te cacher avec discrétion. Planquer soigneusement même un total n'importe quoi, c'est comme coller dessus un panneau lumineux clignotant: « Attention! Révélations Tabous et Autres Secrets!!! » Comme tout sera fouillé sous prétexte d'être nettoyé, le mieux est d'agir habilement. Je vais te glisser au milieu de mes cours de l'année dernière. Qui soupçonnera qu'une fille comme moi cache son bien le plus précieux au milieu de ses brouillons d'anglais? Pas ma mère, c'est clair.

J'ai l'impression d'être un vieux navigateur du Moyen Âge qui part pour l'Inde ou l'Amérique ou je ne sais pas quoi de très loin et de très inconnu. J'ai la trouille. Il faudrait peut-être que je fasse mon testament avant de partir. On ne sait pas ce qui peut m'arriver. Le pire, probablement.

10 août

Ma mère m'a forcée à acheter un maillot de bain. En refaisant mon sac pour la troisième fois, elle a découvert que l'ancien était moche, trop petit et usé aux fesses. Elle l'a secoué devant moi d'un air scandalisé.

– Tu ne vas pas mettre ça?

– Non.

C'était la vérité. Je ne compte pas tellement me mettre en maillot de bain. Ou alors le soir, quand il fera déjà sombre et que personne ne me verra. Je n'ai pas très envie d'exposer ma peau au regard de n'importe qui. Ni au soleil d'ailleurs, tout le monde sait qu'on attrape des maladies. Et si je suis obligée de me mettre à l'eau, je garderai le tee-shirt. Je l'ai déjà fait, je ne vois pas ce qui m'empêchera de le refaire. C'est un droit de l'homme, de patauger couvert. Je n'empêche personne de se baigner à poil.

Le pire du maillot de bain, c'est de l'essayer. Tout est atroce. Enlever ses vêtements en pleine journée. Garder sa culotte sous le maillot, avec les bords blancs qui dépassent. Se regarder dans la glace déformante. Tout ça sous un néon vert qui vous transforme en blanc de poulet périmé. On voit la trace violette de ses chaussettes, la trace rose de son soutien-gorge, on voit sa peau beige. On a froid, on a honte et on a un cafard dingue.

Mon nouveau maillot de bain est un une-pièce noir. La culotte descend jusqu'au milieu des cuisses. La brassière a des bretelles très larges qui remontent un peu sur les épaules. Le ventre et le dos sont bien couverts. Dommage qu'ils ne le fassent pas avec capuche.

– Si elle est contente avec ça, a soupiré ma mère, on le prend.

La vendeuse n'a rien dit, elle me regardait d'un air consterné. Je me suis rhabillée à toute vitesse. Nouveau maillot de bain, mon ami, je t'adore.

11 août

Le grand-père de tous les sacs à dos est fermé avec une antique ficelle. Grâce à ma mère, il n'y manque ni brosse à dents, ni dentifrice, ni tongs, ni culottes. Le duvet tousseur a été attaché par-dessus. Bien roulé sur lui-même, il ne laisse plus échapper que quelques modestes petites poussières irritantes. Je crains le moment où je vais le détacher. Festival d'envol de plumes à prévoir.

12 août

Dernier coup d'œil au courrier du matin. Rien. Je regrette à mort d'avoir écrit à Ancelin. Ça m'apprendra à fayoter.

13 août

Ceci est mon journal de camping écrit clandestinement sur mon bloc de papier à lettres. Ma vie est trop stressante. Il faut que je balance pour décompenser. Sans compter que, si je n'écris pas, je vais tout oublier. Et la prochaine fois qu'on m'invitera au camping, je dirai oui.

Comptes rendu de ce premier demi-jour : nous arrivons en fin d'après-midi. Chapitre un : les parents et Areski plantent la tente familiale, la grande, celle avec la terrasse devant. Chapitre deux : Samira et moi et Areski plantons la tente des filles, la petite, celle qui n'a ni ailes ni terrasse ni rien du tout. Chapitre trois : Areski fait une overdose de plantage de tentes et s'enfuit, soi-disant pour retrouver des potes de l'année dernière. Il risque d'en avoir pour un bout de temps.

En fait de camping, nous avons atterri dans une méga-zone de tentes, de caravanes et de mobil-homes. D'un côté, la mer. De l'autre, la route. Inutile d'essayer de fuguer, les gars, vous êtes cernés !

Nous avons une place près des sanitaires. L'avantage, c'est qu'il n'y a pas à marcher des heures. On a tout le nécessaire à portée de pied, les toilettes, les douches, l'eau pour la vaisselle et l'eau pour la lessive. Ça laisse rêveur, je sais. L'autre avantage concerne l'actualité. Impossible de rien louper, tout le camping défile à longueur de journée sous nos yeux. Maintenant l'inconvénient : claquements de portes, bruits de douches, éclats de conversations, et autres nuisances sonores vingt-quatre heures sur vingt-quatre.

Je ne défais pas mon sac parce qu'il n'y a pas de place sous la tente pour ranger ses affaires. Je m'assieds par terre devant la fermeture Éclair, l'air morose et le regard fixe. Et c'est là que je remarque deux choses : la poussière et la pente. Je répète : notre tente est plantée en pente dans un amas de poussière. Je ne proteste pas, je ne tiens pas à passer pour la râleuse de service. S'il faut râler, je préfère que ce soit Samira qui commence. Je ne suis que son invitée, après tout.

Les parents ont emporté toutes les provisions de la semaine dans la remorque attachée derrière la voiture.

– Je n'ai pas envie de passer mon temps à faire des courses, a remarqué Mme Samira en déballant. Moi aussi, j'ai le droit de me reposer.

Voilà une femme qui sait mériter ses vacances. Elle a préparé tous les dîners de la semaine avant de partir. Ils sont dans des boîtes en plastique rangées dans des glacières. Elle n'a plus qu'à les sortir.

Ce n'est pas elle qui servirait de la pizza à moitié décongelée, de la salade de riz au sable ou du poulet fumé sous vide. Elle envoie son mari au barbecue pour cuire les saucisses (qu'elle a faites elle-même) et elle ouvre la boîte de salade d'aubergines (faite elle-même), la boîte de salade de persil (faite elle-même), la boîte de purée de pois (faite elle-même), le sac de crêpes à l'huile d'olive (faites elle-même). Quand elle la regarde, Samira pince les lèvres et lève au ciel des yeux exaspérés. Je suppose que c'est parce qu'il s'agit de sa mère. Mais comme cette mère n'est pas la mienne, j'adore la voir ouvrir ses boîtes. Je la trouve parfaite. Madame Samira, vous êtes un génie de la bouffe. Une question toutefois : est-ce qu'on peut devenir obèse en une semaine ?

Parler de nourriture, c'est tout ce qui me reste. Areski n'a pas l'air décidé à passer ses vacances avec nous. On ne l'a pas revu depuis l'épisode de la tente. Il traîne peut-être avec ses copains de l'année dernière. Ou il joue aux boules en buvant un pastis. Ou il est déjà noyé, qui sait ?

14 août

Il est assez difficile d'écrire sans se faire piquer par Samira. Le mieux, c'est de s'enfermer aux toilettes, d'écrire sur ses genoux et de laisser tambouriner à sa porte.

Rien de très intéressant à dire. J'ai glissé toute la nuit en essayant de me retenir à mon duvet. À la fin de la semaine, j'aurai le dos en miettes, et je ne parle pas de mes nerfs. Entre l'inhalation de plumes et de poussière, j'aurai aussi les poumons pourris. C'est fou ce que les gens se rendent aux toilettes la nuit, font la vaisselle la nuit, s'engueulent la nuit. Autant dire que j'ai fait une croix sur le sommeil.

Je me demande si quelqu'un qui mange énormément peut se passer de sommeil. Réponse samedi prochain.

Ce matin, nous sommes allées à la plage. Samira a un deux-pièces imprimé ananas. Ce qui fait un ananas complet sur chaque sein et un gros ananas sur le derrière. Je me demande à quoi elle pense quand elle achète ses maillots de bain. L'après-midi, nous avons joué aux cartes.

Areski est revenu au tipi familial. Il nous parle aimablement. Il a même proposé de venir se baigner avec nous. Samira a dit non (c'est son frère). J'ai dit non (je ne veux pas qu'il me voie en maillot de bain). Du coup, il est reparti jouer au volley avec ses copains. Ce type passe sa vie avec ses copains. Les filles ne l'intéressent pas une seconde, c'est l'évidence.

15 août

Même en faisant attention, on finit par trouver du sable dans ses aubergines. Ce sont les petites joies simples du camping, le sable qui crisse sous la dent et les conversations privées de cent mille personnes inconnues.

J'ai des coups de soleil sur le front, les coudes et les mollets. En gros, tout ce qui dépasse du maillot de bain.

Samira a trouvé le moyen de faire amie-amie avec notre voisine de tente, Hélène, une Suisse. Les conséquences n'ont pas tardé. Il a fallu aller se baigner ensemble. S'allonger par terre dans le sable ensemble. Jouer aux cartes ensemble. Bavarder joyeusement ensemble. Manger des biscuits au sable ensemble.

Je n'arrive pas à m'intéresser à cette fille, aux cartes, aux joyeuses conversations. Je suis blasée de tout. Je passe mes journées à faire de la résistance. Je résiste au sable, à la poussière, au soleil et aux nouveaux amis. Je range mes affaires dans mon sac cinquante fois par jour.

Ce soir, il y a animation à côté de la pizzeria. C'est un peu le gros projet de la semaine. Bien sûr, on va y aller tous ensemble.

Le vrai truc du camping, c'est qu'il est impossible de se retrouver tout seul. On tombe sur des gens absolument partout. On se cogne dedans. On marche dessus. Les rares moments où on ne les voit pas, on les entend. Je ne sais pas ce qui me fatigue le plus, le son ou l'image. Dans le fond, je suis peut-être déprimée.

16 août

J'ai oublié quel jour on est. Il faut que je compte sur mes doigts pour retrouver. J'ai l'impression que nous sommes là depuis cent ans. Et toutes mes affaires sont sales.

Une soirée avec animation est un rassemblement douteux de gens qui ont perdu le sens du temps, et tous les autres sens en même temps (élégance et pudeur spécialement). Un type de quarante ans avec une vieille guitare monte sur la petite scène en béton. Il brame des chansons inaudibles dans une épaisse fumée, accompagné par le grésillement des milliers de saucisses qui sont en train de cuire à vingt mètres de lui. Quelques familles hébétées et brûlées au troisième degré l'écoutent en buvant des bières et des pastis. De temps en temps, un gosse attrape une claque et se met à brailler.

Ensuite, comme les chansons sont un désastre et qu'on ne peut pas arrêter le chanteur (apparemment, c'est son triomphe de l'année), plus personne ne fait attention à ce qui se passe sur la scène. Tout le monde se met à parler, à crier, à commander des pizzas. Le bruit est atroce, Mme Samira regarde passer les pizzas d'un œil critique, et M. Samira dit que, si c'est pour voir ça, il préfère rentrer à la tente. Il emmène les Suisses avec lui pour faire une pétanque. Cinq minutes après, Mme Samira est tellement révoltée par les pizzas qu'elle décide de partir aussi avant de faire un scandale.

J'ai les yeux qui piquent à cause de la fumée des saucisses. Je crois que j'ai été mordue par une araignée, je n'arrête pas de me gratter la jambe en attendant que le groupe prenne une décision. Le groupe : Samira, Areski, Hélène et moi. Hélène vient d'apprendre qu'Areski joue de la basse. Elle aimerait bien qu'il prenne la place du chanteur sur la scène. Areski dit qu'elle est folle, plutôt mourir. Samira propose d'aller faire un tour sur la plage, vu qu'il n'y a rien d'autre à faire. Je ne dis rien. À la fin, nous partons faire un tour sur la plage. Évidemment.

Il y a presque autant de monde sur la plage le soir que dans la journée. Normal, puisque justement il n'y a rien d'autre à faire. Les gens sont assis par terre en groupes et discutent. Il y en a qui boivent de la bière, d'autres qui font de petits feux de branches, d'autres qui mangent des sandwiches au sable. Ils sont piétinés par d'autres gens qui marchent en groupes dans la nuit sans faire gaffe où ils mettent les pieds. Notre groupe à nous préfère piétiner qu'être piétiné. Nous marchons d'un bon pas au milieu des assis. Samira et Hélène discutent devant. Areski et moi nous taisons derrière.

Au loin, on voit la lune scintiller sur la mer. Je n'aime pas la lune, je n'aime pas la mer, mais c'est plus fort que moi : même vu de la plage infestée de campeurs, c'est trop beau. Je ne sais pas ce qui me prend, j'ouvre la bouche et je dis :

– Regarde, la lune sur la mer, c'est beau.

J'ai encore perdu une occasion de me taire. Areski se met à rire. Il répète « C'est beau, c'est beau » comme s'il n'avait jamais rien entendu de plus idiot de sa vie. Je me sens tellement bête que j'ai envie de pleurer. Il m'énerve trop à la fin.

– Désolée d'être moi. Tu peux rejoindre les deux autres devant. Visiblement, elles ont des tas de trucs à dire, elles.

Il rit de plus en plus. Il m'énerve de plus en plus.

– De quoi il faut parler pour avoir l'air intelligente ? Tu peux me le dire au lieu de rire comme un ahuri ?

Il lève la tête et me regarde. Il rit tellement qu'il a des larmes plein les yeux.

– De musique peut-être ?

Il hoche la tête en gloussant. Ce type est une pintade, c'est la révélation de cette soirée.

– Je n'ai jamais rien entendu de plus laid, de plus ennuyeux et de plus nuisible que ce que tu joues avec ton groupe.

Il vient de tomber par terre. Il se roule dans le sable en se tenant le ventre. C'est le soldat Ryan. Peut-être qu'il va mourir sur la plage. Je vais lui flanquer un coup de pied pour abréger ses souffrances. Je suis malheureusement interrompue par l'arrivée de Samira et d'Hélène qui s'approchent de nous avec des airs légèrement envieux.

– De quoi vous parlez ? demande Samira. Vous avez l'air de bien vous marrer.

Il se relève, il s'essuie les yeux et me montre du doigt.

– C'est elle, gémit-il. Elle n'arrête pas de m'agresser, elle est trop marrante.

Bon. Je me suis fait un nouvel ami masochiste. Il me regarde avec des yeux émerveillés. Il m'adore, c'est clair.

Nous rentrons de la plage en silence. Qu'on ne compte plus sur moi pour égayer la soirée. J'ai assez donné. Une dernière petite partie de cartes avant de s'enfermer sous la tente. J'inhale une grande lampée de poussière et je me ratatine lentement dans mon duvet bouillant. Un couple d'amoureux a décidé de rompre à cinquante centimètres de mes oreilles, la fille n'est pas d'accord et elle a l'intention de le dire. C'est de la télé en live. Encore une bonne nuit qui se prépare.

17 août

Plage. Joyeuse conversation. Semoule aux raisins. Cartes. Gâteaux à la pistache. Plage. Cartes. Joyeuse conversation. Boulettes au riz et aux carottes. Cartes. Promenade Joyeuse conversation. Pitié.

18 août

Ma respiration est sifflante et je pèle des genoux.

Areski me regarde avec un petit sourire pétillant et des yeux pleins d'espoir. Il attend que je lui dise des horreurs.

Pas question. Je ne suis pas un distributeur automatique de vacheries.

L'après-midi, il nous a accompagnées à la plage et il s'est allongé à côté de moi.

Les deux filles étaient couchées sur le ventre et elles avaient enlevé l'attache de leur soutien-gorge à des fins de bronzage de dos. Qu'on m'explique à quoi sert de se bronzer le dos, et ma vie sera transformée. Qu'on m'explique à quoi sert de bronzer tout court, d'ailleurs.

Comme je ne disais rien, il a fait les frais de la conversation.

– Tu n'as pas trop chaud dans ton maillot de bain?

C'était bien lancé et je sais reconnaître une attaque sportive.

– Je te pose des questions sur ta culotte?

Il a eu un ronronnement de satisfaction et nous avons commencé une petite discussion de bon niveau, d'où il ressortait que mon maillot de bain était un tchador complet et son bermuda une crinoline de Marie-Antoinette. Ensuite, j'ai refusé d'aller me baigner avec lui (ça ne va pas, non?) et il a refusé de jouer à la crapette avec moi (et puis quoi encore?). Nous nous entendions tellement bien que Samira m'a chopée à la fin de l'après-midi.

– Si tu crois que je ne vois pas que tu dragues Areski...

– QUOI???

– PAS LA PEINE DE HURLER! Tu vois très bien ce que je veux dire.

Conclusion: je n'ai pas le droit d'être aimable ET je n'ai pas le droit d'être mal aimable.

Elle veut me rendre dingue, c'est clair.

Je vais me venger, je vais lui glisser dessus toute la nuit.

Pour lui plaire, je devrais rester enfermée dans la tente tout le reste de la journée. Je finirais loyale et bouillie.

19 août

Je suis sortie. Je n'aurais pas dû. Areski traînait dans le coin. J'ai été obligée de lui parler.

– Je ne veux pas te parler.

Il a souri jusqu'aux oreilles.

– Moi non plus. Tu viens à la plage ? On part avec Samira et Hélène.

– Certainement pas !

Là, il a eu l'air tellement ravi que j'ai eu peur.

– D'accord, je reste avec toi.

Qu'est-ce que je pouvais dire ?

– Dans ce cas, j'y vais.

– Très bien, je t'accompagne.

Je suis partie pour la plage, mon tchador dans une main, ma serviette ultracouvrante dans l'autre, encadrée par Samira et Hélène et suivie par Areski, qui trottait joyeusement sur nos pas. Ce type est la réincarnation de Rantanplan.

Pendant que Samira et Hélène discutaient aimablement de leurs parcours scolaires, j'ai tourné vers lui ma figure pleine de sable et j'ai mis les choses au clair. À voix basse.

– Je ne te drague pas, je te préviens. Pas la peine de te faire des illusions.

Il a tapé sur son bras pour en faire partir une famille de puces de mer qui lui galopaient dans les poils.

Il s'est penché vers moi et il a murmuré.

– J'espère bien. Ce serait trop bête.

– Ça t'arracherait la bouche d'être sympa cinq minutes ?

– Je ne dis pas ça contre toi. C'est moi. Ça ne me dit rien de sortir avec les filles.

– QUOI ?

– PAS LA PEINE DE HURLER !

– QU'EST-CE QUI SE PASSE ? a crié Samira.

– Rien, a dit Areski. C'est Aurore.

Samira m'a jeté un regard noir tandis que je regardais son frère avec stupéfaction. Ces vacances ratées n'étaient pas si ratées que ça.

J'allais enfin pouvoir me faire un copain, et pas un amoureux merdique avec lequel rompre lamentablement au retour de vacances. Un vrai copain sans aucun risque de drague, baisers foireux et prises de mains diverses. Je me suis assise et j'ai tendu les bras vers lui :

– Toi, je t'adore !

Il m'a pris les mains et les a serrées dans les siennes. Ensuite, Samira a voulu m'arracher les yeux et elle m'a menacée de me jeter hors de sa tente. C'était tellement injuste que je lui ai dit de se disputer directement avec son frère au lieu de s'en prendre à moi. Qu'ils s'arrangent entre eux, à la fin. Je ne vais pas payer pour tous leurs petits secrets.

20 août

– Pas question, a dit Areski. Ça ne concerne pas ma famille. Je te dis à toi parce que c'est toi qui as commencé à me parler de drague. Mais ma sœur ! Pourquoi pas mes parents pendant qu'on y est ? Comme moyen de se détruire la vie, je ne vois rien de mieux.

S'il y a un truc que je peux comprendre, c'est qu'on garde ses parents à l'écart. *Vade retro*. Plus je le connais, plus je trouve qu'on se ressemble. Il restait juste un point à régler.

– Pour les concerts, je te dis franchement, je ne sais pas si je reviendrai…

– Il n'y aura plus de concerts. Plus de concerts de rock en tout cas. J'ai assez envie de monter un groupe de R'n'B…

Il s'est brusquement interrompu et il m'a regardée comme s'il venait de me découvrir au fond de son sac :

– À propos, tu as déjà essayé de chanter ?

– QUOI ???

– Exactement ! Tu as une drôle de voix… Elle est forte, elle porte… Si tu t'entraînes, il y a peut-être quelque chose à en tirer.

Et nous avons fini de plier la tente. Car les vacances étaient finies, les boîtes de plastique vides étaient déjà rangées dans la remorque, Samira était en train de faire ses adieux à Hélène et nous nous apprêtions à quitter le camping pour rentrer chez nous…

SEPTEMBRE

Retrouvailles en pagaille

1er septembre

Il y a une semaine tout juste, nous étions tous à l'aéroport afin d'accueillir notre glorieuse Mamie de retour des Indes. Nous escortions notre illustre Papi. C'était très beau à voir, surtout ma sœur Jessica qui a triplé de volume, rapport à mon prochain (ma prochaine) filleul(e). Je veux bien croire que le ventre grossit, d'ailleurs le sien ne s'en prive pas. Mais les bras ? Les jambes ? Les joues ? On ne porte pas ses enfants dans les joues, que je sache. Ma sœur est une montgolfière totale. Elle va peut-être accoucher de partout. Elle était flanquée de son Vladouch, qui paraît tout petit à côté d'elle. Jessica est tellement grosse que j'ai pensé qu'on ne voyait qu'elle dans notre petite famille. Mais il a suffi que Mamie apparaisse à la sortie des voyageurs pour que tout se renverse. *Bye-bye*, Jessica. Bonjour, Mamie.

L'ancêtre nous est revenue en sari jaune pétard, le ventre à l'air et l'écharpe sur la tête, un rond rouge entre les sourcils. Le plus incroyable était encore le gros brillant qu'elle portait dans le nez.

Cette vieille Mamie s'est fait faire un piercing.

Jessica était tellement traumatisée que tout le monde a cru qu'elle allait accoucher sur place. Il a fallu l'allonger par terre et agiter des journaux sous son nez pour l'aérer.

Pour finir, elle n'a pas accouché et heureusement. Son bébé n'a que six mois, encore un peu jeune pour voir son arrière-grand-mère en sari.

Elle a tenu ses menaces. Elle a rapporté du thé à tout le monde. Et des bijoux. Et des saris. Parfaitement. Elle m'a offert un sari. Parme et doré. En souvenir de la peinture de ma chambre, je suppose. Elle attend sans doute que je montre mon ventre… Elle est dingue ou quoi ?

2 septembre
Je n'arrive pas à penser que j'entre au lycée dans deux jours. D'ailleurs je n'y pense pas.

Ma grand-mère refuse de quitter son sari. C'est très bizarre d'essayer de parler normalement à sa grand-mère déguisée, surtout avec un diamant dans le nez et une puce rouge entre les yeux. La vie est pleine d'expériences inattendues.

Lola n'est toujours pas revenue. Elle traîne vaguement à la campagne chez sa belle-mère. Elle attend le dernier moment pour faire sa rentrée. Mais elle répond sur son portable. Comme prévu, tout est fini avec Filleul-de-Rêve, transmuté spontanément en Filleul-de-Cauchemar. J'évite de l'appeler dix fois par jour. Aucune envie de me taper le lamento habituel.

Pas le moindre petit coup de fil de Samira. Je m'en fiche. Après ces merveilleuses vacances, Areski appelle directement. Il veut que je fasse un essai de chanson. Trop fou, non ? Je n'y arriverai jamais.

C'est le premier ami de ma vie qui m'envoie des textos. Je me sens hyper intégrée dans le monde. C'est trop bête de devoir rentrer au lycée. Je vais me désintégrer en moins de deux.

3 septembre

Demain rentrée. Je m'en fiche complètement. Où il est, ce lycée, déjà ?

4 septembre

Je ne vois pas bien la différence entre le collège et le lycée. Des tables et des chaises d'un côté, c'est nous. Une estrade et un bureau de l'autre, c'est eux. Et entre deux, des classeurs, des feuilles quadrillées et un cahier de textes. Où est le changement, je le demande.

Le vrai truc, c'est que j'ai reçu un texto d'Ancelin ce matin. « Merci pour la lettre. Bonne rentrée. À bientôt. » Le tout en véritable vieille orthographe française complète bien de chez nous. C'est un peu mesquin, quand je pense à ma grande lettre, mais je suis contente. Un tout petit texto suffit pour dire que rien n'est fini entre nous. Splendeur de la technologie.

J'avais un peu peur de me retrouver toute seule dans le terrible grand lycée. Encore une trouille inutile. Rien que dans ma classe, j'ai Jabourdeau, Célianthe, Bastien et Samantha. J'ai même cette punaise d'Élodie Magnan. J'ai l'impression de tripler. C'est cool.

Mon seul problème est la réconciliation avec Samira. Je vais forcément finir par tomber dessus dans un couloir. Il va falloir s'expliquer. Le plus simple est de me recasser la jambe sous ses yeux. Je crois.

7 septembre
J'ai attendu Samira à la sortie. Je me suis plantée devant elle et je suis tombée par terre. Elle a tourné le dos et elle est partie. Le coup de la jambe cassée est périmé.

9 septembre
Quatre heures de cours le samedi. Il faut se lever six jours sur sept. Pourquoi pas de cours le dimanche, c'est la question. Quand je ne dors pas, j'essaie de faire le compte de toutes les heures que j'ai gâchées à l'école. Je n'y arrive jamais, il y en a trop.

Je traîne des millions d'heures à l'école et je suis toujours tellement nulle que je n'arrive même pas à calculer combien. Toutes ces heures qui ne servent à rien, puisque je ne sais rien, je ne suis bonne en rien et je n'aime rien. C'est quand même marrant, non ?

Pour arriver au même résultat, on pourrait y passer un peu moins de temps. Peut-être.

Il faudrait que j'en parle à Ancelin. C'est son truc, l'école.

10 septembre

Victoire.

Au déjeuner dominical, ma grand-mère indianisée était habillée en costume occidental. Elle a remplacé le brillant dans le nez par un petit anneau très discret. Sophie lui a posé mille questions sur l'Inde. Tout juste si la pauvre femme a eu le temps de manger. L'Inde est au programme de la cinquième, on dirait.

11 septembre

Anniversaire mondial des deux avions dans les tours. Cinq ans. C'est quand même étrange. On dirait l'anniversaire d'un enfant qui serait la guerre. Il est né et maintenant il grandit. La guerre sait déjà marcher et parler. Elle se débrouille bien. Bientôt la guerre va entrer au CP. On se demande à quoi elle ressemblera quand elle sera grande. Ça fout les jetons, c'est tout ce que j'ai à dire, de vieillir pendant que la guerre grandit.

14 septembre

Jusqu'ici, tout va bien. Pas de contrôle en vue. On peut roupiller. En cours, je m'assieds à côté de Célianthe. On fait des concours de blagues à voix basse. La différence entre nous est qu'elle est super bonne élève. Elle apprend ses cours pour le lendemain et elle fait ses devoirs à la maison. Elle a des motifs sérieux, ses deux parents sont profs. Total, elle ne comprend pas pourquoi je ne travaille pas chez moi.

– C'est tellement plus simple. Ça évite d'y penser toute la journée en attendant les ennuis. Dans le fond, on gagne du temps.

Du temps pour quoi? Pour travailler? Typique de la bonne élève.

15 septembre

Je n'appelle pas Lola.

Elle m'appelle pas non plus. On ne se croise même pas dans la cour de l'immeuble. Elle ne me manque pas.

Je suis tellement obsédée par ma nouvelle vie que je n'ai pas le temps de penser à elle.

16 septembre

J'aurais pu appeler Lola aujourd'hui. Mais je n'avais pas envie de me vautrer dans les histoires de vieux petits amis et autres ruptures. Pas envie non plus de parler de Célianthe, qui est une intello, ni d'Areski, qui ne sort pas avec des filles. C'est ma vie à moi et je n'ai pas envie de déballer ma vie. Il y a des choses trop compliquées pour qu'on se fatigue à les expliquer.

Peut-être que Lola me fatigue.

Peut-être que j'en ai marre.

Ça me rend vaguement triste mais tant pis.

17 septembre

Areski m'a appelée. J'y vais samedi prochain. Il y aura les autres musiciens. On va faire un essai. Je vais chanter. Dans un studio. Je suis tellement excitée que je n'arrive pas à rester assise plus de quinze secondes. Si je ne bouge pas, j'explose. J'ai passé le déjeuner interfamilial à débarrasser. À la fin, tout le monde s'est énervé.

– J'ai le droit de finir ? a fait mon père en m'arrachant son assiette des mains.

– C'est vrai, ça, a dit Jessica. Moi aussi, elle m'a enlevé mes couverts et je n'ai même pas pris de fromage.

– Tu ne crois pas que tu es assez grosse comme ça ?

C'est ce que j'ai répondu et ils ont tous poussé des petits cris scandalisés. Sous prétexte qu'elle est enceinte, on n'a plus le droit de rien dire. Je me demande si je vais faire marraine. Ce bébé n'est pas encore né et il a déjà commencé à me pourrir la vie.

Si c'est comme ça, je n'en veux plus.

Je me suis rassise à ma place avec douze millions de fourmis dans les jambes.

– C'est la dernière fois que je rends service.

– Tu peux sortir de table, a dit mon père. On t'a assez entendue pour aujourd'hui.

Je ne me suis pas incrustée. Au moins, dans ma chambre, je peux rester debout et faire des sauts sur place. En plus, je peux m'entraîner à chanter. Si on peut parler de chanter. Misère.

18 septembre

Célianthe fait du latin et du grec. Du grec. Je n'y crois pas.

C'est où, la Grèce ?

19 septembre

Je me suis renseignée. Il paraît que plus personne ne parle ce truc depuis deux mille ans. Deux mille ans ! En plus, ils n'ont pas les mêmes lettres que nous. Célianthe est obligée de tout réapprendre. Elle recommence au CP.

20 septembre

Je corrige : il y a un grec ultramoderne qui marche toujours (en Grèce). Et le vieux grec de Célianthe qui ne marche plus du tout (nulle part).

C'est comme si elle apprenait à compter en francs alors

que les autres comptent en euros depuis deux mille ans. Où est l'intérêt ? Je pose la question.

– C'est trop compliqué à expliquer.

Voilà ce qu'elle m'a répondu. Elle pense que je ne peux pas comprendre. Alors elle préfère ne rien me dire. C'est comme moi avec Lola. Je me sens super minable.

21 septembre

Ancelin était à la sortie du lycée. Quand je l'ai aperçue, elle était déjà en train de bavarder avec Célianthe et Jabourdeau. J'étais tellement impressionnée que j'ai fait semblant de ne pas la voir. Je me suis jetée comme une folle sur une fille inconnue.

– Tu es en quelle classe ?

La fille était complètement terrorisée. À sa place, j'aurais eu peur aussi. Les gens commencent par vous demander votre classe, après c'est votre adresse, après c'est dix euros et à la fin ils reviennent en bande pour vous casser la figure. Tout le monde connaît le truc.

– Pourquoi tu me poses la question ? a fait la fille en tremblant comme le pauvre petit agneau de la fable (il est au bord du ruisseau et il a raison de trembler parce que la fin de l'histoire est moche pour lui).

– Pour rien. J'ai juste besoin de faire semblant de parler à quelqu'un pour faire semblant de ne pas voir quelqu'un que je n'ai pas envie de voir.

– En cinquième alors, a fait la fille, ce qui était idiot vu qu'il n'y a pas de collège dans le bâtiment.

On faisait toutes les deux des efforts démesurés pour

faire semblant d'être à fond dans notre conversation quand Jabourdeau a hurlé.

– AURORE ! AURORE ! !

– Je crois que c'est à toi qu'il parle, a remarqué la fille de cinquième.

– Ça m'est égal. Je ne le vois pas, je ne l'entends pas.

C'était faire peu de cas de Jabourdeau. Il en faut plus pour le décourager. Quand il m'a tirée joyeusement par la manche, il était devenu difficile de l'ignorer. J'ai levé les yeux sur lui. À dix mètres derrière, Ancelin marchait doucement vers moi, un sourire énigmatique aux lèvres. Le film d'horreur complet. Je lui ai tendu le bras de très loin pour qu'elle n'approche pas. Des fois qu'elle me ferait la bise, on ne sait jamais.

Elle m'a serré la main.

– Qu'est-ce que tu dirais de boire un café, ou une limonade, avec moi, un de ces après-midi ?

– Je dirais que vous êtes toujours aussi dingue.

– Parfait. Je viens te chercher jeudi. Même heure, même endroit.

22 septembre

– Tu es copine avec Ancelin ? m'a demandé Jabourdeau, avec les yeux écarquillés de celui qui n'arrive pas à y croire.

– Je t'en pose des questions ?

– Pourquoi tu m'attaques ? Qu'est-ce que je t'ai fait de mal ?

C'est vrai, à la fin.

Qu'est-ce qui me prend de foncer sur ce pauvre Jabourdeau qui m'a envoyé une carte postale de Mexico quand j'étais seule dans le silence de l'Univers ?

– Excuse, Jabourdeau. J'avais oublié que c'était toi.

Il a eu un bon sourire compréhensif. Ce type est un saint. Il pardonne tout, les réponses agressives et les excuses absurdes.

– Ancelin n'est pas vraiment ma copine, mais elle m'aime bien et je ne vois pas pourquoi.

– Moi non plus, je ne vois pas.

Soit Jabourdeau est très gentil et toujours aussi bête. Soit il est un peu moins bête mais beaucoup moins gentil. Mystères de Jabourdeau.

Célianthe ne m'a rien dit. Mais elle me regarde d'une drôle de façon depuis hier. Parce que j'ai serré (de très loin) la main à un prof, je suis remontée dans son estime. Je ne sais pas quoi penser. Dans un sens, elle est comme tout le monde, elle se laisse impressionner par n'importe quoi et je suis déçue à mort. Dans un sens, elle va peut-être enfin m'expliquer l'intérêt d'apprendre une langue morte depuis deux mille ans.

23 septembre

Six garçons et une seule fille. Moi. Est-ce que ce n'est pas un miracle ?

Ce n'est pas que je n'aime pas les filles. Au contraire. Mais, pour une fille qui n'a que des sœurs, c'est marrant de se retrouver rien qu'avec des garçons. Ça fait sérieux. Ça fait classe.

Avec un peu de chance, aucun d'eux n'a envie de sortir avec une fille. Ce serait trop beau. On serait un groupe uni par la musique.

– Chante en hurlant, m'a dit Areski.

Comme j'étais assez timide (normal pour un début), j'ai eu le droit de tourner le dos aux autres. J'ai donc chanté en hurlant de mon mieux. Les paroles étaient du genre « Toute seule dans le noir, ils m'ont laissée toute seule dans le noir ». Tout à fait le genre de truc qui se hurle. Les garçons avaient l'air très contents.

– Chouette voix, a dit Julien.

– Bon coffre, a dit Nacer.

– Puissante, a dit Tom, et ainsi de suite (je ne vais pas faire les six voix à chaque fois).

Après, il fallait le faire en murmurant, et en soupirant. Soupirer, j'ai l'habitude. Et comme j'ai du coffre, on entend mes murmures de très loin. Sans vouloir me vanter, c'était assez réussi. Pour les paroles, on avait repris les mêmes : « Toute seule dans le noir, avec mes cauchemars, etc. ».

– Elle flanque le frisson, a dit David.

On touchait au triomphe quand j'ai lancé :

– Est-ce que je pourrais essayer avec des paroles moins merdiques ?

Le type qui s'appelle Tom a fait une drôle de tête.

– Tu n'as qu'à les écrire toi-même si les miennes ne te plaisent pas.

Il était moyennement content mais Areski était mort de rire.

– Ne te vexe pas. Elle est toujours comme ça. C'est son truc.

– Très marrante, a ronchonné Tom.

– Tu l'as dit ! a fait Areski. Incroyablement marrante !

J'ai fait un sourire géant pour montrer à quel point j'étais marrante.

– Tu reviens la semaine prochaine ? m'a demandé Julien quand j'ai serré les six mains pour les au revoir.

– Pas de problème.

Et je suis partie.

24 septembre

Après le déjeuner, Mamie m'a aidée à faire mon exercice de français. La prof exagère, elle veut tout le temps qu'on invente des trucs. Je n'aime pas quand on n'a pas de consigne précise.

On se casse la tête, on prend des risques et après on se fait sacquer.

Là, il fallait chercher des proverbes et puis les transformer en changeant les mots. Mamie a trouvé les proverbes, j'ai changé les mots.

– Après la pluie, le beau temps, a dit Mamie.

– Après le mariage, le divorce.

– Si tu veux. Petit poisson deviendra grand.

– Petit ennui deviendra grand.

– Trop facile. Tu peux faire mieux.

– Petite catastrophe deviendra géante.

– Bon, a soupiré Mamie. Tant va la cruche à l'eau qu'à la fin elle se casse.

– Tant va l'imbécile à la plage qu'à la fin il se noie.

– Essaie d'être un peu plus positive, ma chérie. Les petits ruisseaux font les grandes rivières.

– Les soucis minables font les dépressions épouvantables.

– J'en ai marre, a dit Mamie. Cette gosse me ruine le moral.

Si j'ai une mauvaise note, ce sera sa faute.

26 septembre

Résultat du premier contrôle de maths. J'ai quatorze. Célianthe a quinze. Élodie Magnan, qu'elle aille en enfer, treize.

– C'est bien, quatorze, a fait Célianthe.

– Normal, il n'y a que des révisions de l'année dernière. Attends que ce soit nouveau, et tu vas voir le désastre.

Elle m'a regardée comme si j'avais dit quelque chose de vraiment nul.

– Tu n'arrives jamais à être positive ?

Elle communique avec ma grand-mère ou quoi ?

28 septembre

Ancelin m'a emmenée au café. C'est elle qui a payé. J'ai pris un diabolo citron, et elle un jus d'orange. C'était bien. Elle avait sa figure sérieuse de militaire en manœuvres.

– Tes notes ?

– Quatre et demi en histoire.

– Nul.

– Huit en français.

– Insuffisant.

– Quatorze en maths.

– La meilleure note, c'était ?

– Quinze.

– Et la pire ?

– Cinq.

– Alors ça va.

Elle ne laisse rien passer. Elle vérifie tout. Elle est génialement impitoyable. Je lui ai demandé si elle voudrait bien me donner un petit cours de temps en temps. Si jamais je ne comprenais plus rien. Elle m'a regardée méchamment.

– Est-ce que je vais perdre mon temps à essayer de rattraper une fille qui ne fiche rien chez elle et qui n'écoute pas en cours ?

– Non… Je ne crois pas…

– Si tu veux que je t'aide, tu as intérêt à te remettre à travailler toute seule. Et pas un peu, hein ?

Elle a crié : « HEIN ? », c'était formidable. J'avais envie de me mettre à travailler tout de suite, là, au café, pour qu'elle voie comme j'étais courageuse et qu'elle m'admire à fond. Mais comme c'était impossible, j'ai changé de conversation.

– Je vais chanter dans un groupe.

– Enfin une bonne idée. Tu m'inviteras aux concerts ?

– En échange des cours de maths ?

– Vendu.

Elle a tendu la main et j'ai tapé dedans. Elle est complètement cinglée, c'est tout.

Rien ne va plus

À Véronique Djabri
À Margot Bravi

OCTOBRE

Projets culturels et autres contrariétés

2 octobre

– Range ta chambre.

– Pourquoi ?

– C'est un ordre.

– Oui, mais pourquoi ?

– Parce que, si ce n'est pas fait dans une heure, je la range moi-même.

– Une heure, je le crois pas.

– À tes risques et périls.

Plutôt nettoyer par terre avec un Coton-Tige que de la laisser fourrer le nez dans mes affaires. Ma mère est d'une curiosité maladive. C'est déplorable mais c'est comme ça. Tous les prétextes sont bons pour fouiller dans la vie privée des gens qui l'entourent.

– Tu appelles ça une chambre rangée ?

– C'est mon idée du rangement et jusqu'ici c'est ma chambre.

– Et sous ton lit ? Les miettes ? Le bol de céréales ? Le pot de yaourt en train de moisir ? Les assiettes sales ? Tu veux attirer les souris ?

– C'est pas de ma faute si j'ai tout le temps faim…

Je ne peux même pas me nourrir tranquillement, il faut qu'on surveille tout ce que j'avale. Je regrette ma vie chez mes grands-parents. Ce n'est pas Mamie qui aurait inspecté sous mon lit. Elle se contentait de faire un peu de ménage quand j'étais au collège et personne ne passait des heures à discuter là-dessus. Ma mère n'a aucun sens de la discrétion. Ni de l'intimité. Ni de rien. Ma mère n'a aucun sens de rien et j'ai tout le temps faim.

4 octobre

Épidémie de grossesses sur le secteur. La prof de français en a chopé une. Et sévère. Elle est arrêtée à perte de vue. Nous avons touché un remplaçant. La personne répond au doux nom de Couette (Sébastien). Couette, inutile d'en rajouter. Ils le font exprès pour décourager les surnoms. Ce Couette est bourré d'ambition. Il a déjà filé un bouquin à lire. Aucune chance qu'il tombe enceinte, malheureusement.

5 octobre

J'ai envie de manger. Je suis déprimée. Ou l'inverse. La boulimie, probablement. Tout le monde ne peut pas être anorexique. Encore un symptôme. Je suis pourrie de symptômes. À ce rythme-là, je vais mourir avant d'avoir le bac. Des fois, je me colle le cafard toute seule. C'est trop moche de partir avant d'avoir vingt ans. Ils seront tous bien punis de ne pas avoir profité de ma présence tant que j'étais là. Mais il sera trop tard pour gémir. Je n'avais pas que des défauts. Eh oui, les gars, il fallait y penser avant. Penser à la mort me déprime. Penser à l'enterrement me remonte le moral.

6 octobre

Rien dans le frigo. Rien sous mon lit. Rien nulle part. Qu'on ne compte pas sur moi pour manger les pommes qui traînent dans la corbeille depuis une semaine. Elles sont fripées. Je ne suis pas une souris.

Si je ne devais pas lire ce livre, j'aurais moins faim. Ça m'angoisse trop, de devoir lire. Je n'arrive pas à me souvenir des phrases. D'ailleurs, je n'arrive même pas à me souvenir du titre. Il faut que je regarde la couverture. Je ferme le bouquin, du coup je perds ma page et je passe des heures à chercher où j'en étais. Trop de temps perdu. « Madame de La Fayette ». On n'a pas idée de choisir un titre aussi bête. Surtout qu'on ne l'a pas encore vue, celle-là. Ou alors, elle est cachée sous un autre nom. C'est possible après tout. Avec les bouquins, on ne sait jamais. C'est l'auteur qui décide. Il peut faire n'importe quoi. Vu qu'il est mort, il se moque de ce que pensent les gens. Je devrais en écrire, des livres. Ça me vengerait. Vengeance posthume mais vengeance quand même.

J'en suis à la page quarante-trois. Toujours pas de trace de Madame de Machin Chose. On dirait *Où est Charlie ?* sans les images. Où es-tu La Fayette, par pitié ? J'ai faim. J'ai atrocement faim. Qui peut faire une fiche de lecture sur un bouquin dont le personnage principal a été enlevé ? Encore deux heures avant le dîner. Je lis. Je suis en train de bousiller deux heures de ma vie. Tu m'entends, La Fayette ?

8 octobre

Bon. Je peux tout recommencer. La Fayette n'existe pas. C'est l'auteur. Le truc s'appelle La Princesse de Clèves.

C'est malin de mettre l'auteur en gros sur la couverture. Tout le monde croit que c'est le titre. Franchement, entre la princesse de Clèves et Madame de La Fayette, difficile de savoir qui fait quoi. J'aurais dû me renseigner avant. Il y a des milliers de sites. Mine de rien, avec son vieux titre, le bouquin a l'air assez connu. Ce prof de français ne s'est pas fichu de nous. Quitte à lire un livre, les gens aiment autant que ce soit un livre célèbre. Au moins, ils ont l'impression de participer. À quoi, on ne sait pas. Mais enfin, c'est toujours agréable de participer. Maintenant que j'ai les sites avec résumé complet, je vais pouvoir me dispenser du mot à mot. Les phrases sont trop longues. Arrivée au bout, j'ai oublié le début. À la fin, je confonds tout. J'ai même du mal à faire la différence entre les hommes et les femmes, ils s'appellent tous pareil. Personne n'a de prénom là-dedans.

Sans compter que je ne peux pas croire qu'une fille de seize ans qui se marie avec un vieux type désolant multiplie les chichis pour ne pas dire qu'elle l'aime à un type de son âge, beau, riche, blindé de relations, et qui l'adore par-dessus le marché. C'est de la science-fiction. Et devinez ce qu'elle trouve, cette gourde, pour se simplifier l'existence ? Elle demande conseil à sa mère. Là, ça devient carrément rocambolesque. Sa mère… On nage en pleine fantaisie. Qu'on ne compte pas sur moi pour lire le truc en entier. J'ai du mal à supporter Lola quand elle est en crise, ce n'est pas pour me taper Clèves, homme, femme ou petit ami.

Sa mère. On croit rêver.

9 octobre

Même le résumé est gavant. Je t'aime, tu m'aimes, nous nous aimons mais notre amour est impossible parce que mon mari n'est pas d'accord, et je ne te parle pas de ma mère. Embrouille sur embrouille et tout ça pour qu'elle meure à la fin. *Secret Story* en pire. Je n'en peux plus. Quand est-ce qu'on mange ?

Du poisson au four. Qu'est-ce que j'ai fait de mal ? Des éponges beiges barbotant dans une sauce à la farine. Même les boulimiques ont des principes. De toute façon, Sophie m'a coupé l'appétit. Elle soutient qu'elle a lu *La Princesse de Clèves* pendant les vacances. Je répète : « pendant les vacances ». Bizarrement, personne n'en avait entendu parler jusque-là. Il suffit que je m'exprime pour qu'elle la ramène. Quoi que je fasse, il faut qu'elle l'ait déjà fait, avant, en mieux. M'écraser, c'est son moteur dans la vie. Vas-y, Sophie, j'aime me sentir utile.

Mon père fait les nuits pendant quinze jours. Vivement qu'il soit de repos. Ça m'étonnerait qu'on ose lui servir du poisson au four pour le dîner.

10 octobre

Célianthe adore le bouquin. Sacrée Célianthe. Dans quel monde vis-tu ?

11 octobre

Areski a trouvé un nom pour le groupe. Blanche-Neige et les sept nains. Ce n'est pas que ça m'ennuie de faire Blanche-Neige, mais les garçons ne sont que six. Donc, inutile d'y penser plus longtemps, voilà ce que j'ai dit. Mais justement, a répondu Areski, c'est comme pour les trois mousquetaires. C'est un clin d'œil. Un clin d'œil ?

– Je ne vois même pas de quoi tu parles.

– Des trois mousquetaires.

– Et alors ?

– Ils étaient quatre.

– Comment tu le sais ?

– Tu n'as pas lu le livre ?

– Quel livre ?

– *Les Trois Mousquetaires*, bien sûr.

– C'est le titre ?

– Ben oui, c'est le titre. Qu'est-ce que tu veux que ce soit ?

– Je ne sais pas, moi… Les auteurs ?

J'en ai plein le dos, de tous ces bouquins que je ne connais pas.

Areski était mort de rire. Il a raconté l'histoire aux autres nains au fur et à mesure qu'ils arrivaient de la mine. Et tous les nains de se gausser joyeusement. Visiblement, c'était leur meilleure blague depuis longtemps. La vie du nain n'est pas drôle tous les jours. Résultat : le groupe s'appelle Blanche-Neige, et pour les nains, les gens compteront eux-mêmes. Navrant. Après la franche rigolade, j'étais tellement énervée que je me suis cassé la voix à brailler dans le micro. À la fin de l'heure, les nains étaient terrorisés.

– Tu devrais faire gaffe à ta voix, m'a dit Tom.

– J'aime pas les filles qui marmonnent. Le genre petite berceuse sur sa petite guitare. Ça craint.

– Je suis d'accord. Moi aussi, j'aime quand ça donne. Mais économise-toi. Garde ta voix pour les concerts.

– Quoi, concert ?

– Concert, quoi. Quand on jouera en public.

En public. Les nains sont fantaisistes. S'ils espèrent que je vais me donner en spectacle, ils se fourrent le doigt dans l'œil jusqu'à l'épaule. Je vais avertir Areski. Jusque-là, on s'amuse bien. Mais faudrait pas qu'il se monte la tête.

12 octobre

Célianthe m'invite à déjeuner chez elle. Dimanche. Avec ses parents. Ils sont profs. Tous les deux. Les profs se marient entre eux. Comme n'importe quelle espèce après tout. Est-ce qu'on reproche aux canards de se mettre avec des canards ? Je me demande de quoi ils parlent à table. De bouquins, c'est à craindre. En tout cas, s'ils parlent en grec, je n'y vais pas. *Les Trois Mousquetaires* ont encore plus de sites que *La Princesse de Clèves*. Une vraie folie. Contrairement à son titre, l'auteur est tout seul, et cette fois il a un prénom. Dumas. Alexandre. Alexandre Dumas. Comme l'avenue. Le monde est petit, c'est dingue.

Sophie connaît les mousquetaires mais seulement de réputation. Il faut que je me dépêche de prendre le bouquin à la bibliothèque avant qu'elle le lise. Je suis l'aînée. J'ai la priorité.

14 octobre

Dimanche. Jour des cloches. J'aimerais bien aller à une messe, une fois, pour voir. Ce n'est pas parce que mes parents ne croient plus en rien que je n'ai pas le droit de me faire ma propre opinion. Si ça se trouve, je suis croyante en Dieu et je ne le sais pas. On me l'a injustement caché pendant toutes ces années. Du coup, je n'ai rien fait pour être en règle. Avec la chance que j'ai, quand je serai morte, j'irai brûler direct en enfer et je ne saurai même pas pourquoi.

15 octobre

Je suis entrée dans l'église qui est en haut de la rue, sur la place. J'adore la vieille odeur qu'il y a là-dedans. On se croirait dans une cave. Dieu sent le champignon, c'est déjà une information. Pour les séances, c'est le dimanche matin, à neuf heures et à onze heures et demie. Je vais prendre neuf heures. Si j'arrive à me lever. Ça me laissera le temps de décompresser avant mon invitation à déjeuner. On ne sait jamais ce qui peut se passer. Je pourrais avoir des émotions. Je pourrais voir Dieu, qui sait ? Ou un ange. Je suis très disponible. N'importe quoi avec des plumes fera l'affaire.

Invitation à déjeuner, quelle noble expression. On se croirait dans un livre.

16 octobre

J'ai croisé Lola dans le hall. Ses cheveux ont poussé. Ils lui tombent au milieu des omoplates. J'aimerais beaucoup en dire du mal, mais c'est malheureusement impossible. Ils sont brillants, souples et pleins de reflets. On dirait même qu'ils se sont multipliés. L'inverse de mes cheveux personnels qui se sont prudemment arrêtés de pousser à hauteur de mes oreilles. Pauvres petits cheveux. Ils ont peut-être le vertige. À la loterie capillaire, tout le monde n'a pas les mêmes chances, et moi j'ai la guigne. Je me demande si Dieu peut faire quelque chose au niveau des cheveux. Quand j'étais petite, Mamie racontait sans arrêt des histoires de miracles. C'était avant que mon père lui dise d'arrêter d'embobiner ses gosses. Aussitôt dit, aussitôt fait. Au revoir Jésus, bonjour dalaï-lama. Pas étonnant que je sois devenue une adolescente déboussolée.

– Ça va ? a fait Lola.

– Ça va. Et toi, ça va ?

– Ça va, ça va. Et toi ?

– Ça va aussi.

– C'est bien.

– Oui, c'est bien. Bien, bien.

Ensuite, plus rien. Dieu peut-il faire des miracles au niveau de la conversation ? Et, si oui, peut-on cumuler avec la multiplication des cheveux ?

17 octobre

Areski prétend que j'étais d'accord pour les concerts. Je réponds que c'était avant que je commence à chanter. Je ne savais pas ce que je disais. J'étais innocente. J'étais dingue.

– Mais alors, pourquoi tu répètes avec nous ?

– Parce que ça me plaît.

– Et tu crois que ça nous plaît, de répéter avec une fille qui refuse de sortir du studio ?

– On n'a qu'à faire des disques.

– Une vraie chanteuse, ça monte sur scène. C'est les actrices qui font semblant. Je crois qu'on va devoir te virer.

– Je crois que je vais devoir te mettre une claque.

– Vas-y. Essaie.

– Pour que tu me la rendes ? Pas question.

– Bon. Tu es virée.

– Qu'est-ce que vous allez faire sans moi ?

– En trouver une autre, qu'est-ce que tu crois ?

– Avec une aussi grosse voix ?

– Moins de voix mais plus de courage.

– Tu me traites de dégonflée ?

– Oui.

– Je ne suis pas une dégonflée.

– Alors, pourquoi ?

– Parce que j'ai peur. Rien que l'idée me donne envie de vomir.

– Qu'est-ce qui te donne le plus envie de vomir : ne plus jamais chanter ou monter sur scène ?

– Monter sur scène me donne envie de vomir. Ne plus chanter me donne envie de mourir.

– Alors c'est réglé. Tu vomiras dans les coulisses. Comme tout le monde.

– Tout le monde vomit ?

– Tu t'imagines que tu es la seule ? Pauvre nouille... Laisse tomber Blanche-Neige. Ton style, c'est Princesse au petit pois.

– Arrête de hurler... J'ai rien fait de mal, à la fin !

Après, il a fallu courir pour être à l'heure au studio. À force de me laisser brutaliser, j'étais à bout de nerfs. J'ai crié tout ce que je pouvais pour décompenser. L'avantage des cris, c'est qu'on ne comprend plus rien. Le carnage. Tout juste si on attrape un mot par-ci, par-là. Amour et Toujours résistent à tout. Le reste est littéralement explosé. Ce qui est un avantage énorme quand on pense à ce qu'écrit Tom. Un compost d'âneries. Si les nains veulent que je baisse d'un ton, il va falloir que ce type se contente de sa batterie. Pour les paroles, je me débrouillerai toute seule. C'est quand même moi qui les chante.

La Princesse au petit pois. Je fais Princesse, les nains font Petits Pois. Blanche-Neige ou Princesse ? J'hésite. Et maintenant j'ai faim. C'est à cause des petits pois. Je ne peux pas penser à la nourriture sans me mettre à baver. Comme un chien. Quelqu'un sait quel goût ça a, les croquettes ?

18 octobre

Je ne suis pas obligée de tout leur dire. J'ai droit à une vie privée, moi aussi. Mes croyances sont à moi. Je me demande ce que je vais pouvoir raconter aux parents pour expliquer que je sors de l'appartement un dimanche matin à neuf heures. Un jogging ?

19 octobre

– Le jogging maintenant ? a fait ma mère.

– Tu as quelque chose contre le sport ?

– Rien contre le sport en particulier. Mais je te rappelle que tu déjeunes chez ta copine. Et que tu as passé l'après-midi d'avant-hier avec tes musiciens… Je ne vois pas où tu prends le temps d'étudier. Je pensais qu'on travaillait un peu en seconde. Que les professeurs donnaient des leçons, des devoirs à rendre…

– Je te fais remarquer que je n'ai pas une seule note en dessous de la moyenne en maths.

– Et pas une note au-dessus en histoire-géo.

– Voilà ! Quand c'est bien, ça ne compte pas ! Tu ne vois que les choses négatives ! Jamais rien de positif dans ta vie…

– C'est toi qui me dis ça ! Toi ? Aurore ?

– Ben oui, moi Aurore. Pas moi Miraflette…

Ce genre de discussion ne sert rigoureusement à rien. Elle dit n'importe quoi pour me clouer le bec et elle se couvre de ridicule. J'ai préféré m'enfermer dans ma chambre. Qu'est-ce qu'elle veut exactement ? Que j'aie des bonnes notes partout ? Elle me prend pour qui ? Pour la fille de quelqu'un d'autre ? Pour me calmer, j'ai fait des exercices. Les maths, au moins, ça vide la tête. Pas trop de mots, et personne pour vous demander votre avis. Juste la démonstration, on sait le faire ou pas, et tout le monde est à égalité. Quand je pense que je dois écrire une fiche de lecture sur *La Princesse de Clèves*… Comme si j'étais intéressée. Si seulement je pouvais échanger les princesses. Clèves contre les petits pois.

20 octobre

J'en ai marre d'argumenter à perte de vue. Demain, je ne dis rien à personne, je sors sur la pointe des pieds. Dire qu'il faut se cacher pour aller à la messe… Je suis persécutée pour mes opinions. Et je vis dans l'appartement de la police. Quelqu'un devrait prendre ma défense. Il y des associations pour ça. Mais où ?

21 octobre

Après avoir trompé la surveillance familiale, je suis arrivée en retard à la séance de neuf heures. Pas un reproche. Les gens avaient l'air plutôt contents de voir quelqu'un de moins de cent ans se pointer dans leur petite église. Je me suis modestement glissée sur un banc et j'ai attendu qu'il se passe quelque chose. Mais non. Rien du tout. Du baratin. Côté croyance, c'est au point mort. Je ne vois pas beaucoup de différences entre une messe et un cours de géo : on attend que ça passe et on sort déprimé.

Chez moi, personne n'avait remarqué que j'étais sortie. Si j'étais enlevée par des extraterrestres, je me demande s'ils s'en rendraient compte. Et au bout de combien de temps. Une heure, un jour, un mois, un an. Jamais. Dans un sens, ma liberté est immense. Dans un autre sens, ma solitude aussi. Heureusement que j'ai des amis.

Célianthe avait l'air sincèrement contente de me voir arriver. Les nouveaux amis sont comme ça, enthousiastes. C'est plus tard que ça se gâte. On s'excite sur les gens et après on est déçu.

En dépit de leurs diplômes, les parents ont parlé normalement. Pas le moindre mot de grec ou de latin. À quoi bon se ruiner la vie à apprendre les langues anciennes, on se demande. Je me suis sentie à l'aise comme jamais. La vérité, c'est que j'ai fait l'objet de l'attention générale. Ce n'est pas chez moi que je suscite ce genre d'effet. J'ai répondu à des tonnes de questions indiscrètes, la profession de mes parents, le nombre de mes sœurs, enceintes ou pas, et mes passions dans l'existence. Je n'aurais jamais cru connaître un tel succès mondain en tant que fille de portier. Ces gens voulaient absolument tout savoir, et surtout les noms des célébrités qui dorment dans l'hôtel. On a beau parler grec, on n'en est pas moins homme. Au registre de mes passions, j'ai évité la nourriture et la messe, par respect pour les anorexiques et pour les non-croyants. Je me suis contentée de parler de la musique, et que le groupe s'appelait Blanche-Neige, et que j'allais écrire les paroles des chansons et même monter sur scène. Les parents me regardaient avec de gros yeux fascinés. Je ne pouvais plus m'arrêter de parler. J'étais devenue une fille vraiment originale et passionnante. Pouvoirs mystifiants de la musique.

J'étais toute seule à jacasser. C'était gênant à la fin. Pour garder la bonne ambiance, j'ai posé des questions aux parents sur leur métier, mais malheureusement je savais déjà tout, des profs j'en ai déjà vu, et de toute façon ça n'intéresse personne.

Quand je me suis levée pour partir, la mère de Célianthe est allée fouiller dans un tas de CD et elle en a sorti un qu'elle m'a tendu. Une belle voix... Aurore... ça devrait te plaire... Jeannette Jopline... (cette femme met des tonnes de points de suspension entre chaque mot, c'est son style). Jeannette Jopline. Avec un nom pareil, on peut toujours ouvrir un café dancing. Musette et falbalas. Merci quand même… vieille mère de Célianthe… toi et tes points de suspension mystérieux…

24 octobre

J'ai rendu ma fiche de lecture. Je n'ai pas vraiment recopié le résumé sur un site. On ne peut pas dire non plus que je n'ai rien recopié. J'ai un peu mélangé les différents styles. Pour le commentaire personnel, j'ai choisi de donner mon avis vraiment personnel plutôt que de le pomper, ce qui n'aurait pas été très difficile vu que les avis sur ce livre, ce n'est pas ce qui manque. Tout le monde a le sien, le problème étant que tout le monde a le même. En gros, le meilleur livre du monde, patin couffin. Incroyable ce que les gens sont impersonnels.

«J'ai eu beaucoup de mal à lire *La Princesse de Clèves*, et honnêtement je ne suis pas sûre d'avoir tout lu dans le détail. Je pense que ce livre est très intéressant pour une jeune fille qui est soit déjà mariée, soit amoureuse, soit très proche de sa mère, soit à la cour d'une famille royale, soit morte depuis plus de trois cents ans. Dans mon cas personnel, je suis vivante et ma famille n'est pas royale du tout, ni de près ni de loin. Par ailleurs, je me confie peu à ma mère, et je n'ai pas l'intention de le faire dans les siècles ni les millénaires qui viennent. Je n'ai jamais été mariée à un homme plus vieux que moi, ni plus jeune ni du même âge. Enfin, c'est le plus grave, je n'ai jamais été amoureuse. Jamais plus de deux jours en tout cas. Je suis d'accord avec vous pour dire que je manque de maturité, c'est sûr. Mais vu mes antécédents, et la longueur du livre qui est interminable, franchement, je ne peux pas avoir un avis très positif sur *La Princesse de Clèves*, qui est quand même la reine de l'embrouille et du ratage réunis. Le jour où je remplirai l'une des conditions nécessaires (mariage, amour, famille royale), je pense relire ce livre avec intérêt. On ne sait pas ce qui peut arriver dans la vie. On peut avoir des surprises. Grâce à ce cours, je sais maintenant qu'il existe un livre facile à trouver pour un prix raisonnable qui pourra m'éclairer sur mes sentiments (si jamais ils arrivent à ma connaissance). »

Pour la note, c'est difficile à prévoir. Mon avantage, c'est de dire la vérité. Mon handicap, c'est que la vérité ne vaut pas un clou. C'est la grosse différence entre le français et les maths. En français, je n'ai toujours pas compris ce qu'il fallait faire pour cartonner. J'y vais au pif et, résultat, je me plante.

26 octobre

Jeannette Jopline était une erreur d'audition. La personne s'appelle Janis Joplin. Janis Joplin. Je n'ai peut-être pas vu Dieu mais j'ai entendu Janis Joplin. Alléluia. Qui aurait fait confiance à la vieille mère de Célianthe ? Quand Janis chante, j'ai des frissons qui partent des ongles des orteils et remontent au centre de mon crâne. Pour l'instant, ma chanson préférée est *Summertime*. Je traduis : « Temps d'été ». Tonnerre de Dieu.

NOVEMBRE

L'amour, hélas, toujours

1er novembre

Jour des cimetières. Je voudrais que Janis Joplin ne soit pas morte. Je voudrais porter des fleurs géantes sur sa tombe. Au moins, j'aurais fait quelque chose de ma journée. Reste à trouver la tombe. Et probablement l'avion pour y aller.

Comment on peut faire ce qu'elle fait avec une simple voix, c'est l'énigme. À ce niveau de hurlement, n'importe quel organe normal explose en vol. Sauf le sien. Il monte encore. Et si Sophie entre encore une fois dans ma chambre pour me dire de baisser le son, je la tue. Impossible de se recueillir pieusement dans cet enfer.

3 novembre

Quand le bébé de Jessica naîtra, je lui ferai écouter Janis Joplin. Heureux bébé de Jessica, je suis la marraine idéale et tu ne le sais pas encore.

4 novembre

Quand je repense à mon dimanche chez Célianthe, j'ai une impression bizarre. Je me revois en train de pérorer telle une dinde. Personne ne me rembarre. Personne ne me remet à ma place. Et ces gens qui m'écoutent calmement, comme si j'étais un cas social. C'est louche. Si je pouvais rembobiner le film, je ne dirais pas un mot. Je ferais la gueule. Je chipoterais dans l'assiette. Je regarderais leurs millions de bouquins bien rangés sur les murs et je les détesterais. Tous ces trucs qu'il y a chez les gens. On se croirait chez Madame de La Fayette. Comment se fait-il que certaines personnes aient tous les bouquins, et tous les tableaux, et tous les CD, et que d'autres personnes n'en aient aucun ? Comment se fait-il que certaines personnes aient de très beaux appartements et d'autres des appartements très moches ? Je n'aimais pas ces gens. Jamais je n'aurais dû leur parler de ma musique. J'ai l'impression de l'avoir gâchée. Je vais copier le CD de Madame Célianthe et le lui rendre. Je n'en veux plus. Pourquoi ce n'est pas ma mère qui m'a présenté Janis Joplin ? Pourquoi ce ne sont jamais mes parents et toujours les parents des autres ? J'ai tiré des numéros pourris ou quoi ? Mais ça m'est bien égal. Je préfère les numéros pourris. Par ici, chers vieux numéros pourris, tout est pardonné. Je suis votre fille pourrie. Pourrie, mais solidaire.

5 novembre

– Ah oui, a remarqué ma mère. Janis Joplin. Tu te souviens, Dominique ?

– Ah oui, a répondu mon père. *Summertime*. C'était il y a un sacré bail.

– Ah oui, a soupiré ma mère, tu l'as dit. Maintenant, c'est Aurore qui l'écoute.

– Ah oui ? a fait mon père. C'est quand même marrant. Ce n'est pas sa génération. J'aurais cru qu'elle préférait Amy Winehouse.

– Ah non, j'ai dit. Certainement pas.

Qu'est-ce qu'on me veut avec cette histoire de génération ? J'ai demandé quelque chose à quelqu'un ? Et comment mon père a entendu parler d'Amy Winehouse, c'est la question.

Je n'aime pas mon époque. Je préfère celles des autres. Pas celle de Madame de La Fayette, qu'elle aille en enfer avec son vieux roi, sa vieille mère et son vieux mari. Celle de Janis Joplin. Ça m'aurait bien plu, d'être hippie au temps des hippies. Tout le monde sur la route avec une guitare et des fleurs dans les cheveux. Niveau cheveux, j'aurais eu un problème. Pas question d'y planter des fleurs. Même petites. Mais pour la route et la guitare, j'étais bonne. Ma vie est ratée. Pour une erreur de planning. C'est bête.

6 novembre

Rendu de la fiche de lecture. Note : Treize. Inespéré. Commentaire : « Amusant ». Mesquin. Ce prof de français ne se foule pas. Ce ne sont pas les corrections qui l'épuisent. Je me demande si treize porte malheur. Pour une fois que j'ai une bonne note, il aurait pu aller jusqu'à quatorze. Ça ne lui aurait pas foulé le poignet.

J'ai envie de sécher la messe. Neuf heures, c'est trop tôt. Onze heures, c'est trop tard. Et les gens sont trop vieux. Tout ça pour un type, personne ne sait s'il existe vraiment. Si seulement il faisait un petit effort de son côté, je serais prête à reconsidérer l'affaire. J'attends qu'il fasse un geste. Un seul petit miracle et j'y retourne, à la messe. C'est vrai, quoi, pourquoi ce serait toujours à moi de tout faire ?

7 novembre

On vient à peine de se débarrasser de *La Princesse de Clèves* qu'il faut déjà qu'on se tape un autre bouquin. À quoi bon faire des efforts ? Ça n'en finira donc jamais ?

Ils vont être drôlement déçus de ne pas me voir à l'église. Je me demande si je ne devrais pas y faire un tour, juste pour faire plaisir. Le problème avec ce truc, c'est que c'est toute la messe ou rien. Toute la messe, c'est trop. Ce sera donc rien. J'irai en enfer. Tant pis.

8 novembre

Tristan et Iseut. J'ai retourné le bouquin dans tous les sens. Pas de nom d'auteur. Du tout. Je me demande ce que la personne avait à se reprocher. En tout cas, le résultat est là. Auteur anonyme. C'est lâche.

9 novembre

Foin de temps perdu. Je suis allée direct au résumé. C'EST LA MÊME HISTOIRE. Elle est encore une fois mariée avec le vieux type et cette andouille tombe encore une fois raide dingue d'un autre. Je t'aime, tu m'aimes, non pas toi, l'autre, évidemment c'est le dawa, et toute l'affaire se termine en eau de boudin. Bien fait pour eux. Qu'ils arrêtent de se marier à tort et à travers. Ou alors qu'ils cessent d'être amoureux. Je n'ouvre même pas le bouquin. Que les gens se débrouillent, je ne tiens pas un courrier du cœur. Avec toutes ces bêtises, le cours de français me prend un temps fou. Par ailleurs, pour la fiche de lecture, je vais avoir du mal. J'ai déjà tout dit.

10 novembre

« Si tu m'aimais si fort
Que tu l'dis
Nous serions déjà loin
Mon amour
Si tu m'aimais si fort
Que tu l'dis
T'enverrais balader
Ta mère et ton mari. »

Les nains ne comprennent rien à mes paroles. Visiblement, à part *Les Trois Mousquetaires,* personne n'ouvre jamais un bouquin dans ce groupe. Areski m'a dit que je devrais écrire des trucs plus personnels. Je lui ai dit que j'allais réfléchir.

Lola m'a téléphoné. Elle veut savoir pourquoi je ne passe pas la voir, je ne l'appelle pas, je ne lui écris pas, même pas des mails, même pas des textos, même pas des cartes postales. C'est quand même marrant. Elle ne se manifeste jamais et elle attend mollement que ce soit moi qui fasse les premiers pas. Elle se prend pour Dieu ou quoi ?

11 novembre

Entrer dans l'appartement d'en face.

Glousser. Faire la bise au vieux père de Lola. Glousser. S'affaler sur le lit et allumer la télé. Glousser. Zapper. Glousser. Se relever pour voir s'il reste du Coca dans le frigo. Il en reste. Mais sans bulles. Glousser. Monde miraculeux de Lola. Paradis perdu de ma jeunesse. Je ne savais pas que j'étais si nostalgique. L'âge, probablement.

« Lola

Lola

Lola

Lola. »

En refrain, ça marche. Hurlé, ça marche très bien. Dommage que je ne puisse pas m'entraîner. Aux dernières nouvelles, j'empêcherais Sophie de travailler. N'importe quoi. Si Janis Joplin était née dans cette famille, elle aurait rangé les Caddie devant l'hyper toute sa vie.

12 novembre

Jessica est énorme. Elle rampe littéralement sur le ventre. La grossesse a changé ma sœur en gastéropode. Un véritable conte de fées. Il est à prévoir qu'elle va nous donner une quantité de petits Vladouch. Je suis la marraine potentielle d'une portée entière. Je vais devoir négocier avec Sophie. La moitié des mioches contre la moitié des médailles.

Ça me paraît loyal.

J'ai emprunté *Les Trois Mousquetaires*. Jamais vu un bouquin aussi gros. Le type s'est lâché. Visiblement, personne ne lui a dit que c'était trop long. Qu'on ne compte pas sur moi pour lire ça. Je n'ai qu'une vie.

13 novembre

J'ai rendu Janis Joplin à Célianthe. Chacun chez soi. Renseignement pris, Célianthe aime beaucoup *Tristan et Iseut*. Particulièrement l'épisode du philtre. Philtre. Quel philtre ? Même les résumés, je ne suis pas fichue de les lire en entier. Et qu'est-ce que c'est qu'un philtre, on aimerait le savoir.

14 novembre

J'ai relu le résumé. Bien obligée. Côté philtre, il s'agit en fait d'une potion magique. Jusque-là, ça va. Tout le monde a lu *Astérix*. Sauf qu'au Moyen Âge la potion rend fou d'amour. Merci du cadeau. Donc ce n'est pas parce que les gens sont beaux, jeunes et blindés de relations qu'ils s'aiment. Ils se sont bêtement empoisonnés à coups de philtre. Le pire dans l'affaire étant qu'ils ne l'ont même pas fait exprès. Le manque de bol absolu. Comme celui qui croit boire un grand verre d'eau et s'enfile un grand verre de vodka. Oubliez la vodka, mettez le philtre à la place, je veux dire à la place de l'eau, et vous avez *Tristan et Iseut*. Là où les choses se compliquent, c'est que le philtre périme. Au bout de trois ans. Comme une compote. Ensuite, il n'y a plus rien à comprendre. On ne sait pas très bien qui aime qui et à la fin tout le monde meurt. C'est gai. Pourquoi ce prof nous bombarde d'histoires d'amour ratées sous prétexte de cours de français, l'enquête est ouverte. Mon hypothèse : sa vie est misérable, personne ne veut de lui et, malédiction suprême, il s'appelle Couette. Couette. C'est drôle. Résultat : il se venge sur les jeunes qui sont influençables et privés de moyens de se défendre.

15 novembre

Si quelqu'un boit un grand verre de vodka à la place d'un grand verre d'eau, risque-t-il de tomber fou d'amour sans le faire exprès ? Mon avis est oui. Mais seulement pour trois heures. Fiche de lecture à rendre dans quinze jours. On ne va quand même pas nous obliger à lire un bouquin tous les mois… Il y a des lois dans ce pays. Protection de la jeunesse, harcèlement, actes de barbarie, quelque chose, quoi.

18 novembre

Déjeuner dominical dans notre appartement sans décoration culturelle.

Comme chaque dimanche, nous avons parlé de la gestation de Jessica qui va probablement accoucher d'un éléphant, que Dieu les bénisse tous les deux, la mère et l'éléphant. Comme chaque dimanche, la conversation a connu un ralentissement au niveau de la salade. Comme chaque dimanche, il a fallu dévier sur le domaine scolaire. Sophie a fait étalage de ses merveilleux succès et après, comme chaque dimanche, je me suis creusé la tête pour raconter quelque chose qui ne se retourne pas immédiatement contre moi. Vu que personne ne comprend rien aux maths, j'ai parlé du français. Bon choix. Mamie est surexcitée parce que je lis des livres. J'ai essayé de lui expliquer que je n'y étais pour rien, que j'étais obligée et que de toute façon je ne les lisais pas. Mais Maman a balancé que j'avais eu treize en avis personnel. Je ne pensais pas que ma mère s'intéressait à mes notes. Pas dans le détail. Je croyais qu'elle voulait juste que je sois au-dessus de la moyenne et peu importe la moyenne de quoi. Mais non. Ma mère porte un intérêt sincère à mes résultats. Avantage ou catastrophe, ça reste à voir. Emportée par l'enthousiasme familial, Sophie a tenu à préciser que j'avais emprunté *Les Trois Mousquetaires* à la bibliothèque. Je les avais complètement oubliés ceux-là. Il faut que je pense à les rendre sinon je vais finir par avoir une amende. Bref, Mamie était folle de joie sans qu'on sache très bien pourquoi. Elle a essayé d'intéresser ce vieux Papi à l'affaire. Elle hurlait TRISTAN ET ISEUT au-dessus du plateau à fromages, mais il n'a même pas levé la tête. Cette histoire médiévale nous a tenus jusqu'au café, il n'y avait plus aucun moyen de réduire ma grand-mère au silence. Ce philtre, on aurait juré qu'elle l'avait bu. Ou, vu son âge, qu'elle l'avait préparé. Jamais entendu personne s'exciter comme ça sur une histoire qui n'existe même pas. Ma grand-mère raffole de tout ce qui n'est pas prouvé scientifiquement, Dieu, philtre et le reste. À quand les petits hommes verts de l'espace ? Maman regardait sa mère avec des yeux épouvantés. Écouter sa propre mère parler d'amour à table. Pauvre Mère, je comprends ta souffrance. La prochaine fois, tu y réfléchiras à deux fois avant de claironner mes notes.

19 novembre
J'ai prêté mon CD personnel recopié de Janis Joplin à Lola. J'aurais dû me méfier. Elle préfère Amy Winehouse. Question de génération, je suppose. Je suis nostalgique de géné-

rations qui ne sont même pas les miennes. Apparemment, la nostalgie est ma nouvelle passion. Mon futur, c'est le passé.

Lola a beau appartenir à sa génération, elle ne sort plus avec personne. Depuis qu'elle a appris que Filleul-de-Rêve avait deux autres copines légitimes sans compter les autres qui sont secrètes, elle a décidé de ne plus croire en l'amour. Je lui ai dit de garder confiance. Un petit coup de philtre et hop, tout s'arrange.

20 novembre

La prof de maths ne vaut pas Ancelin, mais de toute façon le programme ne vaut pas grand-chose. J'y arrive. Je tourne autour de quatorze, quelquefois un peu plus, quelquefois un peu moins. Je suis devenue la fille bonne en maths. Les gens ne me regardent même plus de travers quand on rend les copies. Ils trouvent que c'est normal. La prof n'éprouve aucun sentiment particulier à mon égard, elle ne me déteste même pas. J'ai l'impression de vivre dans un monde parallèle. Peut-être que la classe entière est nulle. Peut-être que je suis mystifiée. Je devrais changer de classe, passer dans l'autre seconde, pour voir. Je ne peux pas vivre toute ma vie dans une hallucination.

21 novembre

En français, au moins, je nage en pleine réalité. Ça me rassure. Je suis nulle, je ne comprends rien, je ne vois même pas ce que je suis censée comprendre. Le français est la pure matière qui ne sert à rien. Même le grec peut servir à quelque chose, si on doit lire en urgence des bâtons gravés sur des morceaux d'argile. Mais le français ?

Une fois qu'on sait lire et écrire ? À quoi bon des fiches de lecture sur des bouquins qui ont six cents ans et dix mille sites ?

« Mon avis est que Tristan et Iseut n'ont pas de chance : à cause d'un philtre, ils connaissent tous les ennuis de l'amour sans en avoir les bénéfices, et leur vie est ruinée. À la fin, elle se termine par la mort, qui nous attend tous, amour ou pas, j'en ai bien conscience, mais c'est un autre sujet (pour la première ou la terminale, j'en ai peur). Comme expliqué dans ma précédente fiche de lecture, mon expérience personnelle ne me permet pas d'apprécier ce livre à sa juste valeur. Je dirais même que *Tristan et Iseut* est un livre répulsif pour ceux qui envisagent d'être amoureux. Comme dit ma mère : le malheur est près des gens. Pour être franche, j'avoue que ma grand-mère est fanatique de ce livre. Difficile à comprendre quand on sait qu'elle est mariée à mon grand-père depuis très longtemps et qu'ils n'ont jamais divorcé. Mon sentiment est que tout dépend des générations. Pour les générations âgées, qui ont eu l'habitude d'une vie difficile et parfois même de la guerre, l'amour est un bon divertissement, même s'il est risqué. Nos ancêtres ont l'habitude des drogues, du tabac et de la conduite à grande vitesse sous l'emprise de l'alcool. Ils sont donc peu impressionnés par les dangers de l'amour. Pour nos générations, qui ont leurs propres soucis, et notamment les pandémies à caractère sexuel, la ruine de la planète et les guerres ethniques, l'amour nous concerne moins. C'est ce qu'on appelle le fossé entre les générations.

J'ajoute que, dans mon cas personnel, le philtre me fait

penser à la drogue des boîtes de nuit qui fait perdre conscience aux victimes, suite à quoi elles sont dépouillées et parfois violées. Je me demande ce qui vous pousse à nous donner ces livres, qui sont dans l'ensemble très décourageants sous le rapport de l'avenir. Peut-être voulez-vous nous avertir de ne pas accepter de verres pleins offerts par des inconnus dans des boîtes de nuit. Mais nous sommes déjà au courant, merci. Comme vous le constatez, *Tristan et Iseut*, ce livre moyenâgeux, m'a amenée à me poser de nombreuses questions. Je pense donc que la lecture est une expérience positive même si elle n'est pas à renouveler tous les mois.

Pour conclure, je ne peux pas m'empêcher de me demander ce qui arriverait si un professeur de français partageait le philtre sans le faire exprès avec une élève de seconde. Tout le monde serait dans le pétrin et il y aurait matière à un nouveau livre. En souhaitant que ma fiche de lecture vous ait plu, je vous prie de ne pas me mettre un treize. Ce n'est pas la chance qui m'étouffe, inutile d'en rajouter. »

J'attends la note.

22 novembre

Alerte rouge au bébé. Jessica a passé la nuit à l'hôpital pour ne pas accoucher. Elle est rentrée chez elle encore plus enceinte qu'avant, si c'est possible. Cet hôpital est nul.

23 novembre

« Le philtre
Le philtre

Ça met du vent dans les élytres. »

Élytres ? Dans mon souvenir, je vois vaguement passer des ailes de coccinelle. Une remontée du cours de SVT. C'est fou tout ce qu'on retient du collège, surtout quand ça ne sert à rien.

24 novembre

Il faut que quelqu'un dise à ce bébé d'arrêter de grossir. On a remarqué qu'il était déjà bien gros, inutile qu'il continue à faire le malin. Curieusement, personne n'a l'air de se faire de souci pour la mère. Il n'y en a plus que pour son futur bébé géant. Ma sœur peut grossir jusqu'à l'explosion, le public trouve ça très bien. Et moi, je suis super énervée par des trucs qui ne me concernent même pas. La grossesse me tape sur les nerfs.

25 novembre

Je n'arrête pas de rêver que le prof de français verse des philtres dans mes verres de jus d'orange. Je refuse de boire et, résultat, je me réveille morte de soif. J'en ai marre.

26 novembre

« Pas d'amant
Pas d'enfant
J'suis la fille qui vit sans
La fille qui se suffit
De sa vie.
Autrefois j'avais des ambitions
Un mec, un boulot, une maison

J'me suis fait une raison
J'me débrouille sans passion.
Pas d'argent
Pas de talent
J'suis la fille qui vit sans
La fille qui s'arrange
De ce qui dérange.
J'vis ma vie sans entrain
Aujourd'hui ressemble à demain
Et demain ressemble à hier
Mes jours sont tous frères.
Pas d'amant
Pas d'enfant
J'suis la fille qui vit sans
La fille qui s'ennuie
Dans sa vie. »

Je crois que je m'améliore. J'ai même une mélodie dans la tête. Je me demande ce qu'Areski en pensera. À nous la gloire, la fortune et l'adoration des foules. À nous les pages des magazines et la vraie vie des stars.

27 novembre

Couette ne m'a pas donné de note pour ma fiche de lecture. Juste un commentaire : « À refaire. » Moi aussi, je veux bien m'y coller, aux corrections de copies. Ce sera toujours plus vite expédié que d'écrire des fiches de lecture. À la fin du cours, je suis allée à son bureau pour avoir une petite explication. Il paraît que je parle trop de moi et pas assez du livre. J'ai poliment fait remarquer qu'il nous avait demandé un avis personnel. J'ai bien insisté sur le mot «personnel» et il a levé les yeux au ciel.

– Je vous demande de me donner un avis qui ne soit pas entièrement emprunté à un écran d'ordinateur. Voilà ce que j'entends par «personnel». Personne n'attend de vous un extrait de votre journal intime.

– Pourtant vous m'aviez donné une bonne note pour l'autre livre, le premier…

– *La Princesse de Clèves ?*

– Oui, c'est ça, Clèves. Vous aviez écrit que c'était amusant.

– C'est vrai. Je n'aurais pas dû. Il faut que vous appreniez à composer un texte qui ne soit pas qu'amusant. C'est dans votre intérêt, Aurore.

– Merci et je m'en souviendrai. Mais, pour cette fois, je préférerais avoir une mauvaise note et ne pas refaire la fiche.

Il m'a regardée avec une sorte de tristesse dans les yeux.

– Ça vous ennuie tellement ?

– Encore pire que ça, monsieur. Vous ne pouvez même pas vous imaginer…

Il a secoué la tête. Toujours son vieil air navré.

– Je m'en voudrais de vous fâcher définitivement avec la lecture. Je vous accorde un neuf, ce qui est bien payé. Mais, à l'avenir, vous êtes priée de faire un effort pour me parler du livre, et pas de vos états d'âme. Neuf, ça vous va ?

Je n'en revenais pas, d'être en train de négocier avec un prof de français démissionnaire. J'ai dit oui. Il a inscrit un gros 9 sur ma feuille, il a rangé son crayon dans son cartable et il m'a souri.

– N'hésitez pas à venir me demander conseil à la fin du cours. Vous avez un potentiel. Je serais content de vous aider à progresser.

Je ne sais pas quel genre de philtre on sert aux profs de français mais visiblement celui-là s'est tapé la bouteille. Il avait l'air tellement gentil et faible que j'ai eu peur pour lui. J'ai eu envie de lui dire de faire gaffe, que son autorité était fragile, ses élèves cruels, et que les notes ne se discutaient pas. Mais j'ai pensé qu'il allait penser que j'étais amoureuse de lui rapport au philtre, et j'ai laissé tomber. Maintenant, je me sens bizarre. Toutes ces histoires de bouquins, à la fin, ça me porte sur le système.

28 novembre

Neuf et treize, vingt-deux. Divisé par deux, onze. Je suis encore dans la moyenne. Sois béni car je te porte dans mon cœur, cher vieux Couette tendre et mou.

30 novembre

Pourvu que je ne tombe pas philtrement amoureuse de mon prof de français. Ce serait ridicule. Pourvu qu'il ne tombe pas philtrement amoureux de moi. Ce serait illégal.

DÉCEMBRE

Divers miracles de fin d'année

1er décembre
Areski veut bien de ma chanson. Il la trouve marrante. Marrante. Incorrigible Areski. Tom trouve qu'elle est nulle. Je me fiche pas mal de ce qu'il pense. Tom, sa batterie assourdissante, ses paroles crétinisantes.

2 décembre

– Ça suffit, m'a dit ma grand-mère. J'en ai assez de t'entendre gémir à longueur de temps.

C'était malhonnête de sa part parce que j'étais dans sa voiture, que le compteur était à quatre-vingts, et que je ne pouvais pas ouvrir la porte pour descendre.

– Fais gaffe, j'ai dit, tu dépasses la limitation de vitesse.

Elle devait avoir un problème d'audition, ou de nerfs, on ne sait pas, parce qu'elle a accéléré. À fond.

– Tu n'arrêtes pas de te plaindre. Et c'est limité à cent dix.

– Excuse-moi, j'ai pas le permis. Mais ça n'empêche que tu roules vite.

– C'est ma voiture.

– Oui, mais c'est ma vie.

– Tais-toi.

– D'accord.

Elle m'a lancé un regard en coin. J'ai pensé qu'elle ferait mieux de regarder la route, surtout à cette vitesse, mais je n'ai rien dit.

– Qu'est-ce qui ne va pas, une fois de plus ?

– Je peux parler, maintenant ?

– Quand je te donne la parole, oui.

– J'aime pas décembre.

– Parce que tu aimes janvier ? Novembre ? Ou même juillet ? Réponds. Tu aimes juillet ?

– Non. Mais décembre est pire. C'est décembre que je déteste en premier. Il fait nuit, il fait froid, il pleut, on a le premier bulletin de l'année, les vacances sont nulles. En plus, les fêtes sont obligatoires, Noël, le Nouvel An, ça me fout le cafard quand j'y pense.

– Reste polie, s'il te plaît. Et si tu essayais de changer ta manière de voir les choses ? Si tu faisais un tout petit effort pour prendre la vie du bon côté ?

– Comme Sophie ?

– Pourquoi pas ?

J'ai arrêté de lui parler. Net. J'ai regardé la route. Si ma grand-mère préfère Sophie, qu'elle emmène Sophie faire des tours en voiture. Si c'est pour m'assommer de reproches, ce n'est pas la peine de me sortir. Je déprime très bien toute seule dans ma chambre. Là, au moins, aucune vieille conductrice dépassée par ses nerfs ne joue avec ma vie.

Je la déteste. Je la déteste. Je la déteste.

J'ai retourné le dalaï-lama contre le mur. Demain, je le décroche. Qu'ils aillent tous périr au Tibet, lui, ma grand-mère et Sophie.

3 décembre

Tout le monde me rejette, même ma grand-mère qui était ma seule alliée dans la vie. Très bien. Puisque c'est ce qu'ils veulent tous, je vais les faire, les efforts. Je vais prendre le truc du bon côté. Plus personne ne pourra rien me reprocher et ils seront bien attrapés. J'ai remis le dalaï-lama côté face et j'ai observé son sourire à fond. Je veux le même.

Je suis gentille. Je suis gentille. Je suis gentille.

4 décembre

Première soirée de la gentillesse. Je suis exténuée. Si j'oublie d'y penser une seconde, je redeviens normale et tous mes efforts sont ruinés d'un coup. Être gentille, c'est à plein temps. Alors qu'il suffit d'un instant pour être vraiment immonde.

Pour commencer, je ne suis pas sortie de ma chambre avant l'heure du dîner. Le bon calcul. Tant que je ne vois personne, je ne risque pas de me planter. J'ai fait les exos de maths pour me vider la tête et ensuite j'ai souri devant ma glace avec des airs incroyablement gentils, en mettant ma tête sur le côté (gentillesse tendre), en haussant les sourcils (gentillesse étonnée), en posant mon menton dans les mains (gentillesse attentive). Entre deux sourires, je faisais des grimaces pour me détendre le visage. À force de gentillesse, je vais finir atrocement ridée à vingt-cinq ans. Ensuite, je suis sortie de ma chambre et j'ai foncé à la cuisine pour être un peu gentille avec ma mère. Elle était en train de glisser dans le four son vieux plat à gratin rempli de vieilles nouilles d'hier mélangées à des morceaux de champignons et des lardons sous vide.

– Hum, j'ai fait, ça a l'air délicieux.

Elle s'est relevée si brusquement que j'ai cru qu'elle allait s'ouvrir le front sur la porte du four.

– Bonsoir, Maman. Tu as l'air fatiguée. Tu as passé une bonne journée ?

– Aurore ?

Visiblement, elle était déstabilisée par mon assaut de gentillesse. Je n'ai pas voulu ajouter à son désarroi en restant trop longtemps dans la cuisine. Je suis sortie avec une grande impression de légèreté.

– Je vais mettre la table.

– Aurore ? a répété Maman.

Elle était sous le choc. J'ai mis la table avec une gentillesse inouïe, pas seulement assiettes, verres, couverts, mais aussi pain, sel, serviettes de table, carafe d'eau et dessous-de-plat. La table complète, quoi.

Sophie est arrivée et m'a regardée faire avec une sorte d'ahurissement.

– Alors, Sophie, ai-je dit joyeusement, alors, alors…

Le problème avec Sophie est que je peux lui parler avec une voix pleine d'entrain mais que je ne sais absolument pas quoi lui dire. Je n'ai aucune question à lui poser, je me fiche de ce qui lui arrive, et elle m'ennuie. J'ai donc continué à chantonner affectueusement.

– Alors, alors… Alors, alors…

– Tu mets la table ?

– Comme tu vois.

J'ai retenu de justesse « espèce de gourde », qui venait pourtant naturellement dans la phrase. À la place, j'ai pincé les lèvres sur un sourire complice. Sophie s'est immédiatement réfugiée à la cuisine. Ma première récompense était donc un isolement complet. Je n'en attendais pas tant. Par chance, la clé a tourné dans la serrure, et mon père est entré. Je me suis jetée sur lui et je lui ai arraché son blouson des mains pour l'accrocher moi-même au portemanteau.

– Comment vas-tu, mon petit Papa ?

Il m'a lancé un regard plein de soupçons.

– Toi, tu as quelque chose à te faire pardonner...

– Eh non, Papa chéri. Ce soir, c'est de la gentillesse gratuite.

– C'est louche. Je me demande si je ne préfère pas la gentillesse payante.

J'aurais pu mal le prendre. Mais la gentillesse est un sport d'endurance. J'ai eu un petit ricanement, comme s'il venait de faire une excellente blague, et j'ai essuyé une trace de poussière sur l'épaule du blouson.

J'ai gardé mon sourire tout le repas, ce qui n'était pas gagné d'avance. Essayez de mastiquer des nouilles sèches agglomérées à des champignons en caoutchouc, le tout en gardant l'œil rieur et les coins de la bouche relevés. Essayez. Pour voir. Sophie avait un immense bouton sur le nez mais je n'ai fait aucun commentaire. J'ai fixé le bouton d'un air bonasse.

– Arrête de me regarder comme ça, a dit Sophie. Tu m'énerves à la fin.

Pure provocation. Je me suis bien gardée de répondre. J'ai porté mon air bonasse sur le plat à gratin.

– Elles sont délicieuses, ces nouilles, ai-je dit. C'est une bonne idée, les champignons.

Et là, victoire ! Victoire entière, absolue, triomphale ! Maman a menacé Sophie de sa fourchette :

– Sois un peu plus aimable avec ta sœur. Elle ne t'a rien fait, pour une fois.

Sophie a baissé le nez sur son assiette. J'en ai profité pour porter le coup fatal.

– C'est rien, maman. C'est l'adolescence.

Même pas besoin de parler du bouton…

Sitôt la dernière nouille déglutie, j'ai laissé ma méchante sœur Sophie débarrasser. Je me suis repliée dans ma chambre et j'ai retourné le dalaï-lama contre le mur. Lui et son atroce sourire éternel.

Demain, je téléphone à Jessica pour prendre de ses nouvelles. Elle va être stupéfaite. Avec un peu de chance, elle va accoucher.

5 décembre

– Allô, Jessica ?

– Aurore ?

Elles veulent me rendre dingue à répéter mon prénom sans arrêt comme si elles le prononçaient pour la première fois.

– Oui.

Silence. Symptôme familial de l'ahurissement.

– Qu'est-ce qui se passe ?

Il suffit que je sois gentille pour qu'on pense que la fin du monde est arrivée.

– Rien. C'est juste pour te dire bonjour.

– Alors bonjour.

Et puis plus rien. Ma sœur aînée est atrocement désagréable. C'est génétique ou quoi ?

– Ça va ?

– Oui.

– Et le gros futur bébé ?

– Ça va. Il passe son temps à me bombarder de coups de pied.

Des coups de pied. Même ce futur bébé est infesté de méchanceté. C'est génétique, c'est clair.

6 décembre

Depuis le temps qu'elle est enceinte, ce bébé aurait dû naître dix fois. Ma sœur n'accouchera peut-être jamais. Cet enfant va passer des années dans son ventre. Quand il naîtra, il aura des dents, des cheveux et un cartable à bretelles. Je serai la marraine du plus vieux bébé du monde.

Dans le cadre du festival de la gentillesse, il est temps que je m'occupe d'acheter des cadeaux de Noël. Je pense à un livre de recettes pour ma mère. Elle pourra s'accomplir dans la cuisine et son entourage en profitera. Ce sera de la gentillesse à rebondissements.

10 décembre

Tout le monde espérait passer des vacances tranquilles. C'était compter sans le cours de français. Le prof est faible mais il est obstiné. Il me rappelle un cours de SVT. Sur le milieu marin. Les invertébrés. Très mous mais très solides. Ce type a la puissance des mollusques. J'aime bien la SVT. Dommage qu'il faille apprendre tous ces trucs par cœur. Parce que, au départ, c'était intéressant.

La mauvaise nouvelle, c'est qu'on doit lire un autre bouquin pour la rentrée. *Roméo et Juliette.*

J'avais déjà entendu l'expression mais je ne savais pas qu'elle venait d'un livre. Bref, *Roméo et Juliette*, c'est le titre. Le bon côté du bouquin, c'est qu'il s'agit d'une pièce de théâtre. Zéro description et autres fariboles psychologiques. Et vu que les noms sont écrits sans arrêt avec des interlignes partout, il y a moins à lire.

Pour l'auteur, c'est un Anglais (le texte est en français, mais c'est tellement bien écrit qu'on a l'impression de lire de l'anglais, on ne comprend rien). À part son nom que personne n'arrivera jamais à écrire correctement, il n'y a pas grand-chose à savoir. Aux dernières nouvelles, il paraît qu'il n'existerait même pas. Ce serait un autre type inconnu qui aurait écrit toutes ses pièces. Véridique. Après les anonymes qui écrivent des bouquins, c'est le tour des inconnus. N'importe quoi.

Roméo et Juliette est un vieux livre, on dirait que nous sommes abonnés aux vieilleries, cette année. Au moins, ma vieille grand-mère aura des trucs à en dire. Pour la fiche de lecture, je vais essayer de ne rien penser de personnel. J'ai compris le truc. Cette fois, je garde mes réflexions pour moi.

Célianthe m'a juré qu'il existait un film.

– Au moins un, a-t-elle dit. Je vais demander à mes parents.

Évidemment, ce ne sont pas mes parents qui connaissent la filmographie complète de *Roméo et Juliette*. Tout le monde n'a pas des parents dans la branche.

11 décembre

– Ah oui, a dit ma mère. *Roméo et Juliette*. Tu te souviens, Dominique ?

– Ah oui, a répondu mon père. Il y avait ce film. Avec ce type, l'acteur de *Titanic*...

– Ah oui, attends... a fait ma mère. Leonardo DiCaprio ?

– Ah oui, c'est ça ! Avec Claire Danes, non ?

– Ah oui, Claire Danes. C'était romantique, non ?

– Ah oui, très romantique, a approuvé mon père avec un hochement de tête. Une histoire de gamins qui s'aiment. Ça pourrait plaire à Aurore.

Ma mère m'a regardée fixement.

– Je ne sais pas.

Apparemment, tout le monde a le droit d'être romantique sauf moi. Pour moi, ce sera *Massacre à la tronçonneuse*

N'empêche que mes parents connaissent *Roméo et Juliette*, le film. Ils savent même les noms des acteurs. Mes parents ont une vie culturelle secrète.

J'ai cherché à dire quelque chose pour me montrer gentille.

– Vous savez plein de trucs, tous les deux. C'est cool. Très cool.

C'est tout ce que j'ai trouvé. Mais je l'ai dit avec tellement de conviction qu'ils en sont restés muets. Il est là, le ressort de la vraie gentillesse : faire plaisir. La gentillesse se mesure à ses effets immédiats. Entre l'aimable gentillesse et la pure hypocrisie, la frontière est assez floue.

12 décembre

Vérification expérimentale de la théorie de la gentillesse.

– Tu es très jolie ce soir, Maman. Tu as changé quelque chose à ton maquillage ?

– Quelle chance d'avoir un aussi beau papa ! C'est une nouvelle chemise ?

– Ces boucles d'oreilles sont ravissantes, Sophie. Elles éclairent la couleur de tes yeux.

Ravissement général ou presque.

– Je ne suis pas maquillée, ma chérie. Je me sens assez en forme aujourd'hui, c'est tout.

– Cette chemise ? C'était un cadeau de ta mère pour mon anniversaire. Je devrais la mettre plus souvent.

– Si c'est pour que je te les prête, c'est non tout de suite. Si tu veux des boucles d'oreilles, tu te les achètes.

Ma famille est sous le charme. À part Sophie qui est rétive à toute forme de gentillesse. De toute façon, ses lunettes sont tellement épaisses que personne ne peut deviner la couleur de ses yeux sous les verres. Elle pourrait s'accrocher des poêles à frire aux oreilles, ça n'y changerait rien.

J'ai fait un tour sur l'ordi. À la surprise générale, Roméo et Juliette tombent malencontreusement très amoureux l'un de l'autre. À la stupéfaction générale, cet amour est impossible et ils se mettent la famille à dos avec leurs histoires. À la consternation générale, ils meurent à la fin. En bonus : le philtre calamiteux. Ma conclusion : lisez un livre et vous les avez tous lus.

13 décembre

J'en ai discuté avec Célianthe et Jabourdeau. Célianthe croit que c'est exprès. Le prof choisit volontairement des livres qui parlent d'amour parce qu'il pense que le sujet nous intéresse. L'amour est la pilule qui fait passer le livre. Et pourquoi serions-nous intéressés par l'amour ? Pourquoi nous ? Les anonymes et les inconnus n'ont pas écrit leurs bouquins pour les secondes générales, que je sache. La vérité est que ce prof pense que nous sommes des adolescents débordés par nos hormones, et que nous avons une paire de fesses à la place du cerveau. C'est de la discrimination. Voilà ce que j'ai dit à Célianthe. Elle m'a regardée d'un air bizarre. Puis elle a reconnu que j'avais raison. Jabourdeau pense juste que le prof est maboul. Je pense qu'il a raison.

14 décembre

Opération cadeaux : et d'un. Le livre s'appelle *La Cuisine des fauchés* et effectivement il ne coûtait pas cher. Pour une famille qui ne roule pas sur l'or, c'est l'idéal. Et comme ça ma mère n'aura plus à nous demander tous les matins ce qu'elle pourrait bien faire à manger le soir.

J'aurais bien aimé offrir une chemise à mon père, mais visiblement il n'existe pas de « Chemise des fauchés ».

Le moindre bout de tissu atteint des prix mirobolants. On se demande où les gens trouvent l'argent de s'habiller. En prenant sur les repas du soir, je présume. Je vais lui acheter un grattoir pour la tête. Économique et marrant. Ça ressemble à une araignée avec de très longues pattes flexibles et c'est prouvé, j'ai essayé, ça gratte la tête. Tout le monde aime qu'on lui gratte la tête. Mon père ne peut pas être le seul mammifère au monde à mépriser un petit grattage du cuir chevelu.

Je vais offrir des boucles d'oreilles à Sophie. Puisqu'elle a l'air d'aimer ça. Cette punaise.

Quant à Jessica, son affreux mari et son futur bébé géant, je penche pour le cadeau commun. Reste à savoir lequel. Et à espérer que cet enfant se décidera à naître un jour.

Pour mes grands-parents, j'y penserai plus tard. J'ai encore quelques jours devant moi.

15 décembre

Noël, c'est à vie. Je pense au gosse qui rassemble ses trois sous d'argent de poche pour la première fois de sa pauvre petite vie. Il est tout fier, le malheureux, il ne sait pas qu'il est en train de se prendre la perpétuité. Personne ne lui a expliqué. Après les parents viendront les enfants, et après les enfants les petits-enfants. Et je ne compte pas les sœurs et autres parasites. À moins de réussir à se passer complètement de famille (ce qui n'est pas donné à tout le monde), aucun moyen de s'en sortir. Et aucune prévention sur le sujet. Que fabriquent les infirmières scolaires pendant ce temps-là ? Elles décorent le sapin. Sans doute.

16 décembre

J'ai retrouvé une vieille boîte de Playmobil dans le placard du couloir, en dessous de l'appareil à raclette, au-dessus de la planche à repasser. Je me demande pour qui mes parents ont conservé ce truc. Pour le bébé virtuel de ma sœur Jessica, j'imagine. Il aura bientôt l'âge d'avaler les petits chapeaux.

16 décembre, plus tard

J'ai installé une crèche. Les fermiers font Joseph et Marie. L'âne et le bœuf font l'âne et le bœuf. Et tous le reste fait les visiteurs. Le problème est qu'il n'y a pas de gosse dans ce Playmobil. Seulement des bébés animaux, un petit chien, un petit cochon, une petite poule. Sans petit Jésus, la fête risque d'être ratée. J'ai jusqu'au 24 décembre à minuit pour en trouver un. D'ici là, je peux espérer un miracle. L'apparition céleste du bébé Playmobil.

Quelqu'un qui est allé à la messe dans l'espoir de voir Dieu a bien le droit de célébrer Noël. C'est ce que j'expliquerai (gentiment) à mes parents quand ils découvriront ma crèche au-dessus de la télé.

17 décembre

– Mais elle n'a rien fait de mal, a protesté ma mère, plantée devant la télévision.

– Je ne dis pas que c'est mal, a répliqué mon père. Je dis que c'est moche.

– Ce n'est pas vraiment moche, a remarqué Sophie. C'est… C'est… Bon, d'accord, c'est moche. Mais ce n'est pas méchant.

Ensuite, mon père a gémi que tout le monde se liguait contre lui, qu'il n'était plus chez lui, que, si c'était comme ça, il ferait des heures supplémentaires, à quoi bon rentrer chez soi pour se faire houspiller, et pourquoi encore du gratin de chou-fleur au dîner, pourquoi bon Dieu cette manie du gratin ?

Ma mère a crié qu'il n'avait qu'à faire la cuisine si la sienne ne lui plaisait pas, un type qui ne sait pas où sont rangées les casseroles n'a rien à dire sur le menu, et qu'il en faisait, des histoires, pour une simple petite crèche, pourquoi cette horreur de la religion, à la fin, ce n'était pas un péché de s'intéresser, surtout au moment de Noël.

Pendant qu'ils s'expliquaient, j'ai repris mes Playmobil et je les ai emportés dans ma chambre. Quand je suis revenue dans la salle à manger, ils se disputaient toujours.

– On voit que tu n'as pas été à l'école chez les curés ! hurlait mon père.

– C'est quand même pas ma faute ! hurlait ma mère. Ni celle des gosses !

– Hé ! j'ai dit. Du calme ! La crèche est dans ma chambre.

Ils se sont arrêtés de crier.

– De toute façon, je n'ai pas de Jésus pour mettre dans la paille. Je n'ai qu'une poule, un chien et un cochon.

– Un cochon ? a dit mon père, l'œil brillant.

– Ah non, a dit ma mère. Ça suffit. Pas de provocation.

Mon père est un anarchiste. Pas question de le laisser jouer avec ma crèche et mon cochon.

19 décembre

J'ai acheté un cactus pour mes grands-parents. Il est petit, pointu et très piquant. Ils n'auront qu'à l'appeler Aurore.

20 décembre

Vacances. Célianthe m'a invitée chez elle pour regarder *Roméo et Juliette*. J'ai dit oui à condition qu'elle invite aussi Jabourdeau. J'aime bien sa sensibilité littéraire et autres avis personnels.

Avec un peu de chance, Jabourdeau passionnera les parents et ils me ficheront la paix.

22 décembre

Le bulletin est arrivé par la poste. Je ne dis pas qu'il est bon. Je ne dis pas qu'il est mauvais. Je ne dis rien et je le fais signer.

– Tu vois ? m'a dit ma mère en tapotant du bout du doigt mon onze en français. Quand tu fais des efforts…

Et voilà. Elle se sent obligée de dire quelque chose. Du coup, elle dit une ânerie. Bien sûr que je vois, ma pauvre mère. C'est ma vie, figure-toi.

Quelqu'un a installé un misérable sapin en plastique vert au-dessus de la télé. Étrangement, mon père n'a fait aucune remarque. Tout le monde n'a pas le même sens du moche. Par gentillesse, je n'ai rien dit. Je regarde le sapin en mangeant et j'ai envie de pleurer. Moche à ce point-là, c'est le fond du trou.

23 décembre

– Ce soir, le dîner, c'est moi, a dit mon père ce matin.

Il fallait comprendre qu'il allait s'occuper de préparer le dîner. Pas qu'il allait s'offrir en sacrifice, entouré de tomates avec du persil dans le nez. Il y a des leçons de syntaxe qui se perdent.

Ma mère n'a même pas fait semblant d'être étonnée. Elle a juste dit :

– Ah oui. Pas de gratin, s'il te plaît, Dominique.

Le soir, nous avons mangé du riz collant et des courgettes trop cuites.

– J'ai évité la viande, a remarqué mon père alors que personne ne lui disait rien. On mange trop de protéines dans cette famille.

Ensuite, il a regardé ma mère tendrement et il a ajouté :

– Tu vois, Françoise, on peut aussi faire à dîner rapidement et sans se casser la tête.

Quand Sophie a demandé ce qu'il avait prévu comme dessert, il l'a envoyée chercher des glaces dans le congélateur. Nous avons débarrassé la table pendant qu'il suçotait son Magnum avec des soupirs de connaisseur.

– C'est la dernière fois, a râlé Maman en rangeant les assiettes dans le lave-vaisselle. Il me fout le cafard avec ses dîners minables.

– Je préfère encore ton gratin de nouilles, ai-je dit, et c'était malheureusement vrai.

– Les glaces, c'était mangeable, a constaté Sophie.

– Oui, a fait Maman. C'est moi qui les achète.

Mon père vient de s'arranger pour être interdit de

cuisine. Comme quoi on peut être nul en syntaxe et triompher dans la vie.

26 décembre

Noël. La soirée a été complètement ruinée par l'arrivée imprévue d'un bébé chez ma sœur Jessica et mon beau-frère Vladouch. On venait de débarquer chez mes grands-parents, et les cadeaux n'étaient pas encore déballés quand le téléphone a sonné. Les deux futurs parents étaient à l'hôpital dans l'attente imminente de leur futur enfant. Résultat, ma mère s'est rongé les ongles toute la soirée, mon père lui a dit de se calmer toute la soirée, et ma grand-mère a été prise d'une crise de chantonnements nerveux. Mon grand-père était le seul adulte présent à faire celui qui s'en fichait. Et d'ailleurs, il s'en fichait.

– C'est un bon hôpital, je ne vois pas pourquoi tu t'inquiètes, a-t-il dit à ma mère, qui n'arrivait pas à rester assise sur sa chaise, on aurait juré que c'était elle qui allait accoucher.

Tout le monde a ouvert ses cadeaux en pensant à autre chose. J'aurais pu leur acheter à tous des cartes postales de la tour Eiffel. Le seul à avoir l'air intéressé était mon père qui se grattait la tête comme un dingue avec son araignée flexible. Cette hypocrite de Sophie m'a remerciée pour les boucles d'oreilles.

– Elles sont très jolies, je te les prête quand tu veux.

J'ai été obligée de la remercier hypocritement.

– C'est très gentil, mais je crois qu'elles t'iront mieux qu'à moi.

La vérité est qu'elles sont importables, on dirait des glands de rideaux. Je me demande ce qui m'a pris de les acheter. Le prix sans doute. Un euro. Sur le marché du vendredi matin. Irrésistible.

Enfin, bref, ce bébé a fini par naître, ce que Vladouch nous a annoncé en pleurant d'émotion un peu après minuit. Dans un sens, c'était le petit Jésus de la crèche qui se manifestait. Un miracle. Je me demande si c'est un appel du pied pour que je retourne à la messe.

La marraine et l'enfant se portent bien. Ma sœur Jessica aussi, du moins à ce que dit Vladouch. Cette année, le petit Jésus est une fille et elle s'appelle Rosette. Personne ne m'a demandé mon avis sur le prénom. J'aurais choisi autre chose qu'un nom de chèvre. Ce n'est pas grave, je t'aime telle que tu es, petite Rosette, tu auras ta cloche et ton piquet. Pardon, ta médaille.

Je me demande si ça fait mal d'accoucher. Il paraît que oui. Misère.

27 décembre

Visite de la mère et du bébé à l'hôpital. Jessica est toujours aussi grosse. Il faut dire que Rosette ne pèse que trois kilos, ce qui représente une minuscule partie de la masse actuelle de ma sœur. Quand je pense à ce qu'elle était avant cette histoire, je suis horrifiée. C'était une jolie fille, avec une belle petite taille, de beaux petits bras, de belles petites joues. Maintenant, il faut être amoureux comme Vladouch pour la regarder avec des yeux extasiés. C'est une baleine blanche. Mais une baleine hilare. Elle n'arrêtait pas de rigoler en regardant Rosette dans son berceau transparent. À un moment, elle l'a prise dans ses bras et elle lui a donné le sein. J'ai demandé si je pouvais sortir de la pièce mais visiblement il fallait rester pour assister au spectacle. Je me suis précipitée à la fenêtre pour regarder dans la cour. Ma sœur n'est pas un phénomène de foire.

28 décembre

Rosette est moche mais il paraît que c'est normal. Non parce que son père est affreux mais parce que les bébés ont une sale tête. Il paraît que les choses s'arrangent avec le temps. Je préfère le croire. Déjà qu'elle est affligée d'un prénom difficile, ce serait triste qu'elle ait la tête assortie.

Tout à l'heure, j'ai refusé de la prendre dans mes bras. J'avais trop peur de la laisser tomber. On ne sait jamais ce qui peut se passer. Les nerfs qui lâchent. Une brusque paralysie des bras. Un évanouissement complet sous le coup de l'émotion. Pour l'instant, je préfère éviter les risques de chute. Bref, j'ai dit non et Jessica n'a pas insisté. Elle a perdu sa taille mais elle a gardé sa tête.

Pour la médaille, j'ai le temps. Je l'offrirai le jour du baptême. Car Vladouch prétend baptiser sa fille. Il l'a annoncé à mon anarchiste de père qui n'a même pas cherché à protester. La nouvelle génération, c'est naissance, baptême et zéro négociation. Du coup, j'irai à l'église et je pourrai rendre la politesse à Dieu qui s'est manifesté, modestement mais quand même, dans cette histoire de crèche. Comment on s'habille pour un baptême ? Robe blanche en dentelle et tout le tralala ?

29 décembre

Je me demande si Jessica va dire la vérité au prêtre pour son piercing. Vu Jésus et ses trous aux mains et aux pieds, ça ne devrait pas poser trop de problèmes. Dans le pire des cas, elle pourra toujours se planter une croix sur la langue. Ça lui évitera de dire des méchancetés. Au moins pendant la cérémonie.

Avec toutes ces histoires, je n'ai pas fait gaffe au Nouvel An. Je vais me retrouver à déguster la dinde en famille, c'est tout vu. Qu'on ne compte pas sur moi pour être gentille dans ces conditions. La famille, cette année, j'ai donné.

30 décembre

Avalanche de miracles en série. Après la naissance miraculeuse de Rosette en lieu et place du petit Jésus Playmobil, j'ai été miraculeusement invitée par Areski à une soirée de Nouvel An. Une véritable soirée, sans la moindre dinde enfournée, sans le moindre vieux planqué dans la cuisine. Mes parents m'ont bombardée de demandes de renseignements.

– C'est chez qui ?

– Chez un copain étudiant qui partage un appartement.

– Il le partage avec qui ?

– D'autres étudiants.

– Étudiants en quoi ?

– J'en sais rien. Je ne suis pas la police.

– Pas d'insolence ou c'est la dinde chez Mamie. Tu y vas avec Areski ?

– Oui. Dans la mesure où c'est lui qui m'invite, je ne vais pas y aller toute seule.

– Areski seulement ?

– Areski et le groupe.

– Quel groupe ?

– Blanche-Neige.

– Quoi ?

– C'est le nom du groupe. Six garçons. Et moi. Blanche-Neige.

– Il n'y aura pas d'autres filles ?

– Je ne sais pas. Il faut que je téléphone à Areski…

– Pourquoi ?

– Pour savoir s'il emmène sa sœur.

…

– Areski emmène Samira.

– Celle qui était si brillante au collège ? Dont les parents t'ont emmenée en vacances ?

– Oui, celle-là.

– Ses parents sont d'accord ?

– Puisque ce sont des parents communs et que le frère emmène sa sœur, on peut en déduire que oui.

– Reste polie par pitié. Attends que je réfléchisse…

– J'attends.

– C'est bon. Permission accordée. Mais tu nous laisses une adresse, un numéro de téléphone et tu demandes à ce garçon de te ramener à une heure.

– Quelle heure ?

– Une heure.

– N'importe quelle heure ?

– Mais non, idiote ! Une heure du matin !

– Une heure et demie ?

– Une heure et demie. Mais pas plus tard !

– Pas plus tard, je le jure.

C'est plus Blanche-Neige, cette histoire. C'est Cendrillon. À moi citrouille, pantoufle et prince charmant.

JANVIER

Catastrophes de début d'année

1er janvier, à l'aube
Évidemment, il a fallu que Lola se colle à moi comme une maladie de peau. Je l'aime beaucoup mais sur le mode nostalgique. Au mode présent, elle me fatigue. Samira a fait une drôle de tête quand elle nous a vues arriver toutes les deux. Je ne suis pas très sûre qu'elle ait envie de me voir, moi. Alors flanquée de Lola… elle avait juste envie que je disparaisse, c'est clair. Par chance, Areski n'avait pas d'opinion sur le sujet. La seule chose qui l'intéressait, c'était de savoir si nous avions un peu d'argent pour acheter à boire. Par chance, le vieux père de Lola dans son inconscience l'avait chargée de deux bouteilles de champagne. Nous voilà donc partis pour l'appartement étudiant sous la houlette d'Areski, moi, Lola surmaquillée, et Samira qui faisait une tête de six pieds de long.

– Je te préviens, a-t-elle lancé à son frère, si c'est comme d'habitude, je me casse.

– C'est comment d'habitude ? a demandé Lola.

– C'est la zone. Ça pourrait te plaire.

Lola était tellement contente de sortir qu'elle n'a pas relevé. Si ça se trouve, elle a pris ça pour un compliment.

L'appartement était facile à repérer. On entendait la musique résonner depuis le haut de la rue. Quand nous sommes entrés, il était déjà presque dix heures et des millions de personnes s'écrasaient dans une grande pièce en s'agrippant à des gobelets en plastique blanc. Un type avec des longs cheveux s'est jeté sur Areski en lui hurlant des paroles amicales. Enfin, je suppose, parce que, avec le bruit, on n'entendait rien. Après, d'autres types et des tas de filles n'arrêtaient pas de sauter sur lui en hurlant amicalement. C'était une ambiance excellente, sauf que je ne connaissais personne.

– Je sens que je ne vais pas faire long feu, a soupiré Samira dans mon oreille. C'est toujours la même chose. On s'ennuie à mourir. À moins de picoler, évidemment.

Je me suis demandé si j'allais m'ennuyer à mourir moi aussi, mais pas très longtemps parce que Lola, qui est une fille pleine d'initiative, m'a collé un gobelet dans les mains. Samira a jeté un coup d'œil dans celui qu'elle lui tendait et elle l'a refusé.

– Mais c'est du champagne ! a protesté Lola.

– Justement, a fait Samira. L'alcool, ça me soûle.

J'ai pensé que, certainement, elle ne finirait pas la soirée avec nous, et j'ai bu mon verre. Je n'ai pas bu de champagne très souvent dans ma vie et, franchement, j'avoue que c'est plutôt rafraîchissant. Bref, j'ai sifflé le gobelet.

– Et d'un, a dit Lola. Attends, je vais chercher ma bouteille avant que les sagouins me la finissent.

C'est là que j'aurais dû dire non. À ce moment précis où Lola attrape sa bouteille par le goulot et remplit mon gobelet. Mais c'est le Nouvel An, ma première fête étudiante, la musique est à fond, une foule de gens dansent sur le plancher et je ne sais pas où est passé Areski. Il a disparu englouti par le flot de tous ses amis. Bref, je bois ce gobelet, un peu moins vite que le premier. Et je bascule sur Lola.

– J'ai la tête qui tourne.

– Normal. Viens, on va danser.

Je la suis et nous voilà au milieu des danseurs en train de nous agiter comme deux possédées. D'habitude, j'ai horreur de danser en public. Quant à m'agiter comme une possédée, la seule idée me donne envie de mourir. Mais là, pas du tout. Je suis très contente. Je regarde Lola frétiller au milieu des autres, elle est belle, d'ailleurs je les trouve tous beaux et adorables et je n'arrête pas de rigoler en dedans.

– Alors ? demande Lola.

– Génial.

– Super. Tiens, on va demander à ce type de nous trouver deux gobelets…

Et hop, encore une petite dose de champagne tiède. Et hop, une nouvelle musique entraînante. Je l'ai déjà entendue cent fois, mais je ne me souviens plus où. Au supermarché peut-être. Autour de nous, tout le monde braille les paroles en chœur. Je m'y mets aussi. Ça y est. Je me souviens. Amy Winehouse. Pour une fois que j'appartiens à ma génération, j'en profite à fond. Je chante à pleins poumons et les gens me font des clins d'œil et des sourires admiratifs. Je ne vois même pas Samira s'en aller. À un moment, je la cherche des yeux parce que j'ai envie de lui dire que je l'adore, qu'elle est trop géniale, mais elle est déjà partie. Pas grave. Lola m'apporte un gobelet. Et hop. Même pas faim. Envie de danser, c'est tout. De toute façon, la vieille pizza et le paquet de chips sont morts depuis longtemps, danser est l'activité de la soirée.

– Hé, me dit Areski, arrête de boire tous les verres qu'on te donne.

Je ne l'avais même pas vu arriver. Il s'est glissé dans mon dos. Il est trop drôle, celui-là.

– T'as peur du fleup ? Heu, non, du flipre... Ah non, mince, t'as pas peur du truc, là ? Du philtre ?

Je me trouve super drôle et je ris sans pouvoir m'arrêter. Dommage qu'Areski ait perdu tout sens de l'humour. Pour une fois, il ne rigole pas du tout.

– T'es complètement soûle. Ça suffit.

Moi soûle ? Ce type est tout simplement hilarant. J'ai très envie de boire un verre à sa santé. Ça tombe bien. Il est minuit, et les gens s'embrassent et se tendent de nouveaux verres pleins. J'embrasse un tas de joues géniales que je ne connais pas. Je goûte un truc couleur de jus d'orange qui ne contient pas que du jus d'orange. Après, j'ai encore la tête qui tourne et je cherche un endroit pour m'asseoir. Je fonce contre le mur et je m'affale par terre. Je mets la tête dans mes genoux. Il fait tout noir.

– Aurore ?

– Quoi encore ?

– C'est moi.

– Qui c'est, toi ?

– Tom.

– Viens ici que je t'embrasse, Tom. Je t'aime. Tout est pardonné.

– Tu te sens bien ?

– Génial.

– Pas envie de vomir ?

– Pourquoi ? J'ai mangé quelque chose de pourri ?

Je sens qu'on m'attrape par le bras. Quelqu'un me soulève. Quelqu'un m'entraîne vers la porte.

– Lâche-moi ! Je ne veux pas partir ! Je veux encore du jus d'orange ! Au secours !

J'entends qu'on parle autour de moi, et puis les voix de Tom et d'Areski :

– On va respirer dehors. Elle a trop bu.

Les voix s'effacent. Il fait très froid dans la nuit. Je suis en chemisier et je grelotte.

– Oh, vous êtes deux amours, voilà ce que je dis aux garçons, et puis je me plie en deux et je vomis sur le trottoir.

Areski me soutient et Tom me tient le front. Si je continue à avoir le hoquet, je vais étouffer, c'est sûr.

– Comment je fais pour la ramener à ses parents ? demande Areski à Tom.

– Trouve-lui du café. Un grand bol. Ça devrait la calmer.

– Je veux pas me calmer ! Je veux retourner danser !

– Il est bientôt une heure, dit Areski. C'est l'heure de rentrer.

– Mais je viens tout juste d'arriver…

C'est tellement triste de devoir quitter une fête… Pauvre Cendrillon. Et encore, elle, au moins, elle a réussi à choper un prince. Moi, rien du tout. À part une cuite. J'ai jamais le temps de rien. J'ai envie de pleurer quand j'y réfléchis. D'ailleurs je pleure. De grosses larmes coulent, on dirait qu'elles ne vont jamais s'arrêter.

– Qu'est-ce qui se passe ? demande Areski.

– Je suis tellement triste, tout est tellement triste sur la terre…

– C'est ça, dit Tom, c'est ça. Viens, on remonte et je te fais un café.

Je pleure toujours en entrant dans la cuisine. Des tas de gens sont assis sur la table et sur les meubles, ils fument je ne sais trop quoi qui ne sent pas du tout le tabac. Quelqu'un me tend un mégot. Je vais le prendre quand Areski me l'arrache des mains.

– Ah non ! Pas ça en plus !

– T'es vraiment lourd, toi, lui lance le type très gentil qui me passait son mégot. Je la plains, ta chérie.

– C'est pas ma chérie, crétin, répond Areski. C'est ma sœur.

– Excuse, fait le type. J'avais pas calculé. La famille, c'est sacré.

Et là-dessus, il se met à rigoler comme un malade sans pouvoir s'arrêter. Areski va voir une des filles qui se tient près de la fenêtre, elle se lève et, deux minutes plus tard, tous les fumeurs sortent de la cuisine. La fille me fait asseoir sur la table et prépare du café. L'odeur du café est si délicieuse que je me remets à pleurer. Comme Tom est assis à côté de moi, je pose ma tête sur son épaule et je glisse mon bras autour de lui.

– Tom, je dis, tu es si gentil, je t'aime, tu ne peux pas savoir…

– C'est la deuxième fois ce soir, fait Tom. T'as de la chance d'être une copine d'Areski et de chanter dans le groupe…

– Pourquoi ?

– Parce que sinon tu m'énerverais beaucoup.

Je ne sais pas très bien si Tom me donne envie de pleurer encore plus ou de rire aux éclats. Areski me fait boire une grande tasse de café chaud. C'est bon. Ça sent le matin. Je bâille.

– Et l'autre ? dit soudain Tom. Sa copine ? Elle n'était pas en meilleur état quand je l'ai vue pour la dernière fois. Il serait peut-être temps d'arrêter les frais…

– Va la chercher. On les ramène toutes les deux. J'en ai marre de la garderie.

Ensuite Tom revient avec Lola, qui est furieuse et qui le traite de tous les noms. Areski l'oblige à boire du café. Elle crie qu'elle le dira à son père. On n'a pas le droit de lui faire boire du café de force. Un garçon vient demander pourquoi on lui enlève sa nouvelle copine. Areski le regarde d'un air méchant.

– C'est pas ta copine, idiot ! C'est ma sœur !

– C'est pas vrai, hurle Lola, mais l'autre a déjà déguerpi.

Il est bientôt une heure et quart, je me sens très fatiguée quand nous quittons la fête. Tom se charge de déposer Lola devant sa porte et de vérifier qu'elle rentre. Pendant ce temps, j'essaie de faire glisser ma clé dans la serrure. C'est super compliqué parce que la serrure n'arrête pas de bouger, mais, à la fin, j'y arrive. Je dis au revoir à Areski. J'ai très envie de l'embrasser mais je me souviens à temps qu'il n'en est pas question, ça ne l'intéresse pas du tout. Tant pis. J'entre dans l'appartement et je claque la porte. On n'y voit rien là-dedans. Je me cogne dans le portemanteau. Puis je me cogne dans la porte du séjour. Puis je me cogne dans celle de la salle de bains. Je rigole toute seule.

– Aurore ? fait la voix de Maman.

– Bonne année, Maman chérie mon amour !

J'ai réussi à trouver ma chambre. Je me dépêche d'entrer avant que ma mère se radine. J'enlève mon pantalon et je m'effondre sur le lit. Le lit est très bas. J'ai le vertige. J'ai un peu envie de vomir. Je n'aurais pas dû boire de café, c'est clair.

1er janvier, vaguement plus tard

J'ai mal à la tête, j'ai mal au cœur, j'ai les yeux qui piquent, j'ai envie de tuer tout le monde. Pour un début d'année, on a vu mieux.

1er janvier, à midi

Maman m'a regardée de travers quand j'ai demandé un bol de café.

– Pas de thé ?

– Puisque je te demande du café…

– Tu pourrais être aimable !

– Je demande juste un café et tout de suite c'est le drame…

Elle m'énervait tellement que j'allais me mettre à pleurer quand Sophie s'est assise à table, dans son vieux pyjama Winnie l'Ourson, les yeux clignotant vaguement derrière ses lunettes.

– Bonne année, a-t-elle dit comme si on lui avait demandé quelque chose.

– Bonne année toi-même, ai-je répondu, sans blague, elle l'avait bien cherché.

Ma mère et elle se sont regardées en haussant les épaules. Je déteste leur petit air entendu. Pour me faire des reproches, elles n'ont même plus besoin de se parler. Elles se télépathent. C'est agréable.

– Et pour mon café ?

– Tu lèves ton popotin et tu prends la cafetière à la cuisine.

Popotin. Il n'y a que ma mère pour prononcer des mots aussi déplaisants. J'ai mis trois sucres dans mon café et je l'ai bu lentement pendant que Sophie et ma mère parlaient de leur admirable soirée avec mes grands-parents, Jessica et Vladouch, autour du bébé Rosette, première merveille du monde. Un truc qui n'a même pas quinze jours et elles sont déjà gâteuses. Je n'ose pas penser à ce que ça donnera dans un mois.

D'habitude, je n'ai pas beaucoup de patience. Mais là, je n'en ai plus du tout. Je ne sais pas ce qui me prend. Le café, sûrement.

J'ai fourré mon bol dans le lave-vaisselle et je me suis recouchée. Si je n'avais pas dû me lever pour le déjeuner, je serais restée dans mon lit toute la journée, les yeux fermés, à voir passer des fusées. Malheureusement, mes parents avaient invité Lola et son vieux père, dans un pur esprit de fête des voisins et autres balivernes, mais pour finir le vieux père est venu tout seul.

– Lola n'a pas pu se lever, a-t-il dit. Elle se sent toute patraque.

Patraque ? J'ai réprimé à grand-peine une sorte de hennissement. Ma mère m'a lancé un regard en coin et elle a ôté une assiette de la table.

– Et toi, Aurore ? En forme ? a demandé le vieux père de Lola.

– Pourquoi ? J'ai pas l'air ?

– On dirait que vous avez passé une bonne soirée, toutes les deux, a poursuivi ce type dont on se demande s'il est bête, ou dingue, ou les deux.

– Un peu trop bonne, a dit ma mère, si j'en juge par la tête d'Aurore et par son humeur ce matin.

Il a fallu que je me défende contre l'agression. Comme toujours.

– Je suis rentrée à l'heure. Même si c'était atrocement tôt.

– Heureusement, a constaté mon père. Je me demande dans quel état on t'aurait retrouvée si on t'avait laissée deux heures de plus.

C'est quand même de la folie. Ils roupillaient dans leur chambre quand je suis rentrée et ils font ceux qui savent tout… Mon père aussi est télépathe, maintenant. C'est la tendance de l'année.

– Elle sentait l'alcool au petit déjeuner, a dit Sophie. N'est-ce pas, Aurore, que tu sentais encore l'alcool ce matin ?

Comment réagir ? Comment éviter la surenchère de la violence ? Je me suis esclaffée avec naturel, comme si j'étais transportée par le comique de ses propos.

– N'importe quoi, ai-je fait entre deux rires, et ensuite j'ai attrapé le hoquet et je me suis réfugiée dans ma chambre.

Sentir l'alcool au petit déjeuner ? C'est répugnant. Mais possible. Quand je souffle très fort, une odeur de pharmacie me passe dans le nez. Drôle de truc. Je me suis assise sur mon lit et, d'un seul coup, des images de la soirée me sont revenues à la mémoire. Une, puis deux, puis trois… Au secours ! Moi en train de danser comme une possédée au milieu d'inconnus qui tapent dans leurs mains en me regardant. Moi en train de vomir sur un trottoir par moins trente degrés sous les yeux (quasiment dans les bras) de mon groupe. Moi en train de pleurer comme une Madeleine assise sur une table de cuisine. Moi en train de me faire remonter les bretelles par Areski. Moi… en train de dire à Tom que je l'aime… NON !!!

1er janvier, au soir

Plus je me rappelle, plus c'est pire. Un film d'horreur. Par chance, j'ai tellement mal à la tête que je ne peux pas y penser tout le temps. Ma vie est ruinée. Je n'oserai plus jamais sortir de chez moi. Samira ne m'adressera plus jamais la parole. Quant à la musique, autant dire que c'est fini. Je ne pourrai plus regarder Areski en face. Et je ne parle pas de Tom… Tom. Au secours. Tout est de la faute de Lola. Elle et ses gobelets maudits.

Quand je pense que j'étais pleine de bonnes résolutions à la fin de l'année. Les fiches de lecture. Le festival de la gentillesse. Et même un miracle divin. Que reste-t-il de tout cela au début de cette nouvelle année ? Rien. Et je n'ai pas un gramme d'énergie (un joule ?) pour remonter la pente. Commencer son année par une dépression, c'est minable. Je n'ose pas imaginer comment ça va finir.

2 janvier

J'ai réussi à ne pas mettre le nez dehors de toute la journée d'hier mais j'ai promis à Célianthe d'aller voir son film chez elle avec Jabourdeau. Il faut bien que je sorte de chez moi. Je ne peux pas rester cloîtrée toute ma vie. Avec un peu de chance, je vais tomber sur une des joues que j'ai embrassées follement sous prétexte de Nouvel An. Pourvu qu'elle ne me reconnaisse pas, c'est mon seul vœu.

3 janvier

Encore une après-midi de perdue. J'ai dormi. Devant le film. Trop long. Trop ennuyeux. Trop laid. Même pas un cheval ou un château dans le décor. Même pas une belle robe. Ambiance série télé. Tout en moderne (américain), sauf le langage (d'époque). Ils veulent faire des économies ou quoi ? Un film comme ça, ça ne sert à rien. Déjà, le titre. *Roméo + Juliette.* L'original n'était pas assez bien ? Ils voulaient pas changer les prénoms aussi ? Kevin + Jennifer ? Et l'histoire ? Si ça se trouve, ils ont aussi trafiqué l'histoire… La perte de temps garantie. La prochaine fois, je fais la sieste chez moi.

De toute façon, j'ai trouvé le résumé scène par scène sur l'ordi. Et je peux toujours aller vérifier moi-même. Après tout, puisqu'on est obligés d'acheter le bouquin, autant que j'en lise quelques pages. C'est bête de payer un truc et de ne pas s'en servir.

Quand je me suis réveillée, c'était la fin. Roméo + Juliette étaient super morts. Célianthe avait quitté la pièce depuis longtemps pour aller lire dans sa chambre. Tout seul devant la télé, Jabourdeau pleurait silencieusement en se frottant le nez. Sacré Jabourdeau. J'envie ta sensibilité artistique. Mais je crains ta fiche de lecture.

Côté parents, il y a eu relâche. Ils étaient au musée. Au musée. À leur âge. Véridique.

9 janvier

Areski m'a appelée pour la répétition. Il est sans rancune. J'ai été forcée de lui dire la vérité.

– Je ne peux pas venir.

– Qu'est-ce qui se passe ?

– J'ai trop honte.

– De quoi ?

– T'étais là. M'oblige pas à raconter. C'est humiliant.

– Hou là. Si tu veux parler de ta cuite, c'est sûr que ce n'était pas glorieux. Mais je suppose que tu as dessoûlé, depuis ?

– Et Tom ? Je n'oserai plus le regarder en face.

– Aucune importance. Personne ne le regarde. Il est derrière sa batterie.

– Areski, ma carrière est fichue. J'arrête tout.

– Tu rigoles ? D'abord tu me gâches la soirée, et après tu plantes le groupe… Au moment pile où ça devient bien… T'étais marrante au début mais là, franchement, tu commences à être soûlante, tu m'entends ?

– Soûlante ?

– Ben oui, soûlante. Toi et tes chichis de petite bourgeoise…

– OK. OK. Arrête de m'insulter. Je viens.

– Essaie d'être à l'heure.

– D'accord.

– Et à jeun.

– Si c'est pour être drôle, c'est nul.

– Tu trouves ?

Et voilà. Je me suis laissé embobiner et maintenant je vais devoir dire bonjour normalement à tous les nains. Entrer normalement dans leur studio. Chanter normalement sur leur musique. Comme si je ne m'étais pas roulée à leurs pieds en vomissant plus ou moins dans la nuit. C'est inhumain.

12 janvier

Je viens d'exécuter ma fiche de lecture. Adieu, potentiel en français ! Après surf géant sur l'ordi, j'ai mélangé un tas de phrases prises ici et là pour brouiller les pistes. Résultat : un gros pudding. On ne sait pas très bien ce qu'il y a dedans et c'est dur à digérer. Pas un mot personnel, en tout cas. Garanti sans traces de journal intime. De toute façon, je n'avais rien à dire. Qu'ils s'entre-tuent comme ça les amuse, tous ces gens, je m'en fiche. Une adolescente ayant mes problèmes n'a pas de temps à perdre avec les pièces pluricentenaires d'un Anglais qui n'existe pas.

15 janvier

Rosette n'arrête pas de grossir et Jessica n'arrête pas de maigrir. À peine née, cette gosse est hyper serviable. Et elle est beaucoup moins moche qu'à ses débuts. Allez, je le dis ! Elle est TROP JOLIE. Et c'est MA FILLEULE. Elle n'a pas encore l'air très maligne mais, à la vitesse où elle s'améliore, dans quinze jours c'est Einstein.

Pour le baptême, renseignements pris, il n'y a que le bébé qui a droit au déguisement. Les invités s'habillent comme ils veulent, marraine comprise. Un costume d'ange ? Peut-être ?

16 janvier

Pas de costume non plus. Ce sera sinistre, ce baptême. Après, on s'étonnera que les gens n'aiment pas aller à la messe. Ils s'ennuient trop, c'est tout.

18 janvier

Lola veut venir au baptême. Elle n'en a jamais vu. Son vieux père rivalise avec le mien en anarchisme de l'ancien temps. Il déteste Dieu, les prêtres, les églises et tous ceux qui entrent dedans. On se demande ce qu'ils lui ont fait. Du coup, Lola a une envie horrible de voir ce qui s'y passe. Elle est même d'accord pour rencontrer Dieu, s'il se présente. L'espoir fait vivre. J'ai précisé que l'affaire se présentait assez mal pour elle : pas d'alcool au programme et aucun type inconnu à draguer, vu que chez les prêtres l'amour est interdit sous peine d'expulsion. Elle s'en fiche. Elle veut venir, un point c'est tout. Le seul truc, c'est qu'il ne faut rien dire à son père. Elle nous rejoindra en cachette. La rebelle, quoi.

21 janvier

Ma mère a payé la médaille et les dragées. Pour rembourser, j'ai promis de lui donner un coup de main pour les courses et le repassage. Pour les courses, c'est facile, elle me laisse des listes. Pour le repassage, ça va être chaud, j'ai jamais touché un fer de ma vie.

La médaille est ronde. Elle porte un ange gravé sur un côté, et le doux prénom de Rosette gravé sur l'autre. Et devinez quoi ? C'est de l'or ! De l'or pour un bébé qui n'est pas encore fichu d'attraper ses pieds… Mais il paraît que c'est la coutume et qu'on a rien à dire. En gros, la famille s'écrase et Vladouch fait la loi.

22 janvier

Ce soir, foie de porc au paprika. Recette directement extraite de *La Cuisine des fauchés*. Sophie faisait une drôle de tête. Papa faisait une drôle de tête. Même Maman faisait une drôle de tête. Tout est de ma faute. Je ne pouvais pas me douter. Ça m'apprendra à acheter des livres. Pardon.

23 janvier

J'étais en retard à la répète. J'ai oublié de regarder le réveil et, quand je suis arrivée, ils avaient commencé sans moi.

– Tu as vu l'heure ? m'a demandé Areski quand je suis entrée. Tu tiens vraiment à rester dans le groupe ?

Je me suis glissée derrière le micro sans regarder personne.

– Pardon. C'est pas exprès. J'ai fait une chanson.

– Tu la montreras plus tard. On n'est pas à tes ordres.

– D'accord, d'accord.

J'ai fait beaucoup d'efforts pour tenir modestement ma voix, tout le monde s'est efforcé de rester en rythme et l'ambiance s'est détendue. Areski s'est même fendu d'un sourire et nous étions très contents d'avoir bien travaillé. Incroyable comme ce type est commandant. Chef par nature. Le plus étonnant, c'est que personne ne lui en veut. Ils sont tous ravis de lui obéir. Même moi. Parfois.

– Tu peux sortir ta chanson maintenant, a-t-il dit.

– Je la lis ?

– D'accord. Elle s'appelle *C'est pas moi.*

« Oublie-moi
C'est pas moi
La fille
Qui t'a dit qu'elle t'aimait
Fallait pas m'laisser boire.
J'avais un verre dans l'nez.
Faut pas croire
Tout c'qu'on dit
Dans les fêtes
On est bêtes.
Oh mon chéri
Faut m'prendre au saut du lit
Quand j'sais encore c'que j'dis.

Faut jamais m'écouter en soirée
Bourrée.
C'est pas moi c'est pas moi c'est pas moi
Moi tu vois
Je n't'aime pas.
Oublie-moi
C'est pas moi
La fille
Qui s'écroule devant toi
Qui pleurniche dans tes bras
Faut pas m'sortir le soir
Faut pas croire
C'que tu vois
J'aime personne
J'suis pas bonne
Oh mon chéri
Faut m'parler en plein jour
Surtout quand c'est d'amour.
C'est pas moi c'est pas moi c'est pas moi
Moi tu vois
Je n't'aime pas.
Rappelle-toi
Oublie-moi. »

J'ai relevé la tête et j'ai regardé Areski.

– Pas mal, a-t-il dit. Au moins, pour une fois, on voit ce que tu veux dire.

– Tu trouves ? a fait Tom.

Il était toujours assis derrière sa batterie, les coudes posés sur sa grosse caisse, les baguettes croisées sous le menton.

– C'est quoi exactement, l'histoire ?

Il avait un petit sourire très sûr de lui. Le genre qui se croit irrésistible avec ses petits cheveux raides bien décoiffés sur la nuque.

– T'as écouté ou pas ? C'est quand même pas sorcier à comprendre. Même pour un batteur. Une fille a dit à un type qu'elle l'aimait, mais c'était dans une soirée. Une fois qu'elle a dessoûlé, elle tient à lui faire savoir que ce n'est pas le cas.

– Elle a une drôle de façon de lui parler pour une fille qui n'aime pas… Tu ne trouves pas ? Aurore ?

Il commençait à me chauffer avec son petit questionnaire.

– Hé, dis donc, c'est pas le jeu de la vérité !

– Arrêtez tous les deux avec vos histoires, a fait Areski. Vous réglerez ça en privé. Ici, on travaille. Les embrouilles, c'est dehors.

– D'accord, a répondu Tom. Je discuterai en direct avec Aurore. Si j'arrive à la choper au saut du lit.

– Super drôle. Oublie pas de me téléphoner pour que je te raccroche au nez. Salut tout le monde.

Je me suis propulsée hors du studio sous le regard ironique de Monsieur Je Me La Pète Avec Mes Petits Cheveux Raides. J'étais assez énervée d'avoir une histoire personnelle avec lui et de devoir en discuter en privé en plus. Tout ça pour une chanson. C'est la dernière fois que j'écris des paroles personnelles. Si c'est pour me ridiculiser, je préfère encore brailler les imbécillités d'un batteur.

28 janvier

Six en fiche de lecture. Commentaire : « Conglomérat désarmant. Cessez de vous aider de l'ordinateur. À tout prendre, je préférais le journal intime. » Conglomérat ? Il me prend pour le dictionnaire ou quoi ? J'abandonne. Est-ce qu'on peut démissionner d'un cours ?

FÉVRIER

Cap, pic et péninsule

1er février

« Faut pas rêver
Un type comme toi
N'a aucune chance
Aucune chance avec moi.
Oh OOOh
J'aime pas tes cheveux
J'aime pas tes yeux
J'aime pas ton petit sourire
C'est ça le pire.
Même si t'étais le dernier homme sur la terre
Je préférerais filer en enfer
Plutôt que d'finir dans tes bras
Dis-toi bien ça.
Oh OOOh
Mon p'tit bonhomme
T'en fais des tonnes
Mais t'impressionnes
Personne.
Oh OOOh
Aucune chance j'te dis
Pas commencé
C'est d'jà fini

Trop dure la vie.
Même si j'étais vraiment plus rien
Même si j'devais mourir demain
J'en voudrais pas, de toi
Dis-toi bien ça
Oh OOOh. »

Cette fois, ça m'étonnerait que ça passe. Et je me vois mal lire le truc devant le groupe. Je vais bricoler ma musique moi-même. Sur Garage Band. Tranquille. Guitares et basse. Clavier à la rigueur. Cuivre à la limite. Pas de batterie, ça va sans dire.

2 février
J'ai emballé des dragées toute la soirée dans des mousselines grotesques. J'aime pas les dragées. Elles crissent, elle craquent, on a l'impression d'avaler des bouts de ses dents. Pourquoi des dragées ? Pourquoi pas des Chamallow ? Exactement les mêmes couleurs, en version molle. Demain, repassage. Corvées à perte de vue. Ce baptême commence à ressembler à une punition.

3 février
Je ne repasse pas mes habits. J'ai bien le droit d'aller chiffonnée si je veux. Je ne repasse pas les habits de Sophie. Je ne suis pas sa bonne. Je ne repasse pas les chemises de Papa. Maman me l'a interdit. Je ne repasse pas les affaires de Maman. Elle y tient. Je ne repasse pas les draps. Personne ne repasse les draps. Je repasse les serviettes de toilette. Et j'ai quand même trouvé le moyen de me

cramer la main. La gauche, bien sûr. Elle est désormais emballée dans un splendide bandage couleur moutarde. Pour le baptême, je serai en momie. Fin du repassage.

4 février

Couette nous emmène au théâtre. On ira le soir. Tous ensemble. En troupeau.

– C'est obligatoire ? a demandé Jabourdeau.

– Non, mais c'est vivement conseillé.

– Et si on n'y va pas ? a insisté Jabourdeau.

Couette a levé les yeux au ciel, c'est son truc. Je sais ce qu'il pense. Il pense que Jabourdeau est un barbare qui préfère passer sa soirée à écraser des gosses virtuels à coups de télécommande plutôt que d'aller au théâtre. Il ne sait pas que Jabourdeau a tellement pleuré devant le film qu'il a peur de sangloter au théâtre. Devant toute la classe, en plus. C'est bien la peine de lire des tonnes de bouquins pour manquer de psychologie à ce point. On croit que les gens qui lisent sont plus sensibles que les autres. Illusion. Ils sont pareils que les colonels de l'armée et autres surveillants de prison. Des fois ils sont sensibles, des fois pas du tout. Les livres n'y changent rien. Pauvre Jabourdeau, pauvre petite biquette méprisée.

À l'interclasse, je me suis précipitée sur Jabourdeau pour le consoler. La vérité est qu'il est super vexé d'avoir pleuré devant la télé.

– Tu dois me prendre pour une gonzesse. Mais ce film, ça m'a rappelé des trucs. J'ai pensé à mon chien qu'on a empoisonné parce qu'il aboyait sur le balcon.

C'est le voisin qui lui a filé des boulettes. Un jour, je le tuerai, ce salopard…

Jabourdeau s'est mis à me parler de son chien pendant des heures. Impossible de l'arrêter. Visiblement, l'histoire du poison l'a beaucoup marqué. C'est tout ce qu'il a retenu. Après tout, c'est peut-être lui qui est dans le vrai. Montaigu-Capulet, c'est son histoire de balcon à lui. Il connaît mieux que Couette la haine et ses ravages. Tragique Jabourdeau.

– Et l'amour, Jabourdeau ?

Là, il est devenu tout rouge et il m'a regardée comme si j'étais dingue.

– De quoi, l'amour ? De quoi, l'amour ?

La sensibilité de Jabourdeau, c'est de la psychologie des profondeurs.

5 février

La prof d'histoire-géo ne me lâche pas d'une semelle. Je ne suis pas une flèche, d'accord… Je ne sais jamais qui est qui, quoi est où, ni combien de temps ça dure, ni combien de tonnages ça pèse. En gros, je ne vois même pas de quoi elle parle. Du coup, j'ai un peu laissé tomber l'affaire. Je me suis fait une raison. Je pourrais dormir au fond de la classe sans embêter personne. Mais non. Il faut qu'elle me réveille sans arrêt. Elle est prof principal. Elle se croit obligée de me persécuter au nom de tous les autres.

– Vous espérez passer en première ? Ou vous comptez redoubler toutes vos classes jusqu'à ce qu'on vous mette dehors ?

Elle m'agite son index sous le nez. Je suis bien obligée de répondre. Mais quoi ?

– Je ne sais pas. C'est pas moi qui décide.

Visiblement, ce n'est pas la bonne réponse.

– Mais enfin ! Qu'est-ce que vous croyez ? Personne ne travaille à votre place ! Ou plutôt ne travaille pas ! Si encore vous étiez idiote… Mais non. Vous êtes paresseuse…

Paresseuse ? Moi ? Une fille qui écrit des chansons. Qui ne manque jamais une répète. Qui tient son journal. Qui prépare un baptême. Qui se débrouille en maths. N'importe quoi.

– Sincèrement, je crois que je suis plutôt idiote.

– Répondez poliment !

– Mais je suis polie… Qu'est-ce que j'ai dit de mal ?

Et hop. Deux heures de colle. Morale : les paresseuses font des heures sup.

Des fois, j'ai envie de retourner en troisième. De retrouver Ancelin, la meilleure des profs de maths. De recommencer à travailler avec elle. De devenir bonne en quelque chose. Si seulement sa sœur était prof de français… Ou de langues. Ou d'histoire-géo. Ou de tout en même temps. Je pourrais devenir Célianthe. Qui sait. J'apprendrais le grec. Le grec. Quel cauchemar. En attendant, aucune nouvelle d'Ancelin. Elle m'a plaquée, c'est tout.

6 février

La pièce, c'est *Cyrano de Bergerac*. L'arnaque, c'est que la sortie ne suffit pas. Il va falloir acheter le livre. Le lire. Faire une fiche. Chez Couette, on ne va pas au théâtre pour s'amuser.

L'auteur s'appelle Edmond Rostand. Pour une fois, il existe. La blague, c'est que le titre existe aussi. Et qu'il a écrit des pièces. *Cyrano de Bergerac*, l'homme à tout faire. S'y retrouve qui peut.

– Ah oui, *Cyrano*. Il y avait ce film, là… Tu te souviens, Françoise ?

– Ah oui. C'était formidable. Avec Depardieu. Et cette fille, là… Tu te rappelles, Dominique ?

– Ah oui, Anne Brochet. Sacré bon film, hein, Françoise ?

– Ah oui, tu l'as dit. Je me demande si on ne l'avait pas acheté…

Voilà maintenant que mes parents sont des cinéphiles enragés. Moi qui les prenais pour des taupes.

7 février

J'ai dit à Célianthe que mes parents connaissaient le film et que d'ailleurs ils l'avaient acheté. Je n'ai pas dit qu'ils l'avaient perdu et qu'ils le cherchaient partout. Célianthe m'a répondu que ses parents avaient vu la pièce, et que d'ailleurs ils l'avaient emmenée avec eux. Madame Toujours Mieux. Elle m'énerve. N'empêche qu'elle est bonne pour se taper le théâtre deux fois. Ça lui apprendra.

9 février

Baptême. Le prêtre et Rosette étaient assortis, en robe longue tous les deux. Les autres étaient habillés en civil, sauf Lola, qui s'était déguisée en foire, avec jupe à fleurs, veste à volant et maquillage de fête.

– Tu fais honte à mon baptême, voilà ce que je lui ai dit (à voix basse) sur le parvis de l'église.

– C'est ton baptême ? a-t-elle demandé en écarquillant les yeux d'envie.

– Non, mais comme je suis la marraine, c'est un peu pareil. T'as vu comment t'es habillée ?

– Je ne peux pas m'empêcher. C'est plus fort que moi.

À ce moment-là, le prêtre est sorti pour nous chercher et j'ai bien vu au regard de Lola qu'elle adorait son costume et qu'elle ne regrettait pas du tout le sien.

Maman m'avait fait un pansement tout propre sur la main. Heureusement, car j'ai dû porter le bébé pendant la cérémonie. Sur les photos, on verra un gros pansement moutarde portant un gros bébé en dentelle au-dessus d'une grosse baignoire à oiseaux. Rosette s'est très bien comportée. Pas une larme quand on lui a mis de l'eau sur la tête. Elle regardait partout avec des yeux très intéressés comme si elle voulait louer l'église pour y passer ses vacances.

Après, c'était remise de médaille et goûter festif en famille, flanqués de quelques amis et du prêtre que Vladouch avait invité. Lola virevoltait autour de ce pauvre type qui avait laissé tomber son costume folklorique. En pantalon gris, il avait l'air presque normal. Elle le bombardait de questions sur le baptême, sur l'Église, sur Dieu. Ça n'en finissait pas, ce prêtre ne s'en sortait pas du tout et il a fallu dépêcher une aide d'urgence. J'ai entraîné ma copine insortable vers la table. Et là, horreur, malheur, mon père a débouché une bouteille de champagne. Qu'est-ce qu'ils attendent, tous ? Que je danse en string sur les tables ?

Il a rempli une coupe qu'il m'a tendue :

– Pour la marraine !

– Hou là, j'aimerais autant pas...

– Du Perrier, alors. Pour les bulles.

Et voilà comment je me suis retrouvée à boire du Perrier pour le baptême de ma filleule Rosette, tout en regardant Lola s'enfiler ma coupe avec des claquements de lèvres. Ma meilleure copine est une ivrogne. Pas question de la laisser prendre le bébé dans ses bras. Le prêtre si elle veut. Mais pas le bébé.

11 février

Couette a une nouvelle technique. Il nous a interdit de lire la pièce. Il faut attendre son autorisation. Son autorisation. On rêve. En attendant, il n'arrête pas de nous expliquer des trucs sur la pièce, et sur son auteur, et sur son personnage, et sur ses critiques désagréables... Il nous a même raconté toute l'histoire. Et il a distribué des images ! Portraits du vrai et des faux Cyrano, du vrai Edmond Rostand, des acteurs vrais et faux... Ce type fait une concurrence sauvage à Internet. D'après Célianthe, il en a marre que ses élèves aillent prendre n'importe quelle ânerie sur n'importe quel site. Il préfère encore nous mâcher le travail. D'après Jabourdeau, il est dingue. Je crois que Jabourdeau a raison. C'est un suicide professionnel en direct. J'aime bien quand Couette nous raconte des histoires, au lieu de nous obliger à lire des bouts de textes inconnus et à répondre à des questions qui n'intéressent que lui, et encore, on ne sait pas. J'aime bien quand n'importe qui me raconte une histoire.

Je ne vois pas pourquoi je n'ai pas le droit de lire ce livre. On avait bien le droit de lire les autres, et pourtant c'étaient aussi des histoires d'amour foireuses avec des héros qui meurent à la fin. C'est quand même un comble qu'un prof nous empêche de lire. Si ça continue, on va devoir lire en cachette. Je me demande si c'est légal.

12 février

Quand je donne son biberon à Rosette, je lui répète «Aurore» à peu près dix mille fois. À mon avis, ce sera le premier mot qu'elle dira. Jessica prétend que je suis une imbécile parce que son premier mot sera Maman. Et qu'Aurore sera son centième mot, après tous les autres, Papa, Bébé, Biberon, Mamie, Papi… et même Sophie. Si elle fait ça, je reprends ma médaille.

Je remarque que Tom, qui devait m'appeler le matin pour avoir une conversation privée, n'a toujours pas trouvé mon numéro de téléphone. Je remarque que les batteurs qui ont des petits cheveux laqués sur la nuque parlent beaucoup mais ne font pas grand-chose.

13 février

Couette a organisé une projection de cinéma dans la salle des fêtes. Évidemment, ce n'était pas pour se taper *Dirty*

Dancing. C'était *Cyrano*. Le suspense était assez mince, vu que tout le monde connaissait l'histoire. Mais les décors et les costumes étaient très bien, et les acteurs merveilleusement normaux. Pas du tout Cyrano + Bergerac. Les spectateurs étaient très satisfaits, surtout d'avoir séché deux heures de cours sous prétexte de cinéma scolaire. Quand la lumière s'est rallumée, Jabourdeau pleurait. Son chien a reçu une bûche sur la tête. Qui sait ?

15 février
Suite des festivités. À l'initiative de son maître vénéré, j'ai nommé Sébastien Couette, la classe entière s'est transportée au théâtre, pour assister à sa pièce de théâtre préférée, *Cyrano de Bergerac*. Je me demande à quelle étape de cette incroyable aventure je vais en avoir super marre. Dans un sens, ça ne saurait tarder. Dans un autre sens, on n'y est pas encore. Mais on y va. Couette prétend qu'il existe un opéra Cyrano, et même un ballet. Il est capable de nous faire écouter la musique, s'il met la main dessus. À quand l'atelier de poupées Cyrano ? À force de cyranoter, même des élèves moyens finissent par retenir des bouts de texte par cœur. Tant mieux parce qu'on n'y comprenait pas grand-chose. Tous ces gens déguisés qui criaient sur leur plateau en courant dans tous les sens, ça manquait tragiquement de gros plans. Quand la pièce s'est terminée, Jabourdeau dormait. Je le sais. J'étais assise à côté de lui. Les applaudissements l'ont réveillé. Notre classe a beaucoup applaudi en tapant des pieds, c'était une sorte de réveil général. Dans l'ensemble, Couette a trouvé que

nous nous étions très bien tenus. Quand nous sommes sortis du théâtre, il faisait nuit et les rues étaient presque désertes sous la lune. J'avais l'impression que la ville n'existait que pour nous. Nous sommes remontés dans le bus, un peu fripés mais de bonne humeur. Tous les garçons se prenaient pour Cyrano, qui cherche tout le temps la bagarre, et moi aussi. Sans vouloir dénigrer complètement le théâtre, il faut bien dire que c'était le meilleur moment de la soirée.

16 février

Vacances, le retour. Les filles qui peuvent passer leurs vacances à étudier tranquillement dans leur chambre et à faire la sieste pour se reposer de leurs efforts ont bien de la chance. Pour moi, ce sera répète tous les jours. Areski ne veut même pas en discuter. La répète ou la porte. Dans le fond, c'est quand même un peu à cause de lui si je suis nulle en diverses matières. Il me prend la tête avec son groupe. Je n'ai plus le temps d'apprendre mon histoire-géo.

Lola a avoué à son père qu'elle était allée à un baptême dans une église et qu'elle avait rencontré un prêtre. Son père a dit qu'il allait porter plainte contre le prêtre (c'était une blague). Depuis, il n'arrête pas de lui poser des questions sur Dieu, pour lui demander ce qu'elle pense d'Allah ou de Jehovah ou de Bouddha ou de l'Empire du Ciel, et autres moqueries qui ne font rire personne. Cette pauvre Lola croyait qu'elle allait l'énerver et qu'il lui passerait un savon. Mais c'est tout le contraire.

Il a l'air enchanté. Il rayonne. On dirait un cochon qui vient de trouver une truffe. Il a mis le nez dessus, il n'est pas près de lâcher l'affaire. Pauvre Lola. Il n'y a rien de plus plombant qu'un vieil anarchiste qui a trouvé une truffe. C'est ce que je lui ai dit. Elle m'a rétorqué que je n'avais pas à dire du mal de son père. Que c'était à elle d'en dire, point à la ligne. Je lui ai dit qu'elle avait mauvais caractère, en plus d'être alcoolique et habillée comme une foire. Elle m'a dit que j'étais une punaise prétentieuse et elle m'a raccroché au nez. Je me demande ce qu'en penserait le prêtre.

17 février

Je n'arrête pas d'essayer de me souvenir de passages de la pièce pour me les réciter. Malheureusement, j'ai toujours les mêmes vers dans la tête. C'est pire qu'une chanson idiote à la radio. Si seulement j'avais le livre, ce serait plus simple. Je pourrais le lire, même si c'est interdit. Tant pis, j'ai trop envie. Va au diable, Sébastien Couette. Je l'achète.

18 février

Mamie m'a demandé si je voulais venir passer quelques jours dans sa maison pendant les vacances. J'ai failli dire oui. Puis je me suis rappelé qu'il fallait que j'aille aux répètes, que je me réconcilie avec Lola, que je repasse quelques torchons, que je lise un livre en secret, et j'ai dit non. C'est quand même bizarre… J'ai une vie maintenant. Une vie à moi toute seule. Je ne l'ai pas vue venir, celle-là. Quand je pense à Mamie qui va se retrouver chez elle avec Papi qu'elle connaît par cœur et qui n'est pas très rigolo, je me sens triste. J'ai envie de redevenir petite. De me coller dans ses bras. Qu'elle me raconte à voix basse une bonne histoire d'ashram en Inde. Mais c'est fini. Trop vieille. Pas elle. Moi. Je suis complètement déprimée. Je me déteste.

19 février

Après tout, je ne vois pas pourquoi je me mets la rate au court-bouillon. Si elle veut pouponner, elle n'a qu'à inviter Sophie. Jessica en a profité. J'en ai profité. Son tour est arrivé.

Cette nouille de Sophie est folle de bonheur. Mamie vient de l'inviter à passer les vacances chez elle. Je suis sûre qu'elle va l'installer dans ma chambre. C'est odieux. Je les hais. Toutes les deux.

Jessica a sa fille. Sophie a sa grand-mère. Je suis seule au monde. Il fait nuit. Ma mère prépare malheureusement un ragoût à l'ananas et aux navets (*Cuisine des fauchés*, page 38). En plus, c'est les vacances.

20 février

Visiblement, c'est pas les vacances pour tout le monde. Sonnerie de téléphone à dix heures du matin. Pas question que je sorte du lit alors que personne ne m'oblige, vu que mes parents sont au boulot et ma sœur Sophie dans ma chambre chez Mamie. Je laisse donc le répondeur, et j'entends la voix d'un certain batteur retentir dans l'appartement. «Aurore, c'est pour avoir une petite discussion avec toi. Je te laisse mon numéro… » Et bla-bla-bla. Impossible de me rendormir tranquillement. État d'énervement extrême. Bonds divers dans l'appartement. Si ce type croit que je vais le rappeler, il se trompe gravement.

21 février

Areski a donné les rendez-vous en plein milieu de l'après-midi, histoire de bien ruiner les journées. Impossible de faire un projet normal, d'aller au cinéma, à la patinoire, à la piscine. J'ai juste le temps de me réveiller, de bondir dans l'appartement et d'y aller. Quand je rentrerai, je serai complètement claquée. Pire que le lycée. Le lycée, au moins, on est obligés. Là, c'est gratuit. Areski est en train de bousiller ma vie. Il faut que je lui dise que j'arrête. Je quitte, je démissionne. Mais j'ose pas. Hélas.

C'est pas Cyrano qui se laisserait pourrir l'existence par un groupe doté d'un chef tyrannique et d'un batteur maniaque du téléphone.

22 février

Il est pourri, ce studio. Jouer dans une cave minuscule, noire et qui sent les pieds, c'est mortel. Je sais bien que le type le prête à Areski parce que c'est un copain et que, si on voulait mieux, il faudrait payer. Est-ce que c'est une raison pour se ruiner la santé à longueur de vacances ? Comment s'étonner dans ces conditions que j'écrive des chansons un peu déprimées ?

– Aurore, ce serait bien que tu arrêtes de faire la gueule. Cinq minutes au moins. Et que tu reprennes à

« Vie pourrie, vie moisie ». Un peu moins hurlé si tu veux bien. On a compris que tu en avais gros sur la patate, pas la peine d'en rajouter, on n'entend plus que toi.

Ce genre de remarques, je préfère laisser tomber avant que ça dégénère. J'ai peur que mes mots dépassent ma pensée. Cyrano, si quelqu'un voit ce que je veux dire. Je garde mes réflexions pour moi et je recommence « Vie pourrie, vie moisie », en faisant bien gaffe à ne pas écraser la pauvre guitare asthmatique de Julien. J'en connais un qui va être surpris quand j'oserai lui dire qu'il peut se chercher une autre chanteuse. Il n'a qu'à demander à sa sœur, s'il trouve qu'elle a meilleur caractère que moi.

À la fin, tout le monde se salue aimablement, se dit à demain et prend le chemin de son petit chez-lui. Tout le monde sauf Tom qui, par hasard, marche sur le même trottoir que moi. Ce trottoir, jusqu'ici c'est le mien. Lui, normalement, il part en sens inverse. Rentre chez ta mère, Tom. Voilà ce que je pense à toute force et que cette glu ne veut pas entendre. Rentre chez toi, pauvre chose, je ne t'ai rien demandé.

– J'ai appelé chez toi ce matin. Tu as eu mon message ?

– Non. Mes parents peut-être, c'est leur téléphone. Moi, j'ai un portable.

– Le numéro ne marche pas.

– Un portable mais plus d'abonnement. C'est trop cher et j'ai pas assez d'amis pour justifier la dépense.

– Donc on ne peut pas te téléphoner ?

– Ah non, on ne peut pas.

– Sauf sur le téléphone de tes parents…

– Si on veut mais c'est leur téléphone.

– Tu ne veux pas me parler.

– Pourquoi tu dis ça ?

– Pour rien. Ce n'est pas grave. J'avais juste un truc à te dire. Je ne t'en veux pas d'écrire les chansons à ma place. Je ne t'en veux pas de t'être jetée sur moi la nuit du Nouvel An. Je ne t'en veux pas de m'avoir vomi sur les chaussures. Je te trouve plutôt sympa quand tu ne fais pas la gueule, et j'aime bien ta voix. Et ce n'est pas la peine de te méfier de moi : je ne te drague pas, je n'ai pas l'intention de le faire et tu n'es pas du tout mon type de fille. C'est tout.

– Ah ben, c'est sympa… Tu préfères ma copine Lola ?

– Quoi ? Elle a l'air encore plus tarée que toi.

– Alors tu me trouves moche.

– J'ai pas dit ça.

– Mais c'est pareil. Très moche même, peut-être.

– Ah non. Pas du tout. Tiens, on arrive devant chez toi. Salut. À demain.

Je suis moche. Ma mocheté m'interdit d'être aimée. Je suis l'amie de n'importe qui et l'amoureuse de personne. Je suis Cyrano de Bergerac.

« Mon ami, j'ai de mauvaises heures,
De me sentir si laid, parfois, tout seul… »

Je rentre chez moi. Rideau.

23 février

Je me vautre dans *Cyrano*. C'est l'histoire de ma vie.

Le balcon. Tous ces balcons… Pas de pièce sans balcon, visiblement. Quelqu'un sait où est passé le philtre ?

26 février

J'ai gardé Rosette deux heures ce matin pendant que Jessica allait chez l'esthéticienne. Se faire belle pour plaire à Vladouch : c'est marrant. Comme elle était réveillée, j'ai demandé à Rosette si elle me trouvait moche. Elle me regardait avec des yeux plissés. Elle n'avait pas du tout l'air de me trouver affreuse. Je devrais vivre au milieu de nourrissons. De chiens aussi, peut-être. Je suis sûre qu'un bon chien ne voit pas la mocheté de son maître. Il faut que je demande à Jabourdeau. Il doit en connaître un rayon. Quand Jessica est revenue chercher sa fille, j'ai cherché discrètement ce que l'esthéticienne avait bien pu lui faire. On ne voyait rien. Cette dinde aurait pu jeter ses sous dans le caniveau, c'était pareil. Bref, quand elle a pris Rosette dans ses bras, la merveille a prononcé mon nom. Elle a arrondi la bouche et elle a fait « O ». Elle me parlait, c'est clair.

– T'as entendu ! Elle a dit mon nom !

Jessica s'est moquée de moi. Elle est jalouse comme une teigne.

– Pas du tout. Elle a dit « Sophie ».

– Mais non, elle a dit « O ».

– Comme SO-phie, oui.

– Mais enfin ! Il y a deux « O » dans mon nom. AU-RO-re. Si elle avait voulu dire « Sophie », elle aurait dit « I ». Mais là, elle a dit « O »...

Jessica se tordait de rire, on voyait son piercing. Elle avait de la chance de tenir Rosette dans les bras parce que je lui aurais envoyé une claque avec plaisir. Pour me venger, je lui ai donné les restes du ragoût à l'ananas et aux navets que Maman avait compactés dans une grande boîte en plastique.

– Maman l'a gardé pour vous.

– C'est gentil. Tu lui diras merci.

Je me demande ce qu'en pensera Vladouch. Ce ragoût, c'est le genre d'épreuves dont un couple ne sort pas renforcé. Bon appétit, les amis.

27 février

Maman n'était pas très contente que Jessica ait piqué les restes.

– Elle n'a que ça à faire, de cuisiner !

– Elle doit aussi aller chez l'esthéticienne.

– L'esthéticienne ? Mais elle est folle ?

Maman ouvrait des yeux effarés et tournait dans la cuisine comme une pauvre petite bête égarée hors de son biotope.

– Elle exagère ! Qu'est-ce que je fais à dîner, moi, maintenant ? Ce ragoût, il avait sa deuxième chance... Et c'est toujours meilleur réchauffé...

Meilleur ? Meilleur que quoi ? Résultat, elle nous a fait des croque-monsieur économiques sans jambon et sans gruyère (page 27). Je n'en peux plus. Je vais le préparer, moi, le dîner. Au point où on en est, ça ne peut pas être pire.

MARS

Reine d'un jour

2 mars

J'ai écrit un truc.

« Quels sont mes sentiments ? Je ne sais pas moi-même
Si ce type mérite l'amitié ou la haine
Je me pourris la vie avec de faux problèmes,
Domaine où il paraît que je suis passée reine.
Malheureusement pour moi j'y pense sans arrêt
Ses regards, ses sourires, ses petites réflexions
Me reviennent à l'esprit et j'en suis obsédée
Tout en lui refusant la moindre affection.
Je rêve à tout hélas jusqu'à ses courts cheveux
Qui rebiquent sur sa nuque, jusqu'à sa nuque même
Où je me vois poser un baiser c'est affreux.
Cela voudrait-il dire par malheur que je l'aime ?
Je ne suis pas son genre, il dit me trouver moche,
Sympa bien sûr mais moche, c'est quand même vexant
D'être une pauvre chose dont le désir s'accroche
À un batteur cynique et fort assourdissant.
Je veux le détester, je n'y arrive pas,
Pour détester pourtant, je sais me poser là.
Il y a d'autres gars, sur la terre, mais voilà,
Je le déteste trop : il ne me quitte pas. »

Appelez-moi Edmond Rostand. Ou Edmond, tout simplement. À la bonne franquette. Si, si, je vous assure, c'est à moi que ça fait plaisir.

3 mars
Edmond Rostand mais pas Ratatouille. Je pensais qu'on ne pouvait pas faire pire. Erreur. Je viens de pulvériser le record maternel mondial du dîner économique immangeable. Avec une tarte au boudin (page 52). Eh oui, au boudin. Les convives sont sous le choc. Sanction immédiate : je suis interdite de cuisine jusqu'à nouvel ordre.

5 mars
J'ai relu ma chanson. Sans blague, ce maudit batteur a raison. Quand on lit ce que j'écris, on dirait que je suis amoureuse. J'en ai super marre. J'y suis pour rien, monsieur le juge. J'ai rien fait. C'est pas de ma faute. Je m'en bats l'œil de l'amour, je l'ignore. C'est lui qui me harcèle. Qu'est-ce que je lui ai fait, à la fin ? Je préférerais attraper la varicelle. C'est vrai. Une bonne varicelle et on n'en parle plus.

6 mars
Ci-gît Aurore, noyée dans un bol de philtre.

7 mars
De toute façon, je suis moche. Plus je me regarde dans la glace, plus je suis moche. Chaque morceau est pire que le précédent. Les yeux, la bouche, le nez, le menton, tout est

à jeter. Si seulement on n'était pas obligés d'avoir un nez et un menton… Si seulement les cheveux n'existaient pas… Même mes seins sont moches, ils sont petits avec des sortes de mini marshmallows au bout. Et je ne parle pas de mes fesses. Je n'en ai pas. Au moins, on ne peut pas me forcer à les étaler au grand jour. Je devrais vivre dans une boîte. Au fond d'un placard. À côté des Playmobil. On me sortirait une fois par an. On m'exposerait sur la télé. Pour Halloween.

8 mars
J'en peux plus de ces répétitions. Si seulement je pouvais tomber malade. Ils seraient bien forcés de trouver quelqu'un pour me remplacer. Varicelle, mon amie, pense à moi. Au point où j'en suis, ce ne sont pas quelques pustules qui me font peur.

En plus, après la journée du tabac, la journée du cancer et la journée du sida, vive la journée des femmes. Femme, la vieille maladie chronique et pas orpheline du tout. Sans blague, je préférerais être un oursin. Je me demande quelle sexualité on pratique, chez les oursins. Un truc un peu sommaire à mon avis. Couvert de piques, on ne risque pas de faire le malin. La planque. Et pas de journée des oursins au programme.

10 mars
Sophie est revenue de son séjour chez mes grands-parents. Visiblement, ma chambre lui réussit. Elle déborde d'énergie. Pour occuper ses derniers jours de vacances, elle tient

absolument à participer au festival familial gastronomique à petit prix. Elle n'a pas eu beaucoup de mal à convaincre ma mère, qui estime (à tort) qu'après sa cadette et son mari elle ne risque plus rien.

– Les autres ont eu leur tour, a plaidé la présomptueuse Sophie. Je veux le mien.

– Hou là, a fait ma mère. Prends-le, ton tour ! Je ne mettrai pas les pieds dans la cuisine, et je te jure que ça ne me fera pas de peine.

Si Sophie se sert de mon bouquin, elle est fichue d'avance.

12 mars

Areski avait un petit air fourbe en arrivant. Pendant la répète, il avait la basse toute joyeuse, une petite impro par-ci, un petit solo par-là, plus personne n'arrivait à suivre. On a eu le fin de mot de l'affaire au moment du départ :

– Ah oui… J'ai oublié de vous dire… On joue le 16. À dix heures. Salle Jean-Rostand. C'est un concours organisé par des copains. Dix groupes et celui qui est retenu enregistre une maquette.

– Le 16 quoi ? a demandé Nacer.

– Le 16 avril. Dans un mois.

– Dans un mois ! a murmuré Julien. Tu es taré ou quoi ?

– Mais pourquoi ? Un petit concours. Une petite chanson. Et une deuxième parce qu'on sera sélectionnés pour la seconde partie. À nous la maquette !

– OK, a dit David, qui de toute façon méprise les débats vu qu'il a eu un prix de conservatoire en piano et qu'il juge qu'il est au-dessus de tout.

Tom et moi, on n'a rien dit. On s'est regardés. Une chanson, oui, mais laquelle ? Voilà ce que nous pensions tous les deux en silence, sauf que moi je pensais en plus que j'étais amoureuse de mon rival. Shakespeare, si vous voyez le genre.

13 mars

Si Sophie n'est pas présidente de la République, elle pourra toujours ouvrir un resto. J'avais sous-estimé ma sœur. Elle n'est pas assez stupide pour se servir d'un livre de cuisine choisi par mes soins sur une base financière. Elle est allée se renseigner sur le site de Chef Simon, celui qui montre toute la préparation en images. Quand nous nous sommes assis à table, elle a demandé modestement :

– Une bonne soupe et un dessert ?

– Si la soupe est bonne, a soupiré mon père.

Et ma mère d'opiner du bonnet. Elle n'avait pas pu s'empêcher d'aller espionner dans la cuisine sous divers misérables prétextes. L'indiscrétion, c'est sa passion.

Moi, je n'ai rien dit. Il était clair que ça sentait bon dans l'appartement, ce qui n'était le cas ni pour le navarin ananas-navets ni pour la tarte au boudin de sinistre mémoire. Moi aussi, je suis capable d'être juste, au moins pour ce qui concerne la table. En dépit de tout ce que je pense de Sophie par ailleurs, je dois dire que c'était assez délicieux. La soupe était pleine de légumes moelleux et de petits morceaux de viande fondants. Mon père gloussait d'aise en moulinant de la cuillère. En dessert, Chef Sophie nous a amené des feuilletés aux pommes dorés qui s'effondraient d'eux-mêmes dans la bouche. Nous avons dîné en silence, dans un état de reconnaissance éperdue.

– Et tout ça pour presque rien, a souligné ma mère en reposant sa fourchette. Des légumes et des fruits, et un euro cinquante de poitrine fumée.

– Ne dis pas « poitrine fumée », ai-je fait remarquer. Ça me met mal à l'aise.

– Je dis ce que je veux.

– D'accord, sauf « poitrine fumée ».

– Elle est dingue, a soupiré ma mère.

Je l'ai laissée dire. Dingue ne me gêne pas spécialement.

Une chose est claire. Il y en a au moins une qui sait cuisiner dans cette famille, et Sophie vient de gagner une cuisine équipée rien qu'à elle.

15 mars

Il était à peine dix heures quand le téléphone a sonné. D'abord j'ai cru que c'était dans mon rêve, mais le téléphone ne s'accordait pas du tout au décor (je rêvais que je vivais dans une maison construite entièrement en Carambar et qu'il y avait des souris partout). Très longtemps plus tard, une souris m'a dit qu'il fallait que je sorte de la maison pour aller décrocher et je me suis réveillée. J'ai titubé jusqu'au téléphone. Je nageais encore complètement dans mon rêve. J'étais super contente d'avoir rencontré une souris qui parle, c'est dire. Au téléphone, j'ai entendu la voix de Tom et c'était juste comme si je venais de changer de rêve.

– Salut, a dit la voix de Tom.

– Salut.

– Je voulais te dire un truc.

– Encore ? Si c'est que je ne suis pas ton genre, c'est déjà fait.

– Non, laisse tomber ce truc-là. C'est à propos d'un autre truc…

– Quel truc ?

– Pour le concert. Il va falloir décider d'une chanson et peut-être même de deux. Comme t'en écris et moi aussi, je voulais te proposer qu'on les écrive ensemble.

– Tous les deux ?

– Oui, ensemble tous les deux. Pas ensemble tous les vingt mille. Qu'est-ce que tu en penses ?

– Rien. J'en pense rien. Je me réveille alors j'ai du mal à penser quelque chose, si tu permets.

– Excuse. Je ne savais pas. Il est dix heures.

– Oui, et alors ?

– Rien. On en parle tout à l'heure ?

– À la répète ?

– Oui, tout à l'heure à la répète. Pas tout à l'heure au cocktail du Sénat.

Cocktail du Sénat ? Il est cinglé ou quoi ?

J'aurais mieux fait d'enfiler un pantalon, de lui dire de passer tout de suite chez moi, et de régler la question en direct. J'aurais mieux fait de lui dire tout de suite non, pas question, t'as perdu la boule, avec toi jamais, va plutôt en enfer. Parce que, à la répète, ça a tourné à l'embrouille générale. Au lieu de négocier discrètement avec moi, Tom a fait un avis public et tous les nains s'en sont mêlés. Ils étaient fous d'enthousiasme à l'idée qu'on écrive ensemble tous les deux, sauf Areski le Chef qui ne disait rien et qui me regardait par en dessous. Il a fini par se tourner vers moi et par me demander :

– Et toi, Aurore, qu'est-ce que tu en penses ?

– C'est gentil de me donner la parole parce que franchement j'ai l'impression que je n'existe pas, tout le monde parle et je n'ai pas pu placer mon mot, si tu vois ce que je veux dire, tout le monde a le droit de participer au débat sauf une personne qui justement se trouve quand même assez concernée…

– D'accord, d'accord, on a compris… Ton avis, c'est quoi ?

– C'est oui.

Je ne sais pas ce qui m'a pris. Mes hormones ont pris possession de mes cordes vocales, je ne vois que ça. J'ai dit oui sous l'influence d'un court-circuit chimique, et j'ai su aussitôt qu'il serait désormais impossible de dire non. Les nains déliraient de satisfaction. Tom avait la tête du type pas mécontent qu'on se rende à l'évidence. Areski a fait une grimace.

– Je veux bien. Mais le concert est dans un mois et on n'a pas le temps d'attendre des chansons qui n'arrivent pas. Si les textes ne sont pas prêts dans une semaine, on prendra les anciens.

Une semaine. Juste quand les vacances se terminent. Je ne vois pas comment on va faire. À moins d'y passer le week-end. En tête à tête. Quand j'y pense, toutes mes hormones s'agglutinent et s'effondrent dans mes chaussettes. J'ai envie de m'enfoncer dans un trou et de disparaître à jamais. Ça commence bien.

16 mars

– Devine quel jour on est ?

– Samedi. T'avais bien dit samedi, non ?

– Samedi combien ?

– 15 mars ?

– 16 !

– Si tu veux, 16. Et alors ?

– Alors c'est mon anniversaire.

Grimace consternée du batteur futur coauteur des chansons à venir.

– Ah. Je ne savais pas.

– Eh bien, maintenant, tu sais.

Réaction nulle. Même pas un petit « Bon anniversaire, ma chère ». Même pas un petit baiser timide. À quoi ça sert que je sois née, on se demande.

Fin de la parenthèse torride, retour au travail. L'idée est de proposer chacun un début, de choisir le meilleur, et ensuite de partager l'écriture des couplets. C'est ce qu'on a trouvé de plus juste. En ce samedi banal, qui se trouve être par hasard le jour anniversaire de ma venue au monde, c'est la première *battle*. J'avais préparé mon début. Il est venu avec le sien.

J'avais préféré donner le rendez-vous chez moi. Rien que pour voir la tête de ma sœur et de ma mère quand il entrerait dans l'appartement. On a bien droit à un peu de considération le jour de son anniversaire. Manque de pot, elles avaient fichu le camp toutes les deux et il a fallu que j'aille ouvrir la porte moi-même dans le plus total anonymat.

Pas question de le faire entrer dans ma chambre. On ne sait jamais à quoi les gens peuvent penser à proximité immédiate d'un lit et du portrait du dalaï-lama. On s'est installés dans les fauteuils en face de la télé. Chacun son fauteuil et Dieu pour tous.

J'ai lancé l'offensive, sur un air de java :

« T'avais l'air d'une vraie petite sucrette
Quand j'y pense
Un nounours un doudou
Une peluche une pâquerette.
Mais tu vois c'est vexant
J'me trompe tout le temps sur les gens.
J'm'égare j'me plante j'me goure
J'suis la fille super nulle en amour.
T'es un vrai salopard
Vrai de vrai
Quand j'y pense
Un varan un lézard
Un crétin un connard. »

– C'est marrant, tu peux pas t'empêcher d'écrire des chansons d'amour, a remarqué Tom l'extralucide. À mon tour.

« Dans mes rêves, j'suis Superman
Vous voyez, ce type dont tout le monde est fan
Avec ses beaux habits, sa cape et son collant,
Sa coupe sur les oreilles, son sourire ultra blanc.
Les hommes m'admirent, ils ont raison
J'protège leurs femmes, leurs gosses et leurs maisons.
App'lez-moi Superman, app'lez-moi Superman
Et j'arrive, en volant, c'est ma came. »

– Came ?

– J'ai pas trouvé de meilleure rime. Tu le trouves comment, mon début ?

– Sexiste. « Leurs femmes, leurs gosses et leurs maisons », tu crains.

– C'est pour rire. C'est au second degré.

Allons bon. Encore un type qui se complique la vie. Comme s'il n'avait pas assez de mal avec un seul degré.

– Dis-le franchement. Tu détestes ma chanson…

– J'ai pas dit ça. Je pense juste que je vais avoir du mal à chanter « J'suis Superman ».

– C'est moi qui le chanterai. Toi, tu chanteras ta suite. T'as qu'à mettre « J'suis Supergirl ».

– Formidable. Pour la rime, je suis morte. Et j'avais pas pensé qu'on chanterait tous les deux…

– C'est une idée que j'ai eue. Ça marche aussi pour ta chanson. Tu dis : « J'suis la fille super nulle en amour. » Je réponds : « Moi, j'suis l'gars qui s'en sort toujours. » Ça peut être bien.

– Si tu le dis. Tu sais chanter ?

– Je peux essayer.

– Elle est comment, ta voix ?

– Pas mal. Sincèrement.

Dans un sens, il était en train de me voler ma place. Dans un autre sens, ce serait sûrement plus chouette de se couvrir de ridicule à deux que toute seule. Dans un troisième sens, j'avais pas les nerfs de me battre contre un concurrent déterminé. Dans un quatrième sens, pour une fille moche, chanter en duo avec un type, même batteur, c'est toujours valorisant. J'ai dit :

– Alors, d'accord. Si tu penses que tu peux chanter derrière ta batterie…

– Pas de problème. Faudra juste éviter de me planquer en fond de scène.

Après, on a réfléchi au rythme des chansons, j'ai sorti un CD d'Édith Piaf que ma mère a sauvé de son enfance. J'aime bien ce genre de vieille mélodie cuite en chaudron à l'ancienne. Facile à reprendre. Il suffit de pas grand-chose pour faire du neuf avec du vieux. Tom était assez séduit et moi pas mécontente. Tant qu'on travaille, on ne pense pas à être obsédé par des imaginations libidineuses inutiles. On travaille et c'est tout. Bref, tout se passait bien quand on a sonné à la porte.

– Pas possible d'être tranquille cinq minutes, c'est dingue, ça me tue, voilà ce que j'ai dit en me levant de mon fauteuil.

– T'as pas fini de râler… a commenté Tom dans mon dos.

Cause toujours, j'ai pensé, et j'ai ouvert la porte. Catastrophe. Deux petits vieux se cachaient derrière, porteurs l'une d'un immense carton plat à gâteaux, l'autre d'une canne en rapport avec son arthrose.

– Joyeux anniversaire, chérie, a lancé ma grand-mère rayonnante en me tendant les bras, mais par chance mon grand-père a abrégé les effusions.

Il l'a poussée de sa canne pour entrer et j'ai refermé la porte derrière eux. Je me préparais à leur expliquer gentiment que ce n'était pas du tout le moment, que j'avais justement du travail en cours quand la sonnerie a remis ça, et là, surprise, c'était Lola en habit de foire, flanquée de son père anarchiste.

– Alors ! a crié Lola, visiblement surexcitée. T'es contente que ce soit ton anniversaire ?

J'allais lui dire qu'ils feraient mieux de repasser dans la soirée, elle et son père anarchiste truffier, quand, nouveau coup de sonnette, et hop, Lola a ouvert à Célianthe.

– Je ne me suis pas trompée d'heure ? a demandé Célianthe.

– L'heure ? Quelle heure ? j'ai répondu nerveusement mais Lola faisait les gros yeux à Célianthe.

Là-dessus, Maman a ouvert la porte avec sa propre clé personnelle. Elle était accompagnée de Papa, qui portait une caisse de bouteilles, et de Sophie, qui ne portait rien. Ils ont fait exactement comme s'ils étaient chez eux, Papa a emporté les bouteilles à la cuisine et Maman a foncé dans la salle de séjour.

– Qu'est-ce qui se passe ? Qu'est-ce qui se passe ? Qu'est-ce qui se passe ?

Tout ça ressemblait furieusement à une fête surprise organisée dans mon dos. L'après-midi était ruinée et j'étais bonne pour flanquer dehors mon batteur obsédant et futur coauteur de mes chansons. Merci les gars. Joyeux anniversaire tout le monde.

Maman disposait frénétiquement des verres et des assiettes sur la table. Mamie éventrait sa boîte à gâteaux géante. Papi et le père de Lola s'étaient installés dans les fauteuils, en face de Tom qui les regardait en souriant stupidement. J'ai pensé qu'il ne manquait plus que ma sœur Jessica, son mari et ma filleule, pour que la poisse soit complète. La télépathie étant le nouveau mode de communication intrafamilial, on a sonné et bien sûr c'était Jessica. Célianthe s'est jetée sur Rosette comme une dingue, exactement le genre de perdue qui vole les gosses dans les maternités. Pendant ce temps-là, Vladouch rejoignait mon père dans la cuisine, tandis que Lola se jetait, elle, sur mon batteur.

– Fais gaffe, c'est mon batteur, ai-je soufflé à Lola en guise d'avertissement. Fais gaffe, c'est ma filleule, ai-je glissé à Célianthe mais autant parler à une folle.

Elle portait le bébé sur les bras. Elle m'a regardée avec un sourire égaré et elle m'a dit :

– Je me suis permis d'inviter Thomas. J'ai pensé que ça te ferait plaisir.

– Thomas ?

– Ben oui. Thomas Jabourdeau. J'espère qu'il n'a pas perdu l'adresse.

– J'espère.

Thomas Jabourdeau. À mon anniversaire. C'était tellement ridicule que je me suis mise à rire et à ce moment-là la sonnette a retenti et j'ai couru ouvrir la porte à Jabourdeau. Erreur. En fait de Jabourdeau, c'était Samira. Franchement, là, surprise, parce que je la croyais fâchée depuis l'horrible Nouvel An.

– Oh, j'ai soupiré. C'est drôlement gentil d'être venue. Et je suis drôlement contente de te voir.

– Tant mieux, a fait Samira, qui n'était peut-être plus fâchée mais toujours désagréable. Je fais juste une apparition. Je ne peux pas rester très longtemps. Les autres sont arrivés ?

– Oui. Il y a Célianthe et Lola, et aussi Thomas Jabourdeau, mais tu ne le connais pas…

Je parlais dans le vide, elle était déjà partie vers la salle à manger. De toute façon, ça a sonné et j'ai compris en ouvrant que ses autres n'étaient pas mes autres. Ses autres étaient Areski, David, Nacer et Julien. Soit Blanche-Neige au grand complet, en comptant Tom qui devait être en train d'adopter mon grand-père, à moins qu'il n'ait jeté son dévolu sur ma voisine Lola, le jour de mon anniversaire en plus, horreur malheur.

– Alors ? m'a demandé Areski en ôtant sa veste.

– Alors quoi ?

– Ça marche ?

– À fond. Je crois que je vais faire une épilepsie avant la fin de l'après-midi. Préviens l'hôpital, merci.

– Non. Je veux dire : les chansons, avec Tom, ça marche ?

– Ah oui. Les chansons. Ça marche. Ça va marcher. Ça peut marcher. Ça devrait marcher. Et puis j'en sais rien, moi… Demande à Tom !

Il n'a fait ni une ni deux. Il est parti arracher Tom aux bras tentaculaires de Lola pour lui parler boulot. Quand je pense qu'il avait l'air si tranquille, avant. Le bon pote qui ne pense qu'à rigoler. Tragique méprise. Ce type est un squale. Des bruits d'assiettes et de bouteilles que l'on ouvre me venaient de la salle à manger, flottant sur un vacarme de conversations. J'étais scotchée à la porte de l'appartement. Je n'avais qu'une idée en tête, ouvrir cette porte, me tirer et filer au cinéma. Tous ces gens avaient l'air de s'amuser follement. Ils ne verraient même pas que j'avais fichu le camp. J'en étais là de mes réflexions quand on a sonné. «Jabourdeau, mon ami», ai-je pensé et j'ai ouvert. C'était bien Jabourdeau, mais il n'était pas tout seul. Ancelin le dominait de toute sa hauteur.

– Nous nous sommes rencontrés en bas de l'immeuble, a expliqué Ancelin en désignant Jabourdeau en état complet de panique. Ni lui ni moi n'étions tout à fait sûrs de l'adresse.

Jabourdeau a sorti de sa poche un lambeau de papier tout froissé qu'il m'a agité sous le nez. Il ouvrait et il fermait la bouche comme un poisson hors de l'eau. Il était tétanisé par la peur, pauvre bestiole. L'effet Ancelin, sûrement.

– Enfin, a-t-elle ajouté avec son plus beau sourire, l'important c'est d'être arrivés à bon port. N'est-ce pas, Thomas?

Il a hoché la tête. Son visage est devenu très pâle et une petite suée est apparue sur son front. Cruelle Ancelin, trop cruelle. J'ai eu pitié. J'ai attrapé Jabourdeau par la manche, j'ai pris son blouson et j'ai accompagné mes nouveaux amis dans la salle de séjour. J'espérais que nous nous fondrions discrètement dans la joyeuse assemblée. Mais quand je suis entrée, Tom s'est tourné vers moi. Il a levé son verre et il a crié :

– Pour l'anniversaire d'Aurore ! Hip hip hip...

– Hourra ! a répondu la foule d'une seule voix, tous les verres se sont levés, j'ai senti un petit décrochage au milieu de mes côtes, et là, franchement, mon cœur s'est arrêté.

17 mars

Ma mère buvait son thé à coups de gorgées minuscules en regardant tendrement le plafond. Je ne raffole pas de ses petits bruits de succion répugnants au petit déjeuner. Je n'adore pas non plus son vieux peignoir bleu ciel débraillé. Ni cette coiffure qu'elle a le matin, ou plutôt cette décoiffure. Un simple coup de peigne au saut du lit peut faire beaucoup pour une femme dans son état, sincèrement, je me demande ce qu'en pense mon père. J'ai demandé du café.

– Tu le prends dans la cuisine, a-t-elle répondu, puis elle s'est reprise et elle a ajouté : Mais je ne t'ai pas vue boire d'alcool, hier, ou bien ?

– Eh oui, ai-je dit avec gaieté. Je peux avoir envie d'un café sans m'être bourré la gueule la veille au soir !

Elle a haussé les sourcils.

– T'as vu comment tu parles ?

– Comme une fille qui fait partie d'un groupe. Et je ne peux pas voir comment je parle, à la rigueur je peux l'entendre.

– Arrête d'être désagréable. C'est tellement mieux quand tu veux bien te montrer charmante. Regarde hier…

– Ah oui, mais ce n'est pas tous les jours mon anniversaire. Et j'aurais un peu de mal à regarder hier. M'en souvenir, à la limite…

– Elle me désespère, a dit ma mère au plafond, mais le plafond ne lui a pas répondu.

Oui, oui, tendre mère, quand je me souviens d'hier, je peux voir qu'hier était formidable. Mais qu'est-ce qu'on peut dire quand tout est formidable ? Rien. Après gâteaux, champagne et limonades, causeries diverses dans un agréable désordre, après cadeaux merveilleux en avalanche (sauf Samira qui m'a offert un livre par pur esprit de vengeance), à l'invitation générale et sous les ordres d'Areski, nous avons interprété quelques morceaux avec les guitares qu'avaient opportunément apportées les garçons. J'ai chanté *La Fille sans talent* et *Oublie-moi*, et Tom a ressorti son vieux tube *Toute ma vie avec toi*. Le public était très content, Mamie avait les larmes aux yeux d'émotion et Ancelin est venue me féliciter directement. Il n'y a eu que Rosette pour se mettre à hurler quand j'ai commencé à monter le son, mais Jessica l'a emmenée dans ma chambre et on n'en a plus entendu parler. Les invités sont partis à la nuit tombée, mes grands-parents sont restés dîner ainsi que Lola et son père. C'est Sophie qui a fait à manger. Des nouilles tellement bonnes qu'elle a dû remettre de l'eau à chauffer pour une seconde tournée. Et tout ça pour pas un rond, a remarqué mon père. En gros, des nouilles et une boîte de jus de tomates, qui dit mieux ?

– Contente ? a fait mon père quand je suis enfin allée me coucher.

– Trop.

– Pourquoi trop ?

– Parce que du coup je suis obligée de vous détester.

– Obligée ?

– Si je me mettais à vous aimer, ma vie serait invivable. D'abord, j'ai pas l'habitude. Après, ça ferait trop d'un seul coup.

– T'es cinglée, a fait mon père.

– C'est vrai, j'ai dit.

– Mais tu chantes bien.

– C'est vrai aussi.

Il y a des soirs où mon père a toujours raison.

18 mars

Renseignements pris, l'idée de la fête surprise vient de Sophie. Elle a même fait la liste des invités. La gentillesse, à ce point-là, franchement, ça met mal à l'aise. C'est une maladie ou quoi ? Comment je pourrais être seulement polie avec une fille qui vise le Prix Nobel de la Perfection de Tout et qui en plus est ma sœur ? Et est-ce qu'il faut que je lui dise merci ?

20 mars

J'ai dit merci à Sophie.

– Merci, Sophie.

– De rien.

– Quand même. Je voulais te le dire. Merci.

– Je l'ai fait pour faire plaisir aux parents. Ils sont contents quand ils pensent que tout va bien. Ça n'a rien à voir avec toi.

– Ouf. Tu me rassures.

– Je sais.

– Merci.

– C'est bon, tu l'as déjà dit.

– T'es trop cool. Merci.

– Arrête avec ça. Tu me mets mal à l'aise.

– Merci.

– AAAHHHH ! Fiche le camp de ma chambre, punaise, ou j'appelle Maman !

Il y a des jours où j'admire ma sœur.

22 mars

Jabourdeau m'a offert le DVD collector de *Scream*. Il veut qu'on le regarde ensemble. Il me drague ou quoi ?

Célianthe m'a offert un CD de Nina Simone avec les amitiés de sa mère.

– Tu vas voir, c'est à se flinguer.

Je me demande comment je dois le prendre.

Ancelin m'a offert un livre sur les sciences, les maths et tout le bazar.

– Tu vas adorer. En plus, c'est rigolo.

Rigolo ? Je me demande comment je dois le prendre.

Mamie m'a offert une écharpe noire avec des têtes de mort. Je me demande comment je dois le prendre.

Lola m'a offert un film sur la vie de Jésus. Elle veut qu'on le regarde ensemble. Je me demande comment son père va le prendre.

Sophie m'a offert des boucles d'oreilles. Je sais comment je dois le prendre.

Mes parents m'ont offert un nouveau sac à dos noir pour aller à l'école. Je connais la marque, je sais le prix que ça coûte.

Jessica et Vladouch m'ont offert une photo encadrée de Rosette. Je l'accrocherai au mur à côté du dalaï-lama. Sourire contre sourire, un bien beau match en perspective.

Quant à Blanche-Neige, ils ont fait une petite cagnotte et ils m'ont offert… UNE ROBE. Ce truc qui ressemble à une camisole, qui n'a pas de jambes et qui s'arrête au-dessus des genoux. Elle est ROUGE. Ils me prennent pour quoi, tous ces nains ? Paris Hilton ?

– Content qu'elle te plaise, a aimablement commenté Areski. Tu la mettras pour le concert. Je ne te vois pas chanter dans tes vieilles fringues.

Tout le monde a voulu que je l'essaie mais pas question. Dans vos rêves, les gars. Pour me voir, il faudra attendre le 16 avril. Au soir. Dans le meilleur des cas.

23 mars

J'ai rêvé que Tom m'embrassait au milieu d'une fête d'anniversaire. Au début, j'étais contente. Mais ensuite, je m'apercevais qu'il avait une minuscule langue de souris qu'il faisait tourner dans ma bouche comme un petit moulin. Ensuite, tous les invités étaient des souris qui ricanaient en dansant autour de mon gâteau et Tom menait la ronde. Je me demande ce que ça veut dire, toutes ces souris, à mon avis, c'est hormonal.

24 mars

Qu'est-ce qu'elles ont, mes vieilles fringues ? Elles sont moches ou quoi ?

AVRIL

Stress en tout genre

1er avril

J'ai demandé à Lola :

– Tu me trouves comment ?

– Quoi, comment ?

– Comment comment, quoi. Mon allure, mon style…

– Géniale. Classe. Super classe.

– Poisson d'avril ?

– Bien vu ! Poisson d'avril !

– Non, mais franchement, comment tu me trouves ?

– Franchement, c'est difficile à dire parce que la vérité avec toi, c'est que tu n'as pas de style.

– C'est ça. Dis que je suis un cageot.

– Ah non, erreur. Ça n'a pas de rapport avec le physique. Le physique est plutôt bien. Ce serait plus dans ta manière de t'habiller. Elle est sans style.

– Et toi, tu trouves que tu en as, du style ?

– Oui.

– Le style foire ?

– Si ça te fait plaisir. Plutôt foire que rien du tout.

– Quand on veut se faire remarquer, je suppose.

– Exact. Si tu ne veux pas te faire remarquer, continue comme tu fais. Le bon vieux jean qui poche et le sweat bleu informe, surtout ne change rien.

– J'ai aussi un T-shirt gris et une chemise marron.

– Gris et marron, ça fait envie.

– Arrête de te moquer, c'est pas gentil.

– Tu veux qu'on soit gentil maintenant ?

– De temps en temps, ça me reposerait.

– Bon, alors j'aime bien la robe rouge que les garçons t'ont achetée.

– Tu me prends pour Paris Hilton ?

– J'osais pas te le dire. Elle te ressemble, c'est dingue.

Quelle andouille ! Je la mets si je veux, cette robe. Ils sont comment, ses cheveux, à Paris Hilton ?

Aux dernières nouvelles, Jabourdeau veut que j'invite Célianthe pour regarder *Scream* avec nous. Il la drague ou quoi ?

2 avril

Contrôle surprise en histoire. La Renaissance, si quelqu'un voit ce que je veux dire, tous ces vieux types barbus avec de drôles de chapeaux. Qu'est-ce que j'en sais, moi, de la Renaissance ? J'ai jeté un coup d'œil au questionnaire surprise : définitions de mots inconnus de tous, et cartes muettes à remplir d'on ne sait trop quoi. Pourquoi se couvrir de ridicule ? J'ai rendu copie blanche.

– C'est une provocation ? a fait la prof.

– C'est une protestation. Je proteste contre les contrôles surprise. Qu'est-ce que ça vous coûte de nous prévenir ? Au moins, on aurait une chance…

– Je vous rappelle que vous êtes tenus de venir en cours en sachant la dernière leçon.

– Mais madame… Personne n'apprend ses leçons ! Vous le savez très bien, ça fait des années que vous faites prof. Alors les contrôles surprise, c'est juste pour donner de bonnes notes à ceux qui sont déjà bons, et des mauvaises à ceux qui sont déjà mauvais. Et le résultat, c'est une opération nulle parce que les bons restent bons et les mauvais mauvais. Dans ces conditions, on se demande à quoi ça sert de venir en cours. Pour les mauvais en tout cas, ça ne sert à rien, c'est clair. Et je voulais vous dire que l'histoire et la géographie sont les deux matières que je déteste le plus au monde, les matières les plus nulles qu'on puisse imaginer et qui en plus ne servent à rien, et j'aime autant vous dire que je ne suis pas la seule à le penser…

J'étais saisie de parlote intarissable. Comme si toutes les heures passées à s'ennuyer à périr pendant son cours revenaient d'un seul coup toutes ensemble pour se plaindre par ma bouche… Et l'autre en face qui m'écoutait sans rien dire, sauf qu'elle était plus rouge de seconde en seconde. Je m'en fichais parce que, vu que j'avais déjà le zéro qui compte pour la moyenne, je me disais que je ne risquais plus rien. Mauvais calcul. Elle a explosé d'un coup. Elle a hurlé :

– Ça suffit maintenant !

Exclue du cours pour quinze jours. Je ne sais pas à quoi pense cette bonne femme mais une chose est sûre : ça ne va pas remonter ma moyenne.

3 avril

Ma sœur a des ambitions. Le baptême n'a pas suffi. Elle vise le mariage. C'est Lola qui va être contente. Défilé de costumes de foire en perspective. Mes vieux parents ont reçu l'annonce officielle par téléphone.

– Françoise, devine, a dit mon père d'une voix lamentable.

– Je sais, Dominique, a répondu ma mère. Après le baptême, il fallait s'y attendre.

– Il y aura des demoiselles d'honneur? a demandé Sophie en frétillant.

– Probablement, a fait ma mère.

– Qu'ils ne comptent pas sur moi, ai-je remarqué. Je ne suis pas un guignol.

Là, mon père m'a regardée avec des yeux écarquillés par l'émotion. Ma parole, on aurait dit qu'il ne m'avait jamais vue avant. J'ai cru qu'il allait me prendre dans ses bras. J'ai dû filer dans ma chambre pour me planquer. Je veux bien protester, mais de là à me peloter avec mon père, il y a une marge. Qu'il ne compte pas sur moi pour faire l'anarchiste, ce n'est pas ma génération.

Ils n'ont qu'à demander à Sophie d'organiser la fête. Après l'anniversaire, le mariage. Pour elle, c'est une promotion.

4 avril

L'intérêt d'être exclue, c'est que, au lieu de perdre du temps en histoire-géo, je m'occupe en permanence. J'ai écrit le deuxième couplet de la chanson de Tom.

« Dans ses rêves, c'est lui Superman
J'en sais quelque chose j'suis sa femme
C'est moi qui r'passe sa cape et son collant
Qui lave ses slips qui cleane l'appartement

J'suis moche c'est vrai mais j'ai pas le temps
De m'faire belle pour un type en déplacement.
Plaignez-la les amis, la femme de Superman,
Superwoman qui a du vague à l'âme. »

C'est parti par texto. Ma carte est explosée. Je suis ruinée.

5 avril

La réponse était glissée dans la boîte aux lettres. Écrite à la main.

Apparemment, mon coauteur tape sur une grosse caisse, pas sur un clavier.

« *J'te prenais pour un ange sur la terre*
Quand j'y pense
Une perle un bijou
Un trésor une affaire
Mais chérie, c'est troublant
T'as un sale caractère
J'vois pas comment je vais faire
Pour t'aimer
Vrai de vrai
Quand j'y pense
C'est trop dur d'assurer
T'es bien trop mal lunée. »

Je me demande comment je dois le prendre.

6 avril

Comme prévu, Sophie est chargée d'organiser la fête. Elle déborde d'enthousiasme, c'est tragique. Elle s'est littéralement jetée sur la préparation du buffet. Je plains la messagerie de Chef Simon. Mais si elle pense qu'il va lui répondre, elle rêve. Elle croit peut-être qu'il existe vraiment. Crédule Sophie.

9 avril

Répétition. Les nains sont contents. Les chanteurs aussi.

Tom s'est fendu d'un refrain pour *Superman.*

« C'est pas facile d'être Superman

Toujours au top

Même pour sa femme.

Un bon mari un bon héros

Pour un seul homme

C'est deux fois trop

Deux fois trop OOOHHH… »

Moi, j'ai trouvé le troisième et dernier couplet. On chante une phrase chacun, au moins les choses sont bien partagées jusqu'au bout.

«– Chérie, j'ai encore à partir en mission.

– Pense au pain en rev'nant de Krypton.

– Qui c'est qui va garder les gosses si je pars ?

– J'en ai marre de faire baby-sitter le soir.

– Superman, c'est un job, c'est pas pour rigoler.

– C'est ton job, t'as choisi, j'en ai rien à talquer.

– Au secours, je crois que je vais divorcer.

– C'est trop tard, mon chéri, fallait pas m'épouser. »

Mine de rien, mon batteur à la langue de souris m'appelle « Chérie » dans le micro.

Bien joué, non ?

10 avril

Célianthe ne veut pas regarder *Scream* avec Jabourdeau. D'abord, elle a horreur des films d'horreur. Ça ne la fait pas rire. Ensuite, elle a l'impression que Jabourdeau la drague. Ça ne la fait pas rire non plus. Résultat, sous prétexte de cadeau d'anniversaire, je suis bonne pour me taper *Scream* en tête à tête avec qui vous savez. Il n'y a pas de quoi rire.

11 avril

Je suis stressée à mort. Sébastien Couette nous quitte. La prof de français d'origine a fini par accoucher. Et, au lieu de rester tranquillement chez elle à s'occuper de son gosse, elle revient. Du coup, Couette dégage. Il nous l'a annoncé en rendant les fiches de lecture de *Cyrano*.

– Je suis content de vous, a-t-il dit en distribuant les copies. Personne n'a tiré au flanc. C'est un joli cadeau d'adieu.

Tout le monde a la moyenne. Et moi j'ai quinze. J'avais tartiné deux copies doubles. Rien qu'au poids, je méritais la note. Couette était affreusement ému et la classe entière avait les larmes aux yeux. C'était un peu comme un horrible divorce. Pour une fois qu'on tire un numéro gagnant, il faut qu'on nous l'enlève.

À la fin du cours, j'ai foncé à son bureau.

– Je regrette à mort, j'ai dit. Vous êtes comme une histoire d'amour qui finit mal.

– C'est très gentil, Aurore. Mais vous prenez les choses trop à cœur. L'important est que vous ayez progressé. Vous devriez poursuivre vos efforts en français.

– Ce que vous ne comprenez pas, monsieur, c'est que je n'en ai rien à faire du français. Ce qui me plaît, c'est vous. Vous ne voulez pas faire prof d'histoire-géo, pour voir ?

Couette a levé les yeux au plafond. Il était trop mignon avec sa vieille grimace et j'ai eu envie de l'embrasser. Un prof, habillé comme un prof, qui mesure un mètre quarante, qui a une tête ronde, et des lunettes. Du pur concentré de philtre. Heureusement que je connaissais l'histoire, je suis restée à distance. C'est fou ce qu'on peut apprendre en cours de français, de vraiment utile je veux dire : il ne faut jamais se jeter sur un type qui vous a tapé dans l'œil, spécialement si c'est un vieux, ne jamais boire aucun philtre d'aucune sorte, spécialement si c'est sur un bateau, et se méfier des hormones effervescentes qui vous pourrissent la vie. Il faut aussi éviter d'être trop moche, même si les beaux ont autant d'ennuis que les moches à la fin. Dommage que les gens ne lisent pas plus de livres, ils s'épargneraient bien des malheurs dans l'existence.

Adieu, Couette. Je t'inviterai à un concert, ce sera plus raisonnable. Tu pourras toujours philtrement embrasser Ancelin. À condition qu'elle se baisse, bien entendu.

12 avril

J'ai attendu que tous les habitants de cet appartement soient enfermés dans leurs chambres et j'ai enfilé la robe rouge. Je me suis glissée sur la pointe des pieds jusqu'à la salle de bains. Je suis montée sur le tabouret et je me suis pliée en deux pour me voir en entier dans le miroir au-dessus du lavabo. On voit tout. On voit mes jambes, on voit mes genoux, on voit mes bras, on voit mon cou et on voit ma poitrine fumée. Autant chanter à poil. *Gracias*, Areski. Cette robe rouge, tu n'as qu'à la porter toi-même si elle te plaît tant. Tu la mérites.

Quand je suis sortie de la salle de bains, ma mère vaquait hypocritement devant la porte. Elle s'est jetée sur moi comme un missile. Elle a rameuté mon père et ma sœur. Bref, c'était le gros pow wow nocturne dans le couloir d'où il est ressorti que cette robe était faite pour moi, que j'étais faite pour elle, que nous étions faites l'une pour l'autre et que je devrais la porter pour le mariage.

– Du rouge ? a fait l'organisatrice de la réception. Pour un mariage ? Je ne crois pas, non.

– Sophie, je t'aime, ai-je dit dans ma gratitude.

– Mais pour le concert, indéniablement, c'est oui, a-t-elle ajouté avec un mauvais sourire.

Indéniablement. Elle invente des mots, maintenant.

J'ai rêvé que je chantais toute nue. Tout le truc était de faire comme si c'était normal, tout en essayant gracieusement de planquer mes fesses derrière la batterie. J'étais nerveusement épuisée, mais à la fin on gagnait la maquette. Sûrement un présage, mais de quoi ?

13 avril

Chef Simon a répondu à ma sœur Sophie. Elle a imprimé sa réponse. Elle nous l'a collée sous le nez. Ça commence par « Chère Sophie ». On croit rêver. Le type lui donne gratuitement la liste des plats faciles et économiques pour réussir une fête. Comme si de rien n'était. Et il termine par cette formule enchanteresse : « Des bises, signé : Chef Simon ».

Chef Simon existe vraiment, c'est dingue. Il écrit des mails de sa main personnelle sur son clavier personnel, c'est fou. Il s'intéresse personnellement à ma sœur, c'est absurde. Il lui envoie des bises, c'est illégal.

14 avril

– T'as pas peur ? a fait Lola.

– Pourquoi ?

– Vous jouez demain.

– J'avais oublié.

– C'est pas vrai.

– Bien vu.

– Alors, t'as peur ?

– AAAHHHHH !!!

– Bon, t'as peur.

– Oui, j'ai peur, banane, qu'est-ce que tu crois ?

Je fais tout pour ne jamais y penser et cette imbécile bousille tous mes plans. On ne sait pas ce qui peut se passer, d'ici demain. Je peux me casser la jambe. Une comète peut éclater la Terre. Un trou noir peut avaler l'Univers. Personne n'est sûr de rien et on ne peut pas penser à tout. Dans ces conditions, autant penser à rien. Voilà ma philosophie.

15 avril

Une bonne nouvelle : la Terre est toujours là. Une autre bonne nouvelle : l'Univers aussi. Troisième excellente nouvelle : ma jambe est intacte. Ça sent la combinaison gagnante à plein nez. Il va falloir que j'y aille, à ce concert. AAAAHHHHHH !!!

16 avril

C'est marrant comme les choses qui font le plus peur au monde sont aussi celles qui passent le plus vite au monde. On croyait qu'on allait mourir, et surprise c'est déjà fini, on n'est pas mort du tout.

D'abord, j'avais mis ma robe rouge dans mon sac noir. Ensuite, j'étais à l'avance au rendez-vous. Assez en tout cas pour me faire engueuler par Areski.

– Qu'est-ce que tu as fait de la robe ?

– Du calme, elle est dans mon sac. Je me change dans les toilettes et…

– Il y a une loge.

– Bon, je me change dans la loge et…

– Et les chaussures ?

– Il y a pas de chaussures, personne ne m'a prévenue…

– Pas de chaussures ? Pas de chaussures ! Pas de chaussures…

– Elle n'a qu'à chanter pieds nus, a dit David, c'est beau, une chanteuse pieds nus.

– Je parie qu'elle n'a pas de collant non plus ? T'as des collants ?

– Ah non, pas de collants.

– Et tes ongles de pieds ?

– Quoi, mes ongles de pieds ?

– Ils sont comment ?

– Je ne sais pas, moi. Propres ?

– J'espère bien. Ils sont rouges ?

– Ah non, plutôt couleur beige. Nature, si tu veux.

– Elle ne peut pas chanter pieds nus avec des ongles dégueulasses…

– Personne les voit, mes ongles. En plus, tu te permets de dire qu'ils sont dégueulasses…

– Arrêtez de vous engueuler, a fait David. Je fais un saut à la pharmacie, j'achète un petit vernis rouge, et elle…

– Là, je t'arrête tout de suite, je sais même pas comment on fait…

– Pas grave. Je le fais tout le temps pour ma sœur, je peux le faire pour toi. Et pour le maquillage, tu as besoin de quelque chose ?

– Quoi, le maquillage ? Quel maquillage ?

Et ainsi de suite. En gros, j'avais rien de ce qu'il fallait avoir et j'étais la dernière des dernières. Areski était blanc de rage. J'en avais super marre.

– Forcément, pour toi, c'est facile. Tout en noir, avec ta sale tronche et tes vieilles pompes, moi aussi je peux le faire.

– Tais-toi. Ou je t'étrangle.

– Ce sera pas nécessaire parce que, après ce truc, tu peux te chercher une autre chanteuse. Une vraie. Avec robe intégrée et vernis apparent.

– Allez, allez, a fait David en m'écrasant son petit pinceau fuchsia sur l'ongle du gros orteil. On réglera ça plus tard. Chaque chose en son temps…

– Justement ! a hurlé Areski. Et Tom ? Il est où, Tom ?

Du coup, je suis sortie du champ de ses préoccupations. Il n'y en avait plus que pour Tom, qui ne faisait jamais ce qu'il devait faire, qui était le dernier des derniers, etc. D'abord on s'intéresse à moi comme des fous et après on me laisse tomber comme une vieille chaussette, c'est vexant à la fin. Areski s'est mis à courir partout après Tom, et moi j'ai passé ma robe rouge.

– Waouh, a fait David en me regardant, exactement comme si on était dans une pub. Fantastique.

Il a soufflé une dernière fois sur mes orteils.

– Toi, j'ai dit, plus je te connais, plus je regrette d'avoir des sœurs.

– Et encore. Tu ne sais pas tout ce que tu perds. Viens ici que je te crêpe les cheveux…

– Attends, je crois que je vais d'abord aller vomir.

– Pas de problème. Prends ton temps.

Je suis sortie de la loge pour vomir un peu. Quand je suis revenue, David avait trouvé un peigne, Tom était arrivé et Areski était en train de le pourrir.

– Mais où il est exactement, le problème ? criait Tom.

– C'est toi qui me le demandes ? hurlait Areski.

– Allez, allez, les gars, disait David, ça va s'arranger…

Je suis entrée, je me suis plantée devant la glace et ils m'ont vue. Fin du pourrissement général.

– Elle est mignonne, non ? a demandé David comme s'il venait de me fabriquer avec un vieux marron et deux allumettes.

– Waouh, a fait Areski.

– Waouh, a fait Tom.

– Taisez-vous ou je retourne vomir.

Ensuite, tout s'est passé très vite. Areski nous a fait la liste de ce qu'il fallait avoir en tête pour être parfaits. Julien a sorti une bouteille de vodka de son sac. Areski nous a interdit de boire et Julien a rangé la bouteille. Nacer est sorti vomir. Tom a chantonné les textes comme s'il craignait d'en avoir oublié un bout. David a demandé à une fille si elle pouvait nous prêter son eye-liner mais j'ai dit non, arrête ton cirque, qu'est-ce que c'est d'abord l'eye-liner, ça craint. David m'a répondu que je pouvais l'adopter comme frère pour un stage d'initiation, c'était quand je voulais. J'ai eu mal au ventre, des spasmes et des palpitations. Bref, on a attendu que les autres groupes fassent leur truc et au bout d'une demi-heure le type qui s'occupait du concours nous a appelés sur scène.

AAAAHHHHH!!!

Et là, miracle. En arrivant sur le plateau, je le jure, j'ai fait deux pas vers mon micro et la peur a disparu. Comme ça. Pfffff. Évanouie. En même temps, c'était une question de survie. J'étais au bord de l'arrêt cardiaque. Il fallait se calmer d'urgence. Tout ce qui m'est resté, c'est l'envie furieuse de gagner le truc, à n'importe quel prix, gagner, et largement, pour claquer le bec de cette saleté d'Areski, une bonne fois pour toutes. J'ai pris le micro, je sentais le sol froid sous mes pieds, et je suis allée me placer devant mon batteur préféré. Je sentais les regards des gens agglutinés comme des mouches à ma robe rouge, et figurez-vous que je voulais juste qu'ils restent là où ils étaient et qu'ils pensent tous : « Waouh… »

Évidemment, David l'a joué un peu trop perso. Julien et Nacer se sont emmêlé les pinceaux deux fois. Même Tom a foiré. Mais Areski tenait tout avec sa basse. Il suffisait de le suivre pour savoir exactement où on en était. En plus, il nous regardait avec des sourires délicieux, sans blague, je ne l'avais jamais vu sourire autant, on aurait dit Rosette. Le vrai coach qui te déteste à fond personnellement mais qui soutient à mort la performance. Classique. Pour la chanson, j'ai regardé Tom au fond des yeux et j'ai chanté pour lui, de tout mon cœur, tant qu'à faire autant chanter pour quelqu'un. Je voyais bien, dans ses yeux, ce qu'il pensait. Quelque chose comme « Waouh… ». Plus il me répondait, plus je chantais pour lui. Bref, je me suis emballée toute seule. La honte sur moi, mes enfants, mes petits-enfants, mes sœurs et toutes mes nièces à venir.

On a fait la première chanson. Après, cinq groupes ont été virés, on n'était plus que cinq. On a fait la deuxième chanson. Après, on est retournés dans la loge pour attendre les résultats.

– Voilà, j'ai dit, c'est fini. Je peux remettre mon jean et me coiffer normalement ?

– Non, a répondu Areski. Pas avant les résultats.

– Et en attendant, je peux aller vomir ?

– Oui, mais dépêche-toi.

J'avais recommencé à avoir peur et en plus je ne pouvais plus regarder Tom normalement. Je suis partie de la loge pendant que Julien sortait sa bouteille de son sac et qu'Areski lui disait de la ranger. Nacer se rongeait les ongles et David discutait avec la fille à l'eye-liner. Le type est revenu nous chercher.

– C'est bon, a-t-il dit à Areski. C'est toi. Tu as gagné le gros lot.

– Ma parole, j'ai dit, tout le monde te prend pour le chef ou quoi ?

– Je t'avais dit, c'est un copain, a répondu Areski en haussant les épaules.

– Il fallait le dire que c'était pipeauté, ton truc. On s'est rendus malades pour rien.

– Tais-toi.

– Je me tais si je veux.

– Je croyais que tu quittais le groupe, a finalement dit Areski, et je me suis contentée de hausser les épaules.

S'il croit que je vais quitter un groupe qui vient de gagner le gros lot, il me prend pour une poire.

Il a fallu remonter sur scène, toujours pieds nus telle Jeanne d'Arc au bûcher, dire merci aux types du jury, faire une révérence et tout le tralala. L'avantage, c'est qu'ils me félicitaient, moi, comme si j'étais la vraie Blanche-Neige, cheffe de tous les nains, et pas Areski, qui était un nain parmi d'autres et que nous appellerons désormais Prof ou Grincheux. L'effet robe rouge, probablement.

– C'est qui la vedette ? j'ai demandé quand j'ai enfin eu le droit de remettre mon pantalon et des chaussures.

– Si tu crois que c'est toi, on va avoir des problèmes, a répondu Areski.

– Tu l'écoutes pas, il est jaloux, a dit Tom. En tout cas, tu es ma vedette à moi.

– À moi aussi, a fait David. La prochaine fois, je te maquille.

Les deux autres ont fait oui oui, mais comme ils avaient le nez dans un gobelet de vodka, on ne les a pas franchement entendus. De toute façon, Samira et Lola ont débarqué dans la loge. Lola a surtout parlé de ma robe rouge avant de demander un peu de vodka si c'était possible (c'était possible, par malheur). Samira m'a prise à part.

– Vraiment bien. On dirait un vrai groupe. Franchement, quand on te voit sur scène et quand on pense à toi dans la vie, on ne peut pas deviner que c'est la même personne.

Et voilà, quand c'est bien, ce n'est pas moi. C'est mon double. Aurore, l'autre. Comme si j'avais pas assez de mal avec moi-même… Maintenant il faut qu'on soit deux. Misère.

18 avril

Encore les vacances. C'est toujours les vacances. On se la coule douce, dans la salle des profs. Pendant ce temps-là, il y en a qui bossent. Blanche-Neige est convoqué pour passer dans une émission minable pour les gosses sur une télé que personne ne regarde. Areski a dit oui. Ce type est prêt à n'importe quoi pour faire une carrière. David a un peu protesté parce qu'il comptait partir en vacances avec ses sœurs. Mais Areski ne l'a pas laissé râler longtemps.

– Pas grave. Si ça ne te dit rien de jouer avec nous, tu laisses tomber. On se passera de clavier.

– J'ai pas dit ça.

– Ravi de l'entendre. Donc, le rendez-vous est à 15 h 30, merci d'être à l'heure.

Je me demande si mon vernis va tenir encore une semaine. J'ai pas intérêt à faire l'andouille avec mes pieds.

20 avril

Jabourdeau a essayé de m'organiser une soirée *Scream*. J'ai dit désolée, je ne peux pas, je pars en vacances. Il m'a regardée de travers.

– Tu mens.

– Oui.

– Tu mens comme une brelle. N'importe quel crétin peut le voir.

– La preuve.

– Merci.

– De rien.

– Tu ne veux pas voir ce film ? Ou tu ne veux pas le voir avec moi ?

– Je ne veux pas le voir. J'aime pas les gens qui crient, et qui se courent après, et qui se flanquent des coups de couteau. Ça me donne mal à la tête.

– Je préfère. J'avais peur que tu ne veuilles pas me voir, moi.

– Ah non. Je te trouve sympa.

– Tu me dragues ?

– T'es malade ou quoi ?

– Tant mieux parce que je n'ai pas envie de sortir avec toi.

– Je t'ai demandé quelque chose ?

– Du calme, c'était pour te mettre à l'aise. Moi, je voudrais te demander quelque chose…

– Je ne crois pas, non.

– Quoi ? Qu'est-ce que tu ne crois pas ?

– Que Célianthe veuille sortir avec toi.

– Comment t'as deviné ?

– Tu masques assez mal. N'importe quelle brelle peut le voir.

– Tant pis. Je veux quand même essayer. Après tout, qu'est-ce que je risque ?

– La honte.

– C'est bon. J'ai l'habitude.

– Dis pas ça, tu me rends triste.

– Je te reprends *Scream*, alors ?

– Vas-y. C'est de bon cœur.

Je donne mon pronostic : Célianthe Un, Jabourdeau Zéro. Ce pauvre vieux n'a aucune chance.

22 avril

Tom a appelé aux aurores.

Sophie a décroché.

– Et alors ? j'ai demandé.

– Rappelle-le.

– C'est tout ?

– Oui.

– Rien d'autre ?

– Non. Et si tu veux plus de détails, tu n'as qu'à te lever plus tôt. Je ne suis pas ta boîte aux lettres.

Quel caractère de cochon ! Elle était drôlement plus gentille quand elle était petite. Je la revois dans sa période *Titeuf*, avec ses grosses lunettes et son pantalon qui remontait sous les aisselles. Elle était trop mignonne.

C'est fou ce que les gens changent avec l'âge. Ils s'abîment.

De toute façon, je ne vais pas rappeler. Qu'est-ce qu'il me veut, Tom ? On se voit déjà assez aux répètes. J'aime bien chanter avec lui mais il me fatigue avec son air Regardez-Moi, J'ai Mis Du Gel Fixant. Je devrais le refiler à Lola. Le modèle pot de glu tape-à-l'œil, normalement, c'est pour elle.

24 avril

Pour la maquette, il faut attendre juillet. Pour le mariage, il faut attendre juin. Je passe ma vie à attendre. Tout ça pour être déçue à la fin. Des fois, je me dis qu'une bonne comète pulvérisante arrangerait mes affaires. Un trou noir à la rigueur (sauf s'il y a un univers parallèle caché au fond).

25 avril

Chef Simon a envoyé des photos de lui à Sophie.

– Il est beau, a fait Sophie.

– Oui, mais sa femme est sur la photo, à côté de lui, regarde.

– C'est sa femme ?

– En tout cas, c'est pas sa mère, c'est pas sa fille.

– C'est peut-être sa sœur ?

Je n'ai rien dit. À quoi bon ?

27 avril

Samira veut savoir si j'ai lu le livre qu'elle m'a offert à mon anniversaire. Le livre ? Quel livre ? Je ne me souviens même plus du titre. J'ai tout simplement perdu ce bouquin. Avec un peu de malchance, quelqu'un l'a flanqué dans la poubelle avec les emballages.

Au moment précis où je peux me réconcilier avec Samira, il faut qu'un livre détruise tout entre nous. La poisse cosmique. Shakespeare tout craché. Filez-moi un balcon et je saute.

29 avril

J'ai passé la journée chez mes ancêtres. J'ai revu ma chambre. J'ai dormi dans la chaise longue au milieu du jardin. L'air sentait le lilas et le soleil me chauffait les joues. Pour goûter, Mamie m'avait préparé des fraises à la crème. Papi faisait des mots croisés assis dans le fauteuil du salon, je le voyais de loin, par la fenêtre de la véranda.

– Je n'avais pas envie de grandir, j'ai dit à Mamie. On m'a obligée.

– Je sais, m'a dit Mamie. Moi non plus, je ne voulais pas.

– Tu voulais que je reste petite ?

Mamie a rigolé.

– Oh non ! Pas toi, moi. Je voulais rester petite… Ne jamais quitter le parc. Les sœurs. Le chocolat du goûter. Les dimanches à la mer…

– Mais enfin ! Si tu étais restée petite, je n'aurais pas pu être ta petite-fille…

Mamie a encore rigolé, et je me suis rendu compte avec horreur de ce que j'étais pour elle : une sorte de lot de consolation de l'existence.

– L'enfance, chérie, c'est chacun son tour, a dit Mamie en me passant la main dans les cheveux.

J'ai fermé les yeux et j'ai pensé que nous étions deux petites filles enfermées dans des peaux trop grandes pour nous. Deux princesses dans un maléfice.

MAI

Ma vie publique et mes émotions privées

1er mai

En cherchant le bouquin maudit de Samira, je suis tombée sur *Les Trois Mousquetaires*. Je les avais complètement oubliés, ceux-là. Ils prenaient gentiment la poussière derrière mon bureau dans le plus complet anonymat. J'étais hyper contente d'avoir remis la main dessus. J'ai téléphoné à la bibliothèque pour les avertir que leur truc n'était pas perdu. Je croyais qu'on partagerait ma joie. Résultat : sept euros d'amende. Pour le retard. Sept euros ! À ce prix-là, j'aurais pu l'acheter et l'offrir à Samira. Jamais j'aurais dû l'appeler, cette bibliothèque. La prochaine fois, je fais celle qui n'est au courant de rien. Les mousquetaires ? Quels mousquetaires ?

2 mai

Célianthe ne veut pas voir *Scream* mais elle veut bien voir Jabourdeau. Conclusion, sa mère les emmène tous les deux au musée. Attention, je répète, avis à toutes les bases : Au Musée.

Jabourdeau délire de bonheur, c'est effrayant. Il se demande comment il doit s'habiller. Je lui ai conseillé de ne rien changer. Des vêtements propres feront l'affaire. En attendant, il a décidé de me prendre pour confidente, comme dans une vieille pièce de théâtre. Je suis sa servante dévouée, celle qui tient le mur au fond de la scène, avec la robe noire et la moustache assortie. Je vois d'ici ce qui va se passer : il va me pleurer dans le paletot pendant des semaines et à la fin c'est moi qui me taperai de ramasser son pauvre cœur brisé avec une balayette et une petite pelle. Quelle guigne.

3 mai

– Tu devrais essayer ta robe pour les répètes, m'a dit Tom en faisant un clin d'œil grotesque.

– Je te demande de venir en string ?

J'ai eu très envie de lui mettre une claque, il m'énerve à la fin. À force de le regarder dans le fond des yeux en chantant, j'ai l'impression de connaître par cœur le fond de son estomac. Tom, j'ai percé ton jeu jusqu'aux entrailles et j'en ai spécialement marre de ton larynx.

4 mai

Je suis demoiselle d'honneur. Je n'ai pas pu refuser. Maman m'avait prévenue.

– Tu ne peux pas dire non. C'est ta sœur.

– Et alors ? Je suis déjà la marraine de sa fille ! C'est une malédiction à vie, d'être la sœur de ma sœur ? Elle m'a demandé, à moi, ce que j'en pensais, des mariages ?

– Eh bien, vas-y ! Qu'est-ce que tu en penses ?

– Rien.

Ma mère a une façon particulièrement mesquine de lever les yeux au plafond quand elle ne me supporte plus.

– Ça n'a pas d'importance, a fait Sophie, qui ne se balade plus qu'avec son carnet de mariage dans une main et son crayon de mariage dans l'autre. S'il manque une fille, on pourra toujours demander à Lola. Elle sera très contente. Les robes sont jolies.

– C'est bon, j'ai dit. Tu as gagné. K-O au premier round.

Lola dans ma robe au mariage de ma sœur ? Elle est malade ou quoi ?

6 mai

Opération Télé. Un immeuble de mille étages. Cent kilomètres de couloir. Une assistante maigre avec des bottes en serpent. Un studio installé avec une batterie. Et un taré en baggy qui saute partout en parlant sans arrêt. Dans le fond, au milieu des câbles, une dizaine de gosses maussades (dans le rôle du futur public enthousiaste).

– Super ! dit le taré en agitant les bras. Excellent ! Sublime sublissime ! Alors, les grands, vous êtes contents ? (Grimace sinistre d'Areski.) Trop génial ! Les gamins vont adorer, littéralement adorer ! Je suis dingue de musique, les gosses, la musique, c'est moi, c'est la télé, c'est nous, quoi ! Et maintenant, vite vite hop là les gars, maquillage pour tout le monde et on tourne !

Nous passons dans une loge où une fille avec des cernes nous fait asseoir à tour de rôle dans un grand fauteuil. Tout le monde se prend une bonne tartine de fond de teint sur la figure, c'est la planète des singes. En tant que Blanche-Neige en chef, j'ai mis ma robe et je reçois un traitement spécial. La fille me pose une tonne de questions auxquelles je ne sais pas répondre (quelle couleur sur les yeux ? quel brillant sur la bouche ? et le fond de teint ? plutôt blanc ou plutôt rose ?...). Qu'est-ce qu'elle veut que je lui dise, cette folle ? Je ne dis rien et David se colle dans mon dos pour répondre à ma place. Du coup, j'ai droit à l'eye-liner. Mais, comme j'adore qu'on me tripote la peau, je me laisse faire sans protester. Après, j'ai crêpage, coiffure et sèche-cheveux. Oui, j'adore aussi qu'on me tripote la tête. Je ferme les yeux en ronronnant en dedans. La fille dit « C'est fini » et il faut bien que je les rouvre. Et là, je vois mon double qui se reflète dans la glace. Aurore, l'autre.

– Salut, je dis. T'es tombée dans le pot de peinture, toi. T'as vraiment une drôle de tête.

Tom, qui est arrivé tout seul de son côté parce qu'il est en retard, me dégage de mon fauteuil pour se faire tartiner. Il me prend par le bras et il me colle un baiser sur la joue, comme si c'était notre genre naturel, de nous palper à longueur de temps. Il dit :

– Bonjour, beauté.

Je réponds :

– Bonjour, cinglé.

Ensuite nous courons jusqu'au plateau, parce que à cause de Tom nous sommes en retard, à ce que répète l'assistante Serpent sur un ton excédé. Les gosses maussades, notre public chéri, se sont collés devant la batterie de Tom et le taré les houspille pour qu'ils fassent des sourires.

– Je vois pas tes dents, croquette ! Montre-moi tes jolies dents, allez, mieux que ça !

Les gosses le détestent tellement que ça fait peur. Mais ils tendent la tête vers la caméra en faisant des tonnes de faux sourires avec leurs dents.

– Et tes yeux ! Ils brillent pas tes yeux, croquette ! Fais briller tes yeux ou tu recommences ! Tu le sais, chipette, que tu vas recommencer jusqu'à ce que je voie tes yeux briller sur l'image, tu le sais, oui ? Alors vas-y ! Brille !

Ces gosses sourient comme des malades, ils nous détestent, ils détestent le taré, ils détestent la télé, et en plus ils sont maquillés comme des poupées Barbie. Je me demande combien ils sont payés, avant de comprendre qu'ils sont tous le fils ou la fille du taré ou de l'assistante hyper maigre. Enfin, ils reculent et on se glisse derrière les instruments. Je prends le micro et je plante mes yeux dans ceux de Tom.

– À vous, les grands ! crie le taré, qui danse tout seul sur son plateau.

Areski nous fait un signe de tête et on démarre. On joue pas mal mais on joue quatre fois la même chose, parce que personne n'a jamais l'air assez brillant, ni assez denté pour Mister Croquette. À la cinquième fois, Areski dit :

– Bon, ça suffit maintenant. Vous vous débrouillez avec ce que vous avez. Moi, je me démaquille.

Il passe la bretelle de sa basse par-dessus sa tête et il est parti.

– Eh ben dis donc, grommelle le taré, les mains sur les hanches. Il croit qu'il est déjà arrivé, le jeune homme ?

Mais plus personne ne l'écoute. On a tous quitté le plateau et on l'entend de loin qui refait des prises avec les gosses.

Il crie :

– Mieux que ça, Croquette !

– Pour la télé, je te préviens, c'est la dernière fois, dit David.

– Faut savoir ce que vous voulez, soupire Areski. En attendant, on a un film pour mettre sur le Net.

– Avec les gosses ?

– J'enlève les gosses, reste le groupe. Ce sera toujours mieux qu'un machin filmé dans ta chambre pourrie avec ta webcam pourrie.

– Je suis grillée, je dis, mes parents vont me voir !

– Pas que tes parents, j'espère, fait Areski en se frottant les mains.

Là-dessus, la maquilleuse m'arrache la peau en me frottant la figure avec un coton et je redeviens moi.

– Dommage, constate David. C'était du beau boulot.

– Je suis pas un monument historique, voilà ce que je réponds.

– Et vous n'oubliez pas de m'envoyer le DVD, dit Areski à l'assistante Serpent Maigre quand nous partons.

Fin de l'Opération Télé. Si c'est ça, le chemin qui conduit à la gloire, je préfère rentrer chez moi..

7 mai

Jabourdeau est allé au musée. Arrivé devant une grande femme toute nue peinte en vert, il a fondu en larmes. Il a fallu que Madame Célianthe sorte ses mouchoirs en papier. Jabourdeau pense qu'il est un ahuri sentimental. La mère de Célianthe pense qu'il est un génie esthétique. Je me suis bien gardée de demander à Célianthe ce qu'elle en pense. Moi, je pense que, tant qu'il ne parle pas, rien n'est perdu. Pleure, Jabourdeau, pleure. Mais surtout ne parle pas de ton chien.

12 mai

Le français est redevenu le français. Tout le monde s'ennuie mortellement, sauf Jabourdeau qui pense à Célianthe, et sauf Célianthe qui pense à autre chose. Il n'y a qu'une personne que ça intéresse, c'est la prof, qui blablate toute seule sur son estrade. Elle est présente à tous les cours. Visiblement, son gosse n'est jamais malade. Ou alors elle en a déjà marre de lui. Ou alors elle nous préfère. Elle nous adore. Encore une passion à sens unique, c'est consternant. On a un nouveau livre à lire. Il est très gros. J'arrive pas à retenir le titre. J'ai même pas envie d'aller voir le résumé sur Internet. Je suis fichue.

13 mai

Un sur quinze à ma carte en géo. Tout ça parce que j'ai pas respecté le code couleurs. Visiblement, on se fiche pas mal que j'aie trouvé les noms des fleuves. Le vrai truc, c'était de les écrire en bleu. Retour à la case maternelle, option coloriage.

Dehors, il fait vraiment beau. Je regarde la pelouse par la fenêtre à longueur de temps. J'ai atrocement envie de sauter. Environ cent fois par jour. Où es-tu, Couette, mon amour ?

14 mai

Samira m'attendait devant le lycée. Elle avait l'air gentille pour une fois. À force de ne pas me voir, elle avait oublié qui j'étais. Rien de tel que l'absence pour vous remonter une image de marque. Bref, elle m'a prise par le bras et elle s'est mise à me parler à voix basse comme si on avait toute la police de France à nos fesses.

– Devine ?

– Qu'est-ce que tu dis ?

– JE TE DIS : DEVINE !

– Arrête de hurler ! Je ne sais pas.

– C'est au sujet d'Areski.

– Il veut arrêter le groupe ?

– Non… Plus important.

– Il me vire ?

– Plus important.

– Il me hait ?

– Arrête de tout ramener à toi. C'est à propos de lui.

– Mais j'en sais rien, moi ! Si tu crois qu'il me raconte sa vie ! Il passe son temps à me crier dessus, on n'a pas beaucoup l'occasion de parler d'autre chose.

– Bon, alors, il m'a tout dit…

Elle a descendu la voix largement au-dessous du niveau de la mer. Quand elle est arrivée à Terminus Grands Fonds Abyssaux, elle a soupiré :

– Il est homosexuel.

– Quoi ? Qu'est-ce que tu dis ?

– IL EST HOMOSEXUEL !

– MOINS FORT ! JE NE SUIS PAS SOURDE !

– Tu m'as entendue, au moins ?

– Oui. Et non, je ne crois pas. Je sais qu'il n'est pas très attiré par les filles, plutôt par les garçons, mais c'est tout.

Elle m'a regardée comme si je tombais de la lune, tel Cyrano masqué.

– C'est bien ce que je te dis. Il est homosexuel.

– Hou là… Toujours les grands mots. Tout ça parce qu'il préfère un type à une gonzesse, alors là tout de suite, homosexuel, c'est quand même un peu exagéré, non ? À ce compte-là, moi aussi, je suis homosexuel.

Samira a secoué la tête d'un air découragé. Depuis qu'elle veut être médecin, il faut qu'elle mette des grands mots partout. Plus personne n'est triste, tout le monde est dépressif. Plus personne n'est amoureux, tout le monde est homosexuel et ainsi de suite. En tout cas, elle était jalouse, ça au moins c'était clair.

– Tu le savais, toi ? Il te l'avait dit ?

– Oui. Bien obligé. C'était quand on était à la mer avec tes parents et que tu avais peur que je le drague. Je lui ai dit : n'essaie pas de me draguer, c'est l'embrouille. Il m'a répondu : pas de problème, je ne drague pas les filles. J'étais assez contente parce que au moins, pour une fois, ce n'était pas parce que j'étais moche. Après, on est devenus assez copains, puis il y a eu cette histoire de groupe, et voilà, c'est tout.

– Il te l'a dit à toi, et pas à moi…

– Normal. Comme tu ne lui demandais pas de ne pas te draguer, vu que tu es sa sœur, il n'a pas eu à te dire qu'il ne te draguerait pas. Ne le prends pas mal, c'est déjà assez compliqué comme ça.

– Je ne le prends pas mal. Seulement, j'aurais préféré le savoir avant toi.

– Pourquoi ? Je m'en fiche tellement que ça ne compte pas. Je suis hors jeu.

– Tu n'es pas amoureuse de lui ?

– T'es tombée sur la tête ? T'as vu comment il me parle ?

Elle a eu l'air rassurée. Je l'ai sentie qui serrait mon bras en marchant.

– Après tout, tu peux sortir avec n'importe quel autre garçon du groupe.

– N'importe lequel, c'est toi qui le dis, ai-je répondu avec mélancolie.

Je suis rentrée chez moi assez déprimée. L'avantage, c'est que, tant qu'elle farfouille dans la vie privée de son frère, elle ne pense pas à me demander d'avis personnel sur son bouquin. Où il peut s'être planqué, celui-là, c'est le mystère.

15 mai

– Cette gosse raffole du fromage, a remarqué finement ma mère.

– Ne dis pas fromage, ai-je dit. Je déteste ce mot, je le déteste à fond. Je ne peux pas l'entendre sans m'évanouir.

– Fromage, a répété ma mère en haussant les épaules. Fromage.

– AAAAHHHH!!!

Il n'empêche que Rosette adore le roquefort, ce truc vert moisi gluant à moitié vivant et qui coûte par ailleurs les yeux de la tête. Je lui en ai donné un petit morceau sur le bout de mon doigt. Elle l'a suçoté en plissant les yeux. Puis elle a ouvert la bouche pour demander une rallonge. Ma filleule a des goûts de luxe. Je me demande si on peut acheter des petites quantités pour bébé.

– Bonjour, madame, je voudrais quatre grammes et demi de roquefort. Mettez-moi aussi un demi-jaune d'œuf et une boulette de mie de pain. C'est pour manger tout de suite, merci.

À mon avis, ça ne marche pas. Globalement, les commerçants détestent les bébés.

La demoiselle d'honneur portera une robe longue en voile rose légèrement transparent, un bouquet de fleurs de saison et une couronne dorée sur la tête. Une couronne? Et puis quoi encore? J'ai dit non. Pourquoi pas une cape en hermine pendant qu'on y est?

16 mai

Aux dernières nouvelles, la couronne, c'est une blague de Sophie. Je la hais. La robe et le bouquet, en revanche, c'est du sérieux. Misère.

17 mai

C'est fait. Areski a balancé le film sur le Net. N'importe qui peut me voir souffler dans les bronches de Tom, maquillée comme un cirque, à demi dévêtue dans ma robe de traînée. Il paraît que 1 367 personnes m'ont déjà visitée. Je refuse d'aller voir. J'ai l'impression de me retrouver dans mon cauchemar. En pire. Au train où vont les choses, demain, je me transforme en souris.

18 mai

Le livre de Samira était mystérieusement planqué dans un sac en plastique, avec un sachet de réglisse entamé et une boîte de cirage noir. Le sac en plastique était lui-même enfoui sous un tas. Ma chambre abrite un certain nombre de tas qui grossissent quelques mois avant que ma mère menace de tout jeter en vrac si je ne range pas. À ce stade, en général, c'est moi qui jette et on n'en parle plus. Bon, bref, il s'agissait d'un tas mixte, vêtements, vieux journaux gratuits, cahiers de l'année dernière, sacs assez moches de récupération. Et dessous, sournoisement, un simple sac de plastique propre à étouffer les tortues, et ce fichu bouquin à l'intérieur. Le vrai mystère là-dedans, c'est la boîte de cirage. Qui cire ses chaussures dans cette famille ? L'inspecteur mène l'enquête. Certainement pas moi en tout cas, je le jure. Le cirage, dans ma vie, c'est un peu comme le vernis à ongles. Une autre planète. Enfin, ce livre… J'avais oublié le dessin de couverture… c'est UNE ÉNORME SOURIS ! Sans vouloir me vanter, je suis littéralement pourchassée par les signes inquiétants et autres rêves prémonitoires. La sœur médecin de mon chef de groupe homosexuel m'envoie des avertissements issus de mes propres cauchemars par livre interposé. Et tout ça le jour même de mon anniversaire… Essayez de ne pas croire en Dieu après ça.

19 mai
Le bouquin s'appelle *Des fleurs pour Algernon*. On ne voit pas du tout ce que ça peut vouloir dire, mais au moins c'est un titre. Sans blague, je vais le lire. Sauf que, si je commence ce soir, j'en ai bien pour quinze jours. Autant dire que je n'aurai jamais le temps de me taper le pavé de la prof de français. De toute façon, je n'arrive pas à me souvenir du titre. Ça ressemble vaguement à *Algernon* mais sans les fleurs.

20 mai
Je suis trop fatiguée pour lire. À la place, j'ai téléphoné à Jabourdeau qui m'a explosé ma carte à force de pleurnicher. S'il ne fait pas un tout petit effort pour être un peu plus drôle, il peut laisser tomber. Aucune fille ne sort avec un type qui passe son temps à pleurnicher. Ça n'existe pas. Je l'ai prévenu, ce qui m'a valu une avalanche de nouvelles doléances. J'en ai plein le dos. Je rends ma robe noire et ma moustache. Que quelqu'un s'occupe de lui ramener son chien et qu'on n'en parle plus.

21 mai
Tout le monde me regarde de travers au lycée. Même les surveillants. C'est la foire aux petits sourires et autres coups de coude. Ils ont tous vu le film, c'est clair. C'est fou ce que les gens passent comme temps à espionner leurs voisins sur Internet. Et après, on se demande pourquoi il y a des crises financières, des guerres entre les peuples et tout le bazar national et international. Si les

gens s'occupaient de leurs oignons et arrêtaient de lorgner chez leurs voisins, le monde irait mieux, voilà ce que j'en dis.

En attendant, je me demande comment je dois réagir. En même temps, tant qu'on ne me demande pas d'autographe, je n'ai pas grand-chose à faire. Je continue comme avant. Juste comme si de rien n'était. Je suis donc celle qui n'est au courant de rien. Un film ? Quel film ? Ce qui n'est pas faux dans un sens. Si une personne sur terre se refuse à voir ce film, c'est bien moi. Je suis parfaitement incomprise et seule au monde. La rançon de la gloire, je suppose.

22 mai

– Hé, j'ai dit à Areski, tout le monde l'a vu, ton film…

– J'aimerais bien, mais je ne crois pas.

– En tout cas, dans mon lycée, il a fait le plein.

– Tant mieux.

– Quoi, tant mieux ? Et moi, là-dedans ? Je compte pour rien ?

– Attends, je ne comprends pas… De quoi tu te plains exactement ?

Les nains nous fixaient d'un air gourmand, une fois lui, une fois moi, comme s'ils attendaient le moment où nous allions en venir aux baffes.

– Tu voulais chanter, tu chantes. Tu voulais qu'on t'écoute, on t'écoute.

– Peut-être, mais je n'ai jamais dit que je voulais qu'on me voie, et on me voit.

– Malheureusement, c'est la dure vie des chanteuses. Elles chantent, les gens les regardent. Celles que personne ne regarde, en général, elles arrêtent assez vite de chanter.

– Ça m'est égal. Je n'aime pas qu'on me regarde et qu'on pense des trucs. Ma robe rouge et tout ça…

– Faut quand même pas exagérer. Tu commences à avoir un petit public au lycée, et c'est déjà le drame. Pense un peu à Amy Winehouse.

– T'as vu dans quel état elle est, Amy Winehouse ?

Et ainsi de suite. Apparemment, ma voie est toute tracée. Pour moi, ce sera robe rouge, alcool, drogues et gros tatouages. Merci, les amis. J'allais partir en claquant la porte quand David m'a rattrapée.

– Tu veux quitter le groupe ?

– Bien vu, le devin.

– C'est trop tard.

– Ah bon ? Première nouvelle.

– Si tout ton lycée l'a vu, tout ton lycée l'a vu. Le pire est passé. Le reste, après, tu ne le remarqueras même pas. Il n'y aura que des gens que tu ne connais pas. Zéro importance.

– Et mes parents ? Tu y penses à mes parents ?

– À mon avis, ils l'ont vu aussi. S'ils ne t'en parlent pas, c'est qu'ils ne veulent pas t'embarrasser. C'est tout.

C'est dingue comme la voix de David est douce. Quand je parle avec lui, c'est tout juste si je ne m'endors pas sur place. Pas qu'il m'ennuie. Il me calme.

– Tu crois ? j'ai dit.

Il a hoché la tête avec un sourire très gentil et c'était sa réponse. Il n'a pas essayé de me retenir. Je suis partie du studio. Mais plus rien n'était très grave. Non, vraiment. Je me fichais de tout.

23 mai

J'étais hyper zen en revenant chez moi. J'ai posé la question de confiance au dîner. David a raison. Mes parents l'ont vu, Sophie l'a vu, Jessica et Vladouch et même le bébé Rosette l'ont vu. Je ne vais pas établir le compte détaillé de mes connaissances, mais en résumé ils l'ont tous vu. Même ceux qui ne sont pas fichus de se servir d'un ordinateur. C'est trop d'honneur.

– Vous êtes très bien, a déclaré mon père. Il paraît que c'est toi qui écris les chansons ?

– Tu es vraiment très jolie quand tu chantes, a ajouté ma mère. On dirait que tu as fait ça toute ta vie. Nous sommes fiers de toi, tu t'en doutes.

– Tu devrais mettre les boucles d'oreilles que je t'ai offertes, a dit Sophie. Elles iraient bien avec la robe. Et, la prochaine fois, je t'achète des chaussures.

J'ai répondu globalement :

– Merci, les amis, mais le mieux, c'est qu'on en parle le moins possible.

– C'est exactement ce que nous pensions, a répondu ma mère. Tu as droit à une vie extérieure, toi aussi.

Moi aussi ? Qu'est-ce qu'elle raconte ? Qu'est-ce qu'elle fabrique quand elle sort de la maison ? Une double vie ? Ma mère ?

24 mai

Germinal. Le bouquin de français s'appelle *Germinal. Germinal-Algernon*, il y a quand même une ressemblance incroyable. N'importe qui pourrait confondre. Je pourrais toujours dire à la prof que je suis allée à la librairie et que je me suis trompée. Après tout, une fiche de lecture, c'est une fiche de lecture.

25 mai

Samira est un monstre.

D'abord, je n'ai pas beaucoup dormi parce qu'il fallait absolument que je lise son bouquin, je ne pouvais pas dormir avant de l'avoir terminé. Ensuite, je pleurais tellement à la fin que même le lendemain mes yeux étaient rouges. Mais il était trop tard ou trop tôt pour que je l'appelle, elle pour l'insulter, ou n'importe qui d'autre, pour me faire consoler. J'étais seule face à mon oreiller trempé et le monde était juste un océan de malheur. Va au diable, Samira. C'est le dernier livre que je lis de ma vie. Si c'est pour me ruiner l'existence, à partir de maintenant je ferai sans. La grande traîtrise, c'est que celui-là est écrit comme un journal. Comme ça, on peut bien s'attacher au héros. C'est ignoble. « Plus tu seras intelligent, plus tu auras de problèmes, Charlie. » Voilà ma nouvelle devise. Je ne vais pas raconter l'histoire parce que je vais me remettre à pleurer. Je suis peut-être un peu Charlie, mais certainement pas Jabourdeau. Ça, non.

26 mai

Mariage dans quinze jours.

Sophie est sur les dents. Pardon. Sur l'appareil dentaire. Je me demande dans quel état est Chef Simon. À cran. Probablement.

27 mai

J'ai appelé Samira.

– Tu m'offres jamais plus de bouquin, toi.

– Pourquoi ? T'as pas aimé ?

– J'ai tellement aimé que ma vie est détruite. Merci beaucoup.

– Tu trouves pas que tu en fais trop ?

– Je pense à Charlie tout le temps.

Elle est restée silencieuse un instant.

– Aurore, Charlie n'existe pas vraiment. C'est une histoire. Tu ne crois pas que tu fais un peu de dépression ? Areski m'a raconté. Toute cette histoire avec le film…

Je n'ai même pas répondu. Elle est pareille que les médecins du livre. Une créature inhumaine, bourrée d'intelligence et dépourvue de cœur. À quoi bon se fatiguer à lui parler ?

J'ai raccroché. Le téléphone a sonné aussitôt et je n'ai pas pu m'empêcher de prendre l'appel.

– ALLÔ !!!

– Hé ho, pas de panique. C'est juste moi, David.

– QU'EST-CE QUE TU VEUX ???

– Rien. Juste savoir si tu allais mieux après la répète. Mais je vois que tu as retrouvé toute ta voix…

J'allais encore me mettre à hurler, pour me venger de tout, mais je me suis laissé déborder par les sanglots.

– Qu'est-ce qui se passe? disait gentiment David. Qu'est-ce qui se passe, Aurore? Ce n'est qu'un petit film comme il y en a des millions…

J'ai hoqueté.

– Rien à battre, du film. C'est ce livre, que j'ai lu, ce livre, là, *Des fleurs*…

– *… pour Algernon?*

– Oui (pleurs et hoquets).

– Je comprends. C'est dur, je sais. Mais tu vas voir, ça va passer.

– Je ne pourrai jamais l'oublier…

– Personne ne te demande de l'oublier. Je te dis juste que tu auras moins de chagrin. Un jour, tu arriveras même à te dire que c'est un livre, une histoire inventée par un type…

Sa voix au téléphone était une douce Biafine sur mes brûlures.

– Tu crois, David?

– Oui, je crois, Aurore.

Et c'est à ce moment précis que j'ai réalisé que, malédiction, le machin était en train de me foncer dessus à la vitesse d'un cheval au galop. J'allais tomber raide amoureuse de David sitôt que j'aurais raccroché, aussi sûr que deux et deux faisaient quatre (et le font toujours, d'ailleurs). Au moment même où je me confiais innocemment au téléphone, une quantité d'hormones jusque-là désœuvrées se précipitaient frénétiquement pour se fixer sur son image. Adieu Charlie et sa vie tragique. Bonjour David et sa voix de miel. Philtre, le retour. À quand l'overdose?

28 mai

Je n'ai pas de tête. Je n'ai pas de cœur. J'ai des glandes. Voilà l'histoire de ma vie.

30 mai

Dernière innovation areskienne. Enregistrer la maquette ne suffit pas à notre bonheur. On a concert en juillet dans une campagne pourrie, à l'invitation d'un festival bouseux, au milieu de trente autres groupes foireux.

– Tu acceptes ? a demandé Areski. Ou je te cherche une remplaçante ?

J'ai regardé David par en dessous et j'ai répondu :

– J'accepte. Ce groupe, c'est quand même moi. Je veux dire, principalement, non ?

Personne n'a relevé. Visiblement, les nains en ont marre du débat démocratique. D'un autre côté, je tenais moyennement à commencer une discussion. La seule raison pour laquelle je vais me traîner à ce truc s'appelle David. Avec un peu de chance, on sera obligés de dormir sur place. Peut-être même sous la tente. Voire sous la même tente. Trop étroite et en pente. On ne sait pas ce qui peut se passer. Non, on ne sait pas.

JUIN

Mariage et tralalas

2 juin
J'ai zappé *Germinal*. Franchement, j'en ai un peu marre de tous ces bouquins qui se passent dans l'ancien temps. Dans les mines de charbon, en plus. Les mines de charbon, le vieux truc qui n'existe plus. Du charbon, j'en ai même jamais vu. En photo dans les bouquins de SVT peut-être ? J'ai fait ma fiche sur *Algernon*. Ça passe ou ça casse. À mon avis, ça casse. J'ai rendu quelque chose de très largement argumenté. Tous les arguments sont pour le livre, sauf le dernier qui concerne la fin. Atroce. *Algernon*, c'est quand même l'histoire d'un type complètement à la ramasse mais pas trop malheureux et qui devient très intelligent et très malheureux. Tout ça à cause d'une bande de médecins sans scrupules qui le soignent de force. Son plus gros malheur est qu'il suit le même traitement qu'une souris, et qu'il voit que la souris, après être devenue très maligne, revient en arrière et redevient complètement naze. Et à la fin, bien entendu, elle meurt. Donc, il sait ce qui l'attend… C'est la souris qui s'appelle Algernon. Le type s'appelle Charlie. L'auteur s'appelle Daniel Keyes. Pour une fois, c'est un type normal, avec des photos comme preuve de sa réalité, et qui existe vraiment même si c'est en Amérique. Le tout disponible sur Internet.

Pour l'année prochaine, si je ne redouble pas, ça m'étonnerait qu'on me laisse aller en littéraire. J'ai des choses à dire mais elles collent rarement à ce qui plaît en cours de français. Tout ce que j'ai à dire est tragiquement hors sujet. De toute façon, je préfère aller chez les scientifiques. *Algernon*, à mon avis, est plus un livre scientifique qu'un livre littéraire.

3 juin
Le mariage est sur orbite. J'ai passé la robe. On voit ma culotte.

– Jessica, j'ai dit, passe encore pour la coupe, encore que, mais on voit ma culotte.

– T'as qu'à mettre une culotte rose, a répondu Jessica, qui avait des aiguilles plein la bouche.

– Je vais pas mettre de culotte du tout, puisque c'est ce que tu veux.

– Tais-toi ou je t'enfonce une aiguille dans le gras des fesses.

– Ne dis pas «fesses» ou je te tue.

– D'accord, je vais juste t'enfoncer une aiguille dans le gras.

– Ne dis pas «gras» non plus.

– Tais-toi.

C'est plus un mariage, son truc. C'est une exhibition.

5 juin
Apparemment, mon père est incroyablement populaire chez ses collègues. On se demande ce qu'ils peuvent bien lui

trouver. Bref, ils lui ont déniché un endroit formidable avec jardin pour marier sa fille. C'est au bord d'une rivière. Une sorte de guinguette où on peut faire de la musique jusqu'à pas d'heure. Et se noyer en fin de soirée probablement. Je suppose qu'ils espèrent tous être invités. Ça va être gai.

6 juin
Mariage, mariage, mariage. Il pourrait y avoir une guerre, la Terre pourrait exploser, je pourrais redoubler, ils s'en fichent. La seule chose qui les intéresse, c'est le nombre de petits roulés à la tapenade que Sophie doit préparer pour accompagner le pétillant aux pêches. C'est à peine croyable, mais ma sœur a réussi à convaincre mes parents qu'elle pouvait faire le traiteur. Elle a embauché Mamie, ma mère, et tout ce qui est physiquement capable de tenir un couteau à bout rond pour étaler de la purée d'olive sur de la pâte feuilletée. Mon père a refusé, il estime qu'il en a assez fait en trouvant la guinguette. J'ai refusé, j'estime que j'en ai assez fait en général. Sophie a deux arguments inattaquables. Elle fera aussi bien qu'un traiteur et pour beaucoup moins cher, et d'un. Chef Simon ne la laissera pas tomber, et de deux. Un cuisinier virtuel dirige notre famille à distance. On dirait un livre de science-fiction. Je pourrais l'écrire, si seulement j'avais le temps. Daniel Keyes, si vous voyez ce que je veux dire.

7 juin
Comme j'ai refusé de participer au grand atelier buffet, on m'a obligée à promener Rosette. Je l'ai collée dans sa

poussette et nous voilà parties direction le parc. Quelle idiote je fais. Jamais j'aurais dû retourner au parc. En arrivant, j'ai été la cible d'une attaque de nostalgie géante. Ce parc, après tout, c'était le mien. C'est là qu'on m'emmenait quand j'étais petite. La baraque où l'on vendait des glaces était fermée et son rideau de fer rouillé. Mais j'ai retrouvé les grands arbres, les balançoires, le bac à sable, le tourniquet. Avec le temps, tout était un peu abandonné et décoloré. C'était comme si je revoyais mon enfance à moi, pareillement abandonnée et décolorée. J'étais tellement désemparée que je ne pouvais même pas verser ma petite larme. Je me sentais seulement furieuse et désespérée. Du coup, je me suis identifiée à mort à Rosette. Je voulais à toute force qu'elle soit très heureuse dans mon parc. Je l'ai prise dans mes bras et nous nous sommes balancées sur toutes les balançoires. Ensuite, nous avons tourné sur le tourniquet. Ensuite, nous avons marché sous les arbres et nous nous sommes reposées au bord du bac à sable. Rosette a essayé d'en manger quelques poignées, mais il était tout gris et collant. J'ai essuyé les paumes de ses mains.

– Laisse tomber, Cochonnette. C'est du vieux sable. Je te paierai une glace sur le chemin du retour.

Parce que nous étions deux, la promenade a perdu sa tristesse, elle s'est même emplie de joie. Rosette n'arrêtait pas de sourire et de dire « OOO ». Franchement, je n'ai jamais rencontré de bébé aussi intelligent. En même temps, je n'ai pas rencontré tellement de bébés dans ma vie. Il y a bien eu Sophie mais je n'arrive pas à croire qu'elle a été bébé un jour. Elle est tellement sérieuse. On dirait qu'elle a toujours été traiteur.

9 juin

Célianthe ne sait pas quoi faire de Jabourdeau. Et à qui elle demande conseil ? À la vieille gouvernante qui se tient au fond de la scène. Vous voyez ? La robe noire et la moustache assortie.

– Qu'est-ce que tu veux que je te réponde ?

– Je l'aime bien mais je ne crois pas que je l'aime assez pour sortir avec lui.

– Tu pourrais faire un effor On ne sait jamais. Avec un peu de chance, il est peut-être différent en tête à tête.

– J'ai peur qu'il soit pire. Et je ne sais pas si j'ai très envie de tête-à-tête.

Je ne sais pas pourquoi je n'aime pas tellement « tête-à-tête ». Je ne peux pas m'empêcher de penser aux têtes de cochons accrochées chez le boucher, au-dessus des lapins.

– Ne dis pas « tête-à-tête », s'il te plaît.

– D'accord. Des fois, je me demande qui est le plus zinzin. Toi ou Jabourdeau.

– C'est moi. Ne me demande pas de conseils. Ne me demande jamais de conseils. Je suis dingue.

J'aimerais bien qu'ils s'occupent eux-mêmes de leurs affaires, ces deux-là. Je ne suis pas leur mère.

11 juin

J'ai zéro à *Algernon*. La prof pense qu'il est impossible que j'aie confondu avec *Germinal*. Elle aurait pu faire semblant de me croire. Mais non. Elle préfère le conflit. Zéro, dans un sens, je m'y attendais. C'est le commentaire qui m'a sciée : « Vous êtes invités ici à lire des œuvres d'une réelle qualité littéraire, et non des ouvrages mineurs d'un intérêt médiocre, tant pour votre connaissance de la littérature française que pour l'éducation de votre goût. » Je ne vois même pas ce qu'elle veut dire, à part qu'*Algernon* est un bouquin étranger pour les imbéciles et que je n'ai aucun goût. Tant pis. Je ne veux pas de sa connaissance ni de son éducation. Il faut que je pense à le lui dire avant la fin de l'année. Je suis sûre qu'elle n'a pas lu une ligne de ce que j'avais écrit. Je suis dégoûtée. Est-ce qu'il y a du français en première S ? J'espère bien que non.

12 juin

Mariage, J moins deux.

– Tu devrais acheter un panty, m'a dit ma mère. Si ça te préoccupe autant que ça.

– Oui, ça me préoccupe, de montrer mes fesses dans une église, si tu peux entendre ça. Et qu'est-ce que c'est qu'un panty ?

– Une sorte de boxer un peu long sur les cuisses.

– C'est pas un chien, le boxer ?

Avis à tous les dictionnaires : le panty est un short collant qui descend à mi-cuisses. Un cycliste version mémère. Le véritable sous-vêtement fait pour moi. Je pourrais même me passer de la robe et y aller directement en panty. Panty, panty. Quel drôle de mot. Mon mariage en panty.

13 juin

Mariage, J moins un. Tous les frigos de toutes nos connaissances sont bourrés jusqu'à la gueule de blancs de poulet pris en gelée de sauge et autres chiffonnades d'endives aux pétales de betteraves, huile de noix et baies roses. Le fromage sera livré directement sur place et la pièce montée a été confiée à un pâtissier, Sophie est téméraire mais pas folle. Pour les assiettes, c'est la guinguette qui prête. On les dressera dans la cuisine derrière le bar.

J'attendais vaguement qu'on me demande d'interpréter une de mes chansons en robe rouge mais personne ne s'est manifesté. Ils ont peur de ce que je pourrais écrire. Je les comprends. Ou alors c'est qu'ils n'ont pas l'intention d'inviter six garçons voraces à manger leurs baies roses. Je les comprends aussi. Bref, ce sera musique enregistrée ou rien. Avalanche de tubes du siècle dernier en perspective.

15 juin

Mariage. J plus un. Personne ne s'est noyé. Et je reprendrais bien un peu de café. Par pitié.

16 juin

Mariage J plus deux. Je n'ai presque plus mal à la tête. Quand je ferme très fort les yeux, je me sens même assez en forme.

L'église était un peu sombre pour que l'assemblée profite à plein de mon panty rose. Mais, comme tout le monde avait pu l'admirer à la mairie, il n'y avait rien à regretter. L'autre demoiselle d'honneur était une copine de lycée de Jessica. La pauvre chose cherchait visiblement un mari personnel. Elle n'arrêtait pas de prendre des poses dans le soleil, comme si sa robe était sa dernière chance de décrocher un prétendant. Un seul critère : aimer les culottes noires. Je m'accrochais désespérément à ma chaise dans l'espoir fragile qu'on oublie mon panty, tandis que ma sœur et Vladouch se faisaient une masse de promesses légales sous les yeux émerveillés de Lola. Tout a une fin, grâce à Dieu. Sitôt achevées les diverses cérémonies, j'ai foncé à l'appartement pour me couvrir décemment. Jessica m'avait interdit de mettre mon jean, alors j'ai pris ma robe rouge. Et j'ai piqué les tongs de Sophie. Je n'ai pas mendié sa permission, vu qu'elle était déjà sur le site avec sa toque et son tablier. Je me suis dit qu'elle serait de toute façon trop occupée pour me faire un procès pour une histoire de chaussures. Mauvais calcul. J'étais à peine arrivée à la guinguette qu'elle s'est jetée sur moi.

– Rends-moi mes tongs !

– Tu veux laisser ta sœur sans chaussures ? Maman ! Sophie ne veut pas me prêter ses tongs !

Sophie s'est tournée vers Maman, elle était hors d'elle.

– Elle n'a rien fait pour le mariage, elle a passé son temps à me critiquer, et maintenant elle pique mes tongs dans ma chambre ?... Tiens, attrape ce plateau ! J'en ai trop marre. Je m'en vais. De toute façon, tout est prêt. Vous n'avez qu'à finir le mariage sans moi !

La pure scène d'hystérie. J'ai regardé ma mère.

– Elle est en train de péter un câble ou quoi ?

Ma mère a secoué la tête. Elle avait l'air passablement énervée, elle aussi.

– Elle a raison ! Rends-lui ses chaussures ! Tout de suite !

– Mais elle en a déjà, des chaussures ! Et moi, je vais être pieds nus !

– Eh bien, tu seras pieds nus. Après tout, c'est une question d'habitude…

– Tu ne vas pas me reprocher de jouer dans un groupe quand même !

– Arrête de tout mélanger ! Rends les tongs à ta sœur !

Ma parole, elles étaient enragées toutes les deux. J'ai été obligée de me lancer dans une opération diplomatique.

– Sophie, je te les achète. Je te paie dès qu'on rentre à l'appartement. Dis ton prix.

Elle a réfléchi.

– Quarante euros.

– Quoi ? Pour des tongs que tu as achetées au marché ?

– C'est quarante euros ou rien. Tu n'as qu'à en trouver d'autres, des tongs, si les miennes sont trop chères pour toi.

Elle profitait à mort de la pénurie de tongs à la guinguette. J'ai été obligée de céder.

– Ça marche. Tu iras en enfer, mais ça marche.

– Et si tu essaies de te défiler, je dirai à Maman de pomper directement sur ton argent de poche.

Ma sœur devrait laisser tomber la cuisine et se lancer dans la banque. Quand on a tous les talents, il faut choisir le plus rentable.

Pour qu'on arrête de m'assommer de reproches, j'ai fait mon possible pour assurer le service à table. Je courais partout en glissant sur ces tongs pourries. Enfin, les joyeuses tablées se sont jetées sur les assiettes et je me suis assise. J'avais moyennement envie de manger ce que cette voleuse avait préparé. J'ai préféré boire tranquillement le vin rouge de mon père.

– C'est toi qui chantes dans un groupe de rock sur Internet ? m'a demandé un de ses collègues.

– Non. C'est ma petite sœur, là-bas, celle qui porte des lunettes.

– Ah, a fait le type. J'étais sûr que c'était toi.

– On nous confond souvent, c'est pour ça.

J'ai continué à boire du vin rouge dans l'indifférence générale. Personne ne me regardait, personne ne s'intéressait à moi. J'aurais aussi bien pu me jeter dans la rivière, c'était pareil. Une adolescente désespérée en train de se suicider au vin rouge dans l'abandon le plus complet. Le fromage est arrivé, lentement mais sûrement, et les gens ont été pris de bougeotte. Ils n'arrêtaient pas de quitter leur table pour aller faire un brin de causette à une autre table. Comme s'ils s'ennuyaient à périr avec leurs voisins. Lola n'a pas tardé à venir me taper sur l'épaule. Du coup, mon voisin lui a laissé sa place et il est parti. Apparemment, à moins d'être vedette sur Internet, on a du mal à accrocher ses voisins.

– Alors ?

– Je m'ennuie atrocement, a fait Lola. Il n'y a que des copines de Jessica à ma table. Elles n'arrêtent pas de parler de gosses. Beurk. Et toi ?

– Pareil. Je n'ai envie de parler à personne.

Là où c'était un mensonge, c'est que j'avais très envie de parler à quelqu'un qui, précisément, n'avait pas été invité. J'aurais donné n'importe quoi pour que David soit là. Je n'avais pas arrêté de penser à lui dans la journée. Et le soir, c'était pire que tout. C'est quand même bizarre de constater que l'amour est plus actif la nuit que le jour. Dans le fond, c'est un peu comme la fièvre. La température monte en fin de journée. J'étais écœurée de tout. Même de Lola. Je ne voulais rien d'autre que de rêvasser à la belle vie que j'étais en train de ne pas vivre. David dans la nuit de juin, au bord de la rivière, les ampoules de la fête, le bruit au loin. Et moi ventousée à son côté en train de lui parler d'*Algernon*. J'ai bu encore un verre de vin rouge et je suis allée m'asseoir au bord de la rivière. J'ai entendu les gens applaudir quand la pièce montée est arrivée, et la musique a démarré. Je me sentais affreusement mélancolique et nauséeuse en pensant à ma vie ratée. À la fin, une de mes tongs est tombée dans la rivière. Je venais de flanquer vingt euros à l'eau, et les vingt qui me restaient ne me servaient plus à grand-chose. Après, je ne me souviens plus de rien, la nausée s'est transformée en mal à la tête et je me suis endormie. Quand je me suis réveillée, ma robe rouge était chiffonnée, Lola dansait toute seule sur la piste, on voyait des traînées blanches dans le noir de la nuit, et il était l'heure de rentrer. Le mariage était fini. C'était bien la peine de faire tant d'histoires. Personnellement, je ne me marierai jamais.

19 juin

« À mon mariage, non j'irai pas
Tous mes parents iront sans moi.
Je t'invite, chéri, au grand voyage
À l'évasion au décollage.
J'ai deux tickets pour l'paradis
Deux allers simples, partons d'ici.
Tous leurs serments, j'les dirai pas
Tous leurs papiers, j'les lirai pas.
J'serai sur la route à côté d'toi
Réfléchis, on vivra pas deux fois.
Fais tes valises, viens, on s'en va.
Et pour la noce, on sera pas là.
J'servirai pas mes rêves au repas
J'inviterai pas les gens dans mes draps
Mon mariage, il se fera sans moi
Et ce sera aussi bien comme ça.
L'amour c'est privé, mon amour,
La fête, on la fera au retour. »

J'aurais pu la chanter au mariage, celle-là. Avec un accompagnement de clavier tout simple. Juste moi et David. David et moi. Encore une chanson qui vient trop tard. Trop tard, c'est le résumé de ma vie.

20 juin

J'ai eu un peu de mal à comprendre que pour finir je passais en première. Je me suis tellement fait menacer que j'ai pensé un instant que j'étais juste dégagée du système scolaire. Renvoyée, virée, jetée. La prof d'histoire principale m'a pourrie publiquement pendant des heures, au motif que j'étais paresseuse, insolente, insensible et même d'une intelligence limitée. À part une souris débile, qui peut confondre *Germinal* et *Algernon*? Sans parler du code couleurs des cartes de géographie, mesure de l'intelligence humaine. Bon bref, elle s'est vengée à fond. À l'écouter, j'étais bonne à rétrograder en grande section de maternelle. Sauf que, juste à la fin, elle a laissé tomber :

– Mais enfin, après avoir pris en compte vos résultats dans les matières scientifiques, l'établissement vous accorde une période d'essai selon vos vœux.

– Sans vouloir être insolente, madame, s'il vous plaît, je n'ai pas bien compris. Je passe en première ? Ou pas ?

Elle a haussé les épaules :

– Il vous arrive d'écouter quand on vous parle ?

Je n'étais pas position de force. Un prof qu'on énerve est incontrôlable, et malheureusement l'étendue de son pouvoir est également incontrôlable. J'avais intérêt à me tenir à carreau. J'ai donc hoché la tête d'un air dépité et je l'ai bouclée. Voilà pourquoi les gens se retrouvent dans la poisse. Ils ont hoché la tête au moment où il ne fallait pas, tout ça parce qu'ils n'avaient pas compris un mot de ce qu'on leur disait.

« Voulez-vous, en agissant courageusement dans un esprit de coopération entre les peuples, défendre la civilisation, la culture et l'avenir de vos enfants ? »

Et hop, un billet d'avion pour la guerre en Afghanistan.

« Voulez-vous, en vous engageant à rétribuer régulièrement le créditeur qui vous le propose, atteindre un train de vie dont vos parents auraient rêvé qu'il fût le vôtre ? »

Et badaboum, endetté à vie.

Il a fallu que j'attende l'interclasse pour en avoir le cœur net.

– Mais oui, tu passes ! m'a dit Célianthe. Ça lui faisait juste mal au ventre de te le dire directement.

– Elle a dit « à l'essai »...

– Vu ton heureux caractère, ça m'étonnerait qu'ils te renvoient pourrir une classe de seconde... Au pire, tu redoubleras ta première.

Et voilà comment on se débarrasse de vous en vous giclant dans la classe supérieure. Sur le coup, j'avais presque envie de réclamer mon redoublement pour cause de respect des droits humains. Mais il était déjà onze heures, et Jabourdeau a sorti un paquet de chips de son sac. J'avais trop faim. J'ai renoncé à tous mes droits. J'ai tendu la main :

– Par ici, les chips, Jabourdeau !

Et voilà, je passe en première. Je suis déshonorée.

21 juin

– Tu ne peux quand même pas redoubler toutes tes classes, a remarqué Sophie.

C'est le seul encouragement que j'ai reçu chez moi. Ils m'en veulent à mort pour cette histoire de mariage. Soi-disant que j'aurais été désagréable avec les invités, que j'aurais bu du vin rouge, et que j'aurais disparu à la pièce montée. Comme si je l'avais fait exprès... Ils oublient de préciser que la fête était naze, que ma sœur m'avait escroquée de quarante euros, et que je m'étais tapé deux cérémonies en panty rose. Je fais des efforts dingues et voilà comment on me remercie. J'aurais dû redoubler. Je regrette, je regrette.

22 juin

Et si je me droguais ? Et si j'allais acheter de la cocaïne au terminus des bus ? Qu'est-ce qu'ils diraient ? Ils seraient bien obligés de s'intéresser à moi, voilà la vérité. Ils iraient me récupérer chez les flics, ils parleraient de moi à leurs amis, ils feraient des insomnies d'inquiétude... Je me demande s'ils ne seraient pas CONTENTS. Ce serait autre chose qu'une ado déprimée qui s'enfile trois verres de rouge avant d'aller roupiller comme un gros tas au bord de la rivière. Ce serait plus chic. Je suis trop bête. Je devrais devenir délinquant. En attendant, j'ai envie de voir David. J'ai envie de lui parler. Je me sens seule comme un rat et c'est dingue ce que j'ai envie de voir David.

23 juin

« Dites à mes parents que j'voulais pas ça
Il ne faut pas qu'ils désespèrent.
Dites à mes parents que j'dors au commissariat
Et d'ailleurs non, dites rien à ma mère.
Dites à ma grande sœur que j'voulais pas ça
Et qu'elle ne soit pas trop sévère.
Dites à ma p'tite sœur de pas faire comme moi
Je suis juste une fille sans repères.

Dites à mes amis que j'voulais pas ça
J'me sentais juste trop solitaire.
Dites à mes profs que j'voulais pas ça
Ou plutôt, cassez tout, je préfère.
Dites à mon amour qu'on se retrouvera
Dites à mon amour que je l'aime.
Dites à mon amour que j'voulais pas ça
J'voulais seulement calmer ma peine. »

– Ça s'arrange pas, a fait Lola. Et t'es quand même un peu gonflée de dire que tes amis t'aiment pas.

– Je suis obligée de faire les phrases pour la rime. Solitaire, ça rime avec repères…

– Ça rime aussi avec pomme de terre. T'avais qu'à trouver une phrase avec pomme de terre.

– Tu devrais écrire des chansons. C'est dommage de priver la musique d'un tel talent.

– Justement, j'y ai pensé, figure-toi.

– Des chansons sur les légumes ?

– Au moins, j'irais pas balancer que mes amis m'ont plantée comme une vieille chaussette.

– Une vieille pomme de terre ?

Le problème, avec Lola, c'est qu'on ne peut pas discuter sérieusement cinq minutes. Quand c'est pas elle qui ruine le débat avec une réflexion idiote, je me sens obligée de voler à son secours.

24 juin
Il fait chaud. Je reste sur mon lit en panty et je regarde le plafond. J'écoute Édith Piaf. J'ai piqué le CD chez

Mamie. Tous ces vieux chanteurs patriotiques avec orchestre. Au moins, ils donnaient de la voix. Il paraît qu'il y a un film. C'est quand même fou, tous ces films. Moi aussi, j'en ai un, même s'il est sur Internet. Les gens envient les stars. Ils ne savent rien de leur solitude.

25 juin

Après l'arnaque des tongs, l'arnaque de la robe. Jessica a essayé de me reprendre la rose transparente.

– De toute façon, tu ne la remettras pas.

– Pourquoi tu dis ça ?

– Un pressentiment.

– Je voulais la garder en souvenir.

– Quel souvenir ? Tu l'as enlevée pour la fête.

– De toute façon, à la fête, je dormais.

– C'est vrai. Rends la robe.

– Qu'est-ce que tu vas en faire ?

– Des habits pour Rosette.

– Déjà qu'elle s'appelle Rosette et en plus tu veux lui coller des habits roses ?

– Je fais ce que je veux, c'est ma fille.

– C'est ma filleule.

– Justement. Qu'est-ce que tu fais le mois prochain ? Ça m'arrangerait que tu la gardes le matin.

– Tu me paies combien ?

– Rien.

– Rien ? Pourquoi je dirais oui ?

– Parce que je n'ai pas un sou, parce que tu es sa marraine et parce que tu n'as absolument rien à faire de l'été. Et au moins, tant que tu seras avec Rosette, tu ne te disputeras pas avec Sophie.

– Alors je garde la robe.

– Rosette et la robe. Ça marche ?

– J'ai pas le choix. Ça marche.

Mon mois de juillet est mort. Et qu'est-ce que je vais faire de cette robe idiote, c'est la question.

26 juin

Jabourdeau a emmené Célianthe au cinéma. Il n'a pas vraiment choisi le film. Il a pris celui qui passait à côté de chez lui. Le genre de petit cinéma prétentieux qui ne sort que des vieilleries. Je suppose que c'est moins cher que les films neufs. Bref, c'était largement périmé. Exactement le style qu'on loue en DVD. En même temps, vu du côté de Jabourdeau, la salle de cinéma classique offre des avantages : on s'assied côte à côte, on est enfermés pendant deux heures, on a les jambes et les coudes qui se touchent, et surtout il fait noir.

Il a fait ce qu'il avait à faire. Il a touché la main de Célianthe. Ensuite, il a pris cette main dans la sienne et l'a gardée un certain temps. Après quoi, il a posé sa tête sur l'épaule de Célianthe. Ensuite, Célianthe s'est chargée de l'embrasser. À mon avis, elle en avait plein le dos de cette histoire qui traînait depuis le début de l'année. Comme elle n'arrivait à se débarrasser de lui, elle est allée au plus simple.

– C'est à cause du film, a-t-elle dit un peu plus tard au téléphone. C'est l'histoire d'un type qui n'arrête pas de draguer une fille qui le jette. Le type a l'air taré mais dans le fond, il est bon. À la fin, la fille craque et elle dit oui.

– Et alors ?

– Ils s'entendent à merveille et ils sont heureux ensemble toute leur vie.

– Un vrai conte de fées.

– En quelque sorte. J'ai pensé que Jabourdeau avait l'air un peu taré mais qu'il était fidèle à son amour, comme le héros.

– Et alors ?

– Ma mère sera ravie. Tu sais qu'elle l'adore ?

– Ta mère ? Ma parole, c'est *La Princesse de Clèves,* ton truc. Et lui ?

– Toujours pareil. Il pleurait à la fin du film.

– Il est sensible.

– Oui.

Les gens sont bizarres avec leurs histoires d'amour. Ils ont des sentiments solubles dans les films, les disques et même la musique. Ils confondent le faux et le vrai. Ils admirent le faux et ils l'appellent le vrai. C'est un peu comme moi avec *Algernon.* Je pense comme Charlie, je vois la vie dans les yeux de Charlie. « Tu ne sais pas ce que c'est d'avoir quelque chose qui se passe en toi, que tu ne peux ni voir ni contrôler, et de sentir que tout te file entre les doigts. » Charlie, c'est moi.

27 juin

Fin des classes. Adieu, matières littéraires surestimées. Bon débarras.

JUILLET

Hyperactivité estivale

1er juillet

À la place de Jessica, jamais je ne me confierais ma fille. Ni aucun autre gosse au monde. On dirait qu'elle ne me connaît pas et qu'elle m'a recrutée sur petite annonce. Ma sœur est barjotte. Fauchée et barjotte.

2 juillet

Je vais peut-être essayer la robe rose pour le festival. Avec son panty. Effet de surprise garanti. Au moins sur les nains.

5 juillet

Rythme d'enfer pour les répètes. Je n'ai plus de vie à moi. Le matin, je rosette. L'après-midi, je chante. Après, je vois Lola et quelquefois Célianthe et Jabourdeau, lequel a changé d'appellation et s'appelle désormais Thomas. Jessica avait raison, je n'ai même plus le temps de me pourrir avec Sophie. Le soir, je suis trop fatiguée pour lui tomber dessus. Celle-là, quoi qu'elle fasse, elle s'en sort toujours bien.

7 juillet

Ma mère est en grève. Son entreprise va supprimer des emplois. Standardiste, à mon avis, ça se supprime facilement. On envoie le standard en Inde et le tour est joué. Je le sais, je l'ai vu à la télé. Avec un peu de malchance, on va revenir à *La Cuisine des fauchés*. Voire à *La Cuisine des superfauchés qui dorment sous une tente*. Le vrai menu composé de sardines en boîte des Restos du cœur, et ce coup-là Sophie n'y pourra rien.

Bref, la grève.

– C'est quand même bizarre de ne pas travailler parce qu'on veut travailler, j'ai remarqué.

– Sors d'ici et va au diable, a dit mon père en tapant du plat de la main sur la table.

Ma mère n'a rien dit. Elle passe son temps à se moucher et à avoir l'air traqué. Si c'est sa stratégie, elle n'a pas le mental gagnant.

– Comment tu veux qu'elle se défende ? a fait Sophie alors que j'allais me lever pour partir au diable. Tu veux qu'elle pose des bombes ?

– Oui, j'ai dit. Pas des grosses. Des petites. Des bombinettes. À qui ça fait peur, Maman en grève ? Tu peux me le dire ? « Hou là là, je viens pas à mon travail qu'on va me supprimer », j'appelle pas ça se défendre.

– Tu peux te rasseoir, a dit mon père.

– Alors, contre la grève, je sors. Pour les bombes, je reste. C'est ça ?

– J'ignorais que tu avais des idées sur la question.

– Pas besoin d'avoir fait cent ans d'études pour savoir ce qui va se passer si elle perd son boulot. Tu ne pourras jamais payer le loyer tout seul. Si on veut continuer à manger, en tout cas.

– Je sais bien que la grève n'aura pas beaucoup d'influence, a plaidé Maman. Mais je ne me vois pas aller au boulot quand les copains sont en grève.

C'était gentil de sa part. Mais comme argument, ça n'allait pas très loin.

– Et chercher un autre boulot ?

– J'ai commencé. Le problème, c'est que je n'ai pas vraiment de qualification. Et que j'ai quarante-cinq ans. Je commence à sentir la poubelle à plein nez.

– AAHHHH !!! Ne dis pas ça !

– Quoi, ça ?

– « Sentir la poubelle ». C'est atroce. Et « à plein nez »… C'est pire. Je ne peux pas entendre ça. Tu es dingue ou quoi ?

Preuve que tout allait de travers, ma mère s'est mise à rire, suivie avec un temps de retard par mon père, ce qui a obligé Sophie à sourire, même si c'était forcé.

– C'est toi qui es dingue.

– Peut-être, mais au moins je ne fais pas grève pour me défendre.

– Toi, ce serait plutôt le style faire grève pour faire grève, a remarqué la perfide Sophie.

– Au moins, je ne risque pas d'être déçue.

– Puisque tu es si maligne, a demandé Maman dont les yeux riaient encore, qu'est-ce que tu ferais, toi ?

C'est la meilleure. Des parents déclassés qui demandent des conseils à leurs enfants déprimés. Le fond du fond.

– Laisse-moi réfléchir. Je te dirai demain.

– Chic, a dit Maman.

La perspective avait l'air de lui plaire. Je remonte le moral de ma mère en lutte. Ce sera mon soutien à sa grève idiote.

9 juillet

– Rosette, je sais que ta mère n'a pas de boulot. Ce qui présente l'avantage que personne ne pourra le lui enlever. Mais si tu as des idées, tu peux les donner. Je prends.

– O, a fait Rosette. OOOO. OOOOOO.

– Jamais tu vas te décider à parler, toi ?

– Oooomolomolooo. Blll. Bllll. Bllll.

– C'est tout ?

C'était tout et nous tournions comme des toupies sur le tourniquet. Il était dix heures du matin et il faisait déjà chaud. Des enfants jouaient à se courir après et à se taper dessus. Quelques bonnes femmes discutaient entre elles en mangeant distraitement les biscuits des gosses. Pas un seul type sur les bancs. Et après, on vous dira que le monde a changé, que les hommes et les femmes, aujourd'hui, c'est pareil. Bla-bla-bla. Dans une autre dimension alors. Dans les livres de Daniel Keyes.

Je me suis levée du tourniquet et nous sommes allées nous asseoir au bord du bac à sable. Une des bonnes femmes s'est assise à côté de moi.

– Il est drôlement mignon, a-t-elle dit en regardant Rosette.

– C'est une fille.

– Alors elle est très mignonne, a poursuivi l'autre comme si on lui avait demandé quelque chose. C'est votre petite sœur ?

– Ah non, j'ai fait. C'est ma fille.

– Oh, pardon ! Excusez-moi, je voulais dire bravo. Oh, bravo ! C'est... c'est magnifique d'avoir une maman aussi jeune !

Elle parlait comme si j'étais Algernon. Je savais très bien ce qu'elle pensait. Elle pensait : « Oh misère ! C'est... c'est idiot d'avoir un gosse aussi jeune. »

– Soyez pas triste. Vieille, c'est pas mal non plus. Sous le rapport de l'expérience, je veux dire.

Nous en sommes restées là. J'ai pris Rosette dans mes bras pour dégager tout le sable qu'elle s'était fourré dans la bouche. Je ne viens pas au parc pour me faire des copines. Surtout des vieilles blindées d'enfants.

11 juillet

– Écris une chanson, a dit Areski. On la filme avec la célèbre webcam pourrie et on la met sur un site.

– Tu crois qu'une chanson, ça peut sauver ma mère ?

Areski a réfléchi cinq minutes.

– Ça peut aider. Beaucoup de grands mouvements ont été accompagnés de grandes chansons. C'est historique.

Exactement le genre de choses dont on n'entend jamais parler en cours. Si je m'étais doutée que les chansons, c'était de l'Histoire, je l'aurais écoutée, l'autre terreur.

– Vas-y, Monsieur Je Sais Tout. Quelles chansons ?

– *La Marseillaise, L'Internationale, Le Temps des cerises.*

– Billy Bragg, a dit Nacer. Jimi Hendrix. Zebda.

– Woody Guthrie, a dit Julien. *My guitar is my weapon.*

– Les gospels, a ajouté Areski, qui ne laisse jamais le dernier mot à personne.

– Les quoi ?

– Les gospels, inculte... Tu ne connais vraiment rien à rien...

– Qui c'est qui m'en a causé, un jour, des gospels ? Hein ? Je dois tout deviner toute seule, des trucs dont j'ai même jamais entendu parler ?

– OK. Demain, je te prête un disque.

– Trop généreux, mon prince. Je vais te la faire, ta chanson historique.

– Elle a intérêt à être bonne, si tu veux qu'elle serve à quelque chose.

– T'as plus confiance ?

Le soir même, David m'a téléphoné. On ne l'avait pas entendu dans l'énumération des chansons historiques qui changent le monde. Visiblement, le pianiste n'a pas l'âme révolutionnaire. Ou alors c'est son piano qui l'encombre.

– J'ai réfléchi à ton truc. L'histoire de ta mère. Tu devrais faire un blog. Ça peut intéresser les gens. Ils entendent toujours parler des futurs chômeurs. Jamais de leurs enfants.

– Je veux bien mais je ne sais pas le faire.

– Écrire ?

– Non, faire le blog.

– C'est pourtant simple. Je peux te l'installer. Dis-moi quand je peux venir chez toi.

Venirrrr chez moi. Mon cherrrr David. Mais bien sûûûûrrr… J'ai l'impression grisante d'être la sorcière quand elle attrape les deux autres crétins dans sa maison en pain d'épices. Cette grève, au bout du compte, c'est l'affaire du siècle. Je me sens hyper combative. Ma mère va avoir du mal à se débarrasser de moi.

12 juillet

Ce que j'aime chez David, c'est qu'il n'insiste pas pour se mettre en avant. Tout le contraire des autres qui savent tout mieux que tout le monde et qui ne pensent qu'à prendre le commandement des opérations. Avec lui, je n'ai pas besoin de me défendre sans arrêt. J'arrête d'avoir peur. Je ne me sens même pas moche.

Le blog s'appelle « AuSecoursMaman ». David l'a installé sur mon ordi et il est rentré chez lui. J'avais un peu envie de pleurer quand il est parti. Je voulais qu'il reste. Seulement, je ne pouvais pas le lui dire. J'étais paralysée par la timidité. Je me suis donc contentée d'être normalement désagréable. Je lui ai dit au revoir et j'ai oublié merci. J'étais trop déstabilisée par mes sentiments. Quand je pense que je passe pour un monstre… C'est injuste et c'est triste.

13 juillet

Comme si je n'avais pas assez de boulot avec une gosse et un groupe… Maintenant, j'ai un blog. Tout ça sous prétexte que je suis en vacances.

14 juillet

Fête nationale. Prise de la Bastille et autres fariboles révolutionnaires. Ah, ah. Chez moi, c'est tous les soirs Révolution. Pas de quoi sortir lancer des confettis en se trémoussant. Bref, on a dîné à l'ordinaire (pâtes à l'ail, on fait difficilement moins cher, bravo Sophie).

– Alors ? a fait Maman avec les yeux ravis de celle qui espère une blague. Tu as trouvé ?

– Oui, j'ai dit, et j'ai longuement trempé mon pain dans la sauce (sois bénie, Sophie).

– C'est bon, accouche, a fait Sophie.

– Ne sois pas vulgaire, a dit Maman.

Voilà une conversation qui commençait bien.

– Je vais écrire une chanson que je vais chanter. Et faire un blog. Tu peux faire circuler l'info. Si la chanson marche, elle vous fera connaître. Si le blog marche, vous pourrez trouver des soutiens.

Ma mère a regardé mon père. Mon père a regardé ma mère. Tous les deux m'ont regardée. J'ai regardé ma mère. Retour à la case départ.

– Je fais mon possible et je te tiens au courant.

– Françoise, a lancé mon père, pendant que j'y pense, rappelle-moi de reprendre ma carte au syndicat.

Ce dîner était particulièrement réussi. Rien de tel qu'une bonne soirée solidaire pour resserrer les liens entre les générations. À défaut d'avoir un amoureux, j'ai une famille. Bon, d'accord. N'empêche que je pourrais ne rien avoir du tout.

Ça existe aussi.

15 *juillet*

« Arrête de m'dire de travailler,
Tu viens tout juste de te faire virer.
Et viens pas m'dire de me lever,
Tu traînes chez toi toute la journée.
Tu vaux plus un clou, Maman,
Ouvre les yeux, c'est évident.
T'es un boulet, un encombrant,
Un poids mort au pays des perdants.
T'es pas fichue d'être embauchée,
D'être au boulot, d'être payée.
T'es trop vieille, trop fatiguée,
Pas assez classe, pas diplômée.
Le monde est pourri, Maman.
Regarde-toi, c'est effrayant.
Déjà qu'y a rien pour tes enfants,
Pour toi c'est mort depuis longtemps.
Dis à ton homme de s'accrocher.
Manquerait plus qu'il se fasse licencier.
Ça va vite, de dégringoler,
Pour nous, ce sera sans filet.
Au secours, Maman, au secours,
On vit dans la cage aux vautours.
Au secours, Maman, au secours,
On est dans l'impasse sans retour.
Et compte pas sur moi pour t'aider,
J'misais sur toi pour m'pistonner.
T'es hors d'usage et j'suis larguée,
Deux nazes au milieu des paumés.

J'ai du mal à penser à l'avenir.
Demain, à c'qu'on dit, ce sera pire.
Qu'est-ce qu'on va faire, Maman, au secours
Au secours, Maman, au secours. »

J'étais assez fière.

Mais tout ce que j'ai gagné, c'est de faire pleurer ma mère.

– Pardon, chérie, a-t-elle fait en reniflant dans son Sopalin. C'est une très belle chanson.

– Je l'ai écrite pour que les gens soient émus.

– C'est réussi, a remarqué Sophie. T'as rien trouvé d'un peu plus positif ?

– Du genre : « Pas de souci, j'ai trois autres emplois dans la vie » ? Non.

– Tu aurais pu parler de la grève, a dit Papa.

– Sauf que tu sais ce que j'en pense, de sa grève…

– Ça y est, a murmuré mon père (qui n'avait pas l'air mécontent). Ma fille fait de la politique, maintenant.

– Ah non, erreur. J'y connais rien en politique. Mais ça m'énerve trop que des gens qu'on ne connaît même pas enlèvent son boulot à Maman, alors qu'elle bosse pour eux depuis vingt ans…

– Trente, a dit Maman en repliant modestement son Sopalin sur ses genoux.

– Depuis trente ans, d'accord, et que de toute façon elle ne gagnait pas un rond…

– Faut pas exagérer, a fait Maman. Ce n'est pas mirobolant, mais c'est un salaire.

– Si tout le monde me contrarie sans arrêt, je n'arriverai jamais à m'expliquer ! Donc, c'est trop injuste, ça m'énerve trop et personne ne m'empêchera de le dire !

– Arrête de t'exciter, a fait Sophie. On est tous du même avis, ce n'est pas la peine de crier. Tu me fais mal aux oreilles.

– C'est vrai. Mais j'ai les nerfs en bouillie. Il faut que j'aille crier sur le balcon.

J'ai ouvert la porte-fenêtre. Et j'ai hurlé :

– C'est trop injuste ! On peut pas faire ça ! On est des personnes humaines !

J'espérais vaguement que toutes les fenêtres de la rue s'ouvriraient et que tous les gens seraient d'accord avec moi pour crier qu'on était des personnes humaines et pas des chiens. Et qu'après on se retrouverait tous dans la rue pour discuter. Mais rien du tout. Les quelques fenêtres qui étaient ouvertes se sont refermées. « Encore une folle », voilà ce que se sont dit les voisins. « Ferme la fenêtre, pépère, on n'entend plus les infos. »

Je suis arrivée au studio d'enregistrement avec l'allure d'une fille qui vient de passer la nuit dans la rue. Une traînée de purée de carottes dégoulinait de mon col au bas de mon pantalon. Je ne l'avais pas vue avant de partir, celle-là. C'est quand même affolant de penser qu'il faut s'inspecter dix fois par jour pour vérifier que la gosse ne vous a pas couverte de bouffe. Je ne peux pas passer ma vie à me contorsionner devant un miroir. Rosette, je n'en peux plus. Il est temps que tu cesses de me cochonner de la tête aux pieds. Après un rapide passage au lavabo pour tenter (en vain) de limiter les dégâts, enregistrement. Heureusement que Blanche-Neige n'est pas fichue de chanter plus de quatre chansons correctement. Parce que, pour les quatre, on y a quand même passé l'après-midi. Les deux gars derrière la vitre n'avaient pas l'air de détester ce que nous étions en train de jouer, et Areski était de fort bonne humeur. J'adore cette impression de faire partie des professionnels de la profession qu'on a quand on joue dans un bocal. Une bien belle après-midi, pour une fille sale et révoltée.

16 juillet

J'ai lu ma chanson au groupe.

– Noir, c'est noir, a commenté Areski.

– En même temps, je n'ai jamais été très optimiste.

– L'avantage du noir, a remarqué David, est qu'on y voit entrer le soleil.

– Quand il se pointe, a fait Tom.

Tom m'énerve. Je me demande comment je fais pour arriver encore à chanter avec lui. Quand il l'ouvre, j'ai envie de lui enfoncer direct mon poing dans la gorge. J'ai regardé David en plein dans la figure et j'ai dit :

– C'est toi, mon soleil.

Depuis cette histoire de Maman, je suis à fleur de peau. N'importe quoi d'un peu solidaire me met les larmes aux yeux. Et, quand je suis émue, je peux sortir n'importe quoi. Aucune maîtrise de moi, si vous voyez ce que je veux dire.

David était complètement retourné.

– Excuse, j'ai dit. Mais il ne faut pas être trop gentil avec moi. Je n'ai pas l'habitude. Après, j'ai des réactions inquiétantes.

Les nains me regardaient avec une curiosité plutôt bienveillante. Brièvement, j'ai eu le sentiment d'être transformée en Jabourdeau. Le genre qui fond en larmes à la plus petite émotion pour des raisons inconnues de tous. Je regrette de m'être moquée. Je n'avais pas compris. Jabourdeau, mon ami, mon frère.

17 juillet

Mon frère mon ami m'a prêté le DVD de son amour avec Célianthe.

– J'ai pensé que ça pouvait t'intéresser. C'est la vie d'un chanteur.

Le film s'appelle *Walk the Line*. Le chanteur s'appelle Johnny Cash. Il est américain. Et mon père veut absolument voir le film. Je suis d'accord pour le lui prêter. Après tout, c'est plus sa génération que la mienne. Pour résumer l'affaire, Johnny Cash se drogue malencontreusement mais beaucoup trop. Suite à quoi, il est pénible en société et personne ne veut plus de lui. Surtout la femme adultère dont il est amoureux et qui le rejette. Mais, comme Johnny est très obstiné, il finit par la séduire (et par se débarrasser de sa vraie femme). La femme adultère l'aide à décrocher. Ensuite, ils se marient et tout va bien. En gros, c'est un film qui montre de façon convaincante que les gens s'attirent énormément d'ennuis en se droguant, alors que l'alcool tout seul suffit à pourrir la vie de n'importe qui. Par ailleurs, il s'agit d'un film sur la musique, car Johnny Cash chante, et sa femme adultère aussi. Il est même incroyablement célèbre chez les Américains, chez mon père et probablement chez Areski. Étrangement, son histoire m'a beaucoup fait penser à moi, alors que je n'ai rien à voir avec un homme qui est non seulement américain mais mort de toute façon. Spécialement le moment où il chante dans une prison. Je me suis identifiée à fond. Je me demande si un homme adultère m'aimera un jour assez pour me sortir du malheur et de la dépendance, et se marier avec moi. Qui sait?

18 juillet
Mon père m'a acheté un disque de Johnny Cash (jeune) Je l'ai remercié.

– C'est très gentil. Mais ce n'est pas raisonnable… Tu connais la situation financière…

– Tu me laisses décider de ce qui est raisonnable et de ce qui ne l'est pas. Tu veux bien?

– D'accord, d'accord.

– Et «merci»?

– Ah oui. Excuse. Merci, Papa.

Rosette aime beaucoup notre nouveau disque. Nous tapons ensemble sur des casseroles pour accompagner ce vieux Johnny. D'une certaine manière, on peut parler d'éducation musicale. Par ailleurs, je me demande ce qui me retient d'apprendre assez de guitare pour m'accompagner quand je chante *Au Secours, Maman.* Le chanteur solidaire se balade généralement avec sa propre guitare, pour ce que j'en sais.

19 juillet

J'ai mis ma chanson sur le blog. Après le petit texte de présentation que David m'avait aidée à écrire. Ce blog, c'est un peu comme un nichoir à oiseaux. Ou un piège à guêpes. On se demande qui va venir se fourrer dedans. Mais on espère qu'il y aura du monde.

J'ai déjà un message :

« ta oublier de metre ta foto »

Je l'ai effacé.

J'ai un autre message :

« on n'a pa bezoin d'etrenger et de bolchevik. Ta mere, elle peu ramaser les poubelle »

Étranger oui. Mais bolchevik ?

Je l'ai effacé.

23 juillet

Ma parole, il faudrait que je passe ma vie sur ce blog pour nettoyer toutes les imbécillités que laissent les maniaques. Ce sont toujours les mêmes qui s'incrustent, « Zouzou82 », « Franz666 », « MisterMac ». On dirait que je viens de leur fabriquer un parc d'attractions privé. Ils squattent à fond. Et je ne peux même pas leur dire en face ce que je pense d'eux, de leur orthographe et de leur emploi du temps. Ils se planquent derrière leurs pseudos misérables. Ça me rend dingue. Tout me rend dingue. En attendant, personne de sensé ne se donne la peine de participer. Les gens sains d'esprit sont occupés ailleurs, c'est clair.

24 juillet

Dernières nouvelles du festival. On n'aura pas besoin de passer la nuit sous la tente. La grande sœur de David se propose pour accompagner ceux que ça intéresse. Et pour les raccompagner après les festivités. Apparemment, cette personne n'imagine pas dormir ailleurs que dans son lit. David rentrera avec elle. Si bien que je n'ai plus qu'à rentrer aussi. Si c'est pour dormir entre Tom et Areski, merci bien.

Évidemment, ça arrange tout le monde, une voiture. Ces messieurs pourront prendre le train les mains libres, pendant que mademoiselle David véhiculera frère, instruments et autres costumes de scène. À l'échelle de l'organisation, mes sentiments ne pèsent pas lourd.

25 juillet

C'est décidé. Je mettrai la robe rose. Avec la ceinture de la rouge. Et mon panty. Et je porterai des tennis. À force d'aller pieds nus, je vais finir électrocutée par un câble. Et je chanterai *Au secours, Maman*. Toute seule. Juste avec ma voix. Ils m'assomment, avec leurs guitares et autres batteries. De toute façon, ils ne sont pas prêts. Ils font de la compote et on n'y comprend plus rien.

– Si tu veux, a fait Areski d'un air menaçant. Mais tu la chantes en dernier.

– Je veux. Et, oui, je la chante en dernier.

S'il croit m'impressionner, il se fourvoie. Fourvoie. De fourvoyer. Ça existe. Je le jure. Dans le dictionnaire. Fourvoyer… Pas mal, non ?

26 juillet
De toute façon, on joue à seize heures, les premiers d'un tas de débutants dans notre genre. On ouvre le bal. En gros, on fait le fond sonore pour les spectateurs flippés qui bétonnent leurs places en attendant les vrais groupes. On leur passerait une bande enregistrée, ce serait pareil. Je ne vois même pas à quoi ça sert de se déplacer.

27 juillet
J'ai demandé à David de supprimer mon blog. Rien qu'à l'idée de le regarder en rentrant, j'avais le cafard. Adieu MisterMac, adieu Franz666. Adieu étranges connaissances du Web. Je me demande quelles têtes vous avez, en vrai. Je me demande si vous êtes jeunes ou vieux, et à quoi vous occupez vos journées. Je n'imaginais même pas que votre existence était possible, avant que vous m'écriviez. Je ne regrette pas de savoir que vous êtes vivants quelque part, en train de tapoter sur le clavier, tels des trolls enfermés depuis des siècles dans des champignonnières.

31 juillet
Mademoiselle Sœur de David s'appelle Julie. Comme pas mal de gens. Ce qui fait qu'au début elle semble assez normale. Jusqu'à ce qu'on apprenne ce qu'elle fait dans la vie. Elle est clown. Bon. C'est un métier comme un autre.

Il y a bien des gens qui font portier, standardiste ou soldat. Il en faut aussi pour faire clown. Sinon, les clowns n'existeraient pas. Par ailleurs, elle conduit normalement. Visiblement, elle a mis toute sa clownerie dans le domaine professionnel. Pour le reste, c'est sérieux sur toute la ligne. La preuve, David s'est assis à l'avant, et moi à l'arrière. Puisqu'il n'y avait rien à faire d'autre que d'être coincés dans cette bagnole, j'en ai profité pour mener mon enquête. D'où il ressort que David a deux sœurs. Une clown et une maquilleuse. Ce qui fait en un sens que tout le monde travaille dans le spectacle, et que le maquillage est une affaire de famille. Une fort intéressante conversation au cours de laquelle j'ai été saisie de brusque somnolence. Je me suis endormie et nous sommes arrivés dans une espèce de champ dans lequel on avait installé une scène et deux spots à merguez, et voilà, c'était là. Le festival. Je n'ai pas trop regardé la tête des gens qui vaquaient ici et là. En supposant qu'ils faisaient le public, moins je les voyais, mieux je me portais. On s'est rendus à la tente des artistes, qui était juste une tente. Les autres étaient déjà là en train de boire du café. Moralité : le train va plus vite que la voiture, j'en étais sûre. J'ai cherché un coin pour enfiler ma robe rose et mes tennis. Et j'ai attendu qu'on y passe.

– Je te maquille ? a demandé David.

– Oui, a répondu sa sœur, et je n'avais qu'à la boucler.

Vu que la clown faisait la loi et que ça ne rigolait pas beaucoup, j'ai été obligée de passer à l'eye-liner, qui me faisait de très beaux gros yeux de vache. Au moins, j'étais assortie au décor. La véritable Blanche-Neige champêtre. Un sandwich pâté plus tard, et quelques crampes à l'estomac, je suis montée sur scène, suivie par les garçons et sous de maigres applaudissements. Ce n'est pas que le public était absent. Il était même un peu nombreux pour moi. Mais les gens étaient globalement occupés à bavarder entre eux, à se rouler de moches petites cigarettes puantes, et à occuper le plus de terrain possible.

Je ne vais pas raconter dans le détail chaque concert que je fais (désolée, les amis, mais cette histoire de concerts, c'est un peu ma vie ces derniers temps, eh oui, moi non plus je n'y croyais pas, avant). Disons que le choix de la robe transparente était un bon calcul. Même si les gens n'avaient pas envie d'écouter, ils étaient tentés de regarder. C'est à se demander si je ne devrais pas chanter à poil. Bref, ayant capté l'attention d'un public passionné par mon panty, j'ai braillé avec cœur en fixant ce crétin de Tom droit sur la glotte. Le public a joyeusement repris le refrain de *Superman* avec nous. La chanson féministe paie donc toujours et nous avons rencontré un honnête succès. Je faisais des efforts dingues pour penser le moins possible à l'interprétation d'*Au secours, Maman,* dans l'idée toujours valable que la peur n'évite pas le danger. J'ai réussi à rester idiote jusqu'au dernier moment… Et mon heure a sonné. J'y suis allée. Direct. Tel Johnny Cash sans autre drogue que de l'adrénaline maison label bio. J'étais partie pour chanter seule comme une ratte, quand une guitare discrète et quelques accords de clavier sont venus m'appuyer. Sans que je demande rien. Comme si les nains me soutenaient personnellement. Dans mon état de nerfs avancé, les larmes me sont montées naturellement. Et là, bingo. Rien de tel qu'une bonne larme naturelle pour améliorer une voix, c'est moche mais c'est comme ça. Grâce aux larmes solidaires, l'honnête succès s'est transformé en émotion massive, ce qui à l'heure des bières, en juillet, sur une prairie pelée, était carrément inespéré. Applaudissements. Bravos. Sourires des nains. Encouragements de la clown qui se tenait discrètement sur le côté de la scène. Saluts. Sortie de scène. Et là, une bonne femme surexcitée se jette sur moi au motif que les chansons politiques, c'est un peu son truc. Qu'elle organise des festivals et des tournées. Qu'elle veut nous embarquer, elle a déjà des dates, elle peut même nous payer, et patati et patata. Il a fallu que je lui mette un stop.

– Je vous arrête tout de suite. La politique, sincèrement, ça me passe au-dessus de la tête. Un peu comme l'histoire ou la géographie. Si vous en avez d'autres, des concerts normaux, pourquoi pas. Mais pour la politique, c'est non. Franchement. Sans vous vexer.

Elle m'a regardée comme si j'étais Algernon, et que je venais en plus de pisser dans le labyrinthe.

– Si elle n'est pas politique, ta chanson, ma chérie, je ne sais pas ce qu'elle est…

J'étais assez contente qu'elle ne sache pas certains trucs. Je lui ai expliqué :

– C'est une chanson pour ma mère.

– Ah bon, a-t-elle fait.

Je lui avais claqué le beignet, clairement. J'en ai profité pour filer me réfugier dans la tente des artistes. Ras le bol que les gens reluquent mon panty.

– Qu'est-ce qu'elle voulait ? m'a demandé Areski.

– Nous prendre dans des sortes de concerts politiques, cette folle, j'ai dit non, bien sûr.

Il a écarquillé les yeux. Symptôme d'Algernon, le retour.

– Ras le bol d'être le manager d'une tarée.

Il s'est immédiatement lancé sur la piste de la bonne femme. Je ne pensais pas que ça l'intéressait tellement, la politique, celui-là. En tout cas, s'il y va, ce sera sans moi. J'ai mes propres opinions. Je ne suis pas sa poupée.

Par la suite, j'étais un peu sonnée. Je suis restée scotchée à la pelouse, sans m'intéresser une seconde aux autres groupes qui étaient dans l'ensemble tonitruants et mal habillés. La nuit est tombée et l'heure de la voiture est arrivée.

– J'ai trois places, a dit Julie la Clown. Et je pars maintenant.

David s'est levé, et puis moi, et puis Nacer, qui a regardé les autres comme pour s'excuser :

– J'ai entraînement de hockey demain matin.

On a pris les instruments qui pesaient douze tonnes et on a rejoint la bagnole au bord du pré. Nacer a eu le bon goût d'avouer qu'il était malade en voiture, ce qui lui a immédiatement valu la place à côté de la conductrice. David et moi sommes montés à l'arrière. Là, il n'y a eu besoin d'aucune stratégie d'aucune sorte. Je me suis ratatinée contre lui et il a passé le bras autour de mes épaules.

– Je croyais que tu sortais avec Tom, a-t-il chuchoté.

– T'es tombé sur la tête ou quoi ?

Et voilà, on était fiancés sans avoir même à s'embrasser.

Quand Julie s'est arrêtée devant la porte de mon immeuble, elle s'est retournée vers son frère.

– Tu descends avec Aurore ou je te ramène à la maison ?

David m'a regardée. Mon cœur s'est arrêté de battre pendant une bonne dizaine de secondes (phénomène connu), mais j'ai gardé toutes mes facultés de jugement (le cerveau survit quelques minutes).

– Franchement, j'ai dit, ça craint. Je ne peux pas te garantir la tête que feront mes parents demain.

– Je comprends.

– Je ne sais pas si tu comprends vraiment parce que la tête de mes parents au petit déjeuner, ça ne se comprend pas, ça se voit.

– Je rentre avec toi, a-t-il lancé à sa sœur.

– À bientôt, Aurore, a dit Julie quand je suis descendue.

– À bientôt, a ronronné Nacer, qui dormait à moitié.

David est descendu pour ouvrir le coffre. Il m'a tendu le sac dans lequel j'avais plié ma robe et ma ceinture.

– On ne s'est même pas embrassés, a-t-il remarqué.

– Dans le rétro de ta sœur, tu m'étonnes.

– Je t'appelle demain.

– Je t'appelle demain.

Je suis entrée dans l'immeuble et j'ai entendu la voiture démarrer. J'étais à la fois épuisée et surexcitée. J'avais l'impression d'avoir un bataillon de mouches dans la tête. L'amour, probablement.

AOÛT

Péripéties rurales et nocturnes

1er août

Ma mère est tellement flippée qu'elle ne veut pas prendre de vacances. Même une semaine.

– J'aurai tout le temps de ne rien faire quand je serai virée.

Elle a une façon de dire ça au petit déjeuner avec un sourire courageux qui donne envie de lui balancer des claques. Madame Je-Prends-Sur-Moi-À-Fond-Avec-Mon-Sourire-Miné. Comme s'il y avait de quoi rigoler. Si elle croit que je la crois, elle et son air décontracté, elle me prend pour une brelle. Quant à mon père, il la joue solidaire à fond, ce qui fait qu'il se passera de vacances, ou alors qu'il les prendra plus tard, à la Saint-Glinglin. L'été sera sans vacances familiales. Je traduis : sans voyage pénible, sinistre location, ennui compact, rencontres minables. Comme quoi il n'y a pas que des désavantages dans la mouise. D'un certain point de vue.

1er août, plus tard

Je me suis gourée de point de vue. *One more time.* Je n'avais pas repéré le gros, très gros, très très gros désavantage qu'il y a à rester sur zone tout le mois d'août. JE SUIS TOUTE SEULE. Toute seule avec mes parents, ce qui est juste pire que toute seule. Ils se sont tous arrangés pour mettre les voiles. Même Areski a donné son congé. Il fait moniteur de colo. À la montagne. Je plains les gosses. J'ai bien pensé à me coller à mes grands-parents. Malheureusement, Sophie y avait pensé avant moi. Elle a tout organisé dans mon dos. Mamie emmène son vieux mari et ma jeune sœur en Hollande visiter les tulipes. Ils habiteront dans la maison d'une bonne femme qui viendra s'installer dans la leur. Si elle dort dans ma chambre, je la tue.

– Tu es la bienvenue, ma chérie, m'a dit Mamie quand elle m'a annoncé la nouvelle (ce n'est pas Sophie qui aurait eu le courage de manger le morceau). La maison est bien assez grande pour quatre.

– La Hollande... Pourquoi pas le pôle Nord ? Pas question.

– C'est tout ?

– Ah non. Excuse. Merci quand même. Pour la proposition.

C'est fou ce ma grand-mère est à cheval sur le savoir-vivre. Elle devrait faire un manuel. Que tout le monde en profite.

Comble de misère, mon emploi bénévole est supprimé. Jessica part avec Vladouch et ma filleule Rosette visiter la famille de Vladouch. En Russie. Non, en Hongrie. Non, en Pologne. Non, zut, je ne sais plus. Au pays. Là-bas. Eux, ils n'ont même pas fait l'effort de m'inviter. Je ne suis pas assez bien pour la famille, sans doute. Ils sont bêtes parce que j'aurais dit non.

Je n'ai plus qu'à écrire des chansons sur ma solitude. En un mois, j'ai de quoi remplir tout l'album.

1er août, toujours

On est déjà demain après-midi. David ne m'a pas appelée. Il s'en fiche complètement. Il a juste passé son bras autour de moi parce qu'il ne savait pas où le ranger. Je lui ai servi de porte-bras toute la route. Et je me suis monté la tête comme une imbécile. Appelez-moi Charlie, c'est tout ce que je mérite. Résultat, je passe la journée à écrire mon journal. Voilà pourquoi les gens écrivent. Parce qu'ils sont désespérés. Quelqu'un de sain d'esprit et qui a quelque chose à faire de sa vie ne passe pas son temps à écrire. Écrire, le passe-temps des *no life*.

Je devrais dormir un peu. Au moins, quand on dort, on fait des rêves.

Même pas moyen de roupiller tranquille. Ma mère me réveille sous n'importe quel prétexte.

– Aurore, c'est pour toi !

Plus personne en ville et les gens trouvent encore le moyen de vous traquer au téléphone. C'est à se taper la tête contre les murs. Voilà ce que je pensais en titubant dans le couloir, avant de me coller le combiné à l'oreille et d'entendre la voix de David :

– Pourquoi tu ne m'as pas téléphoné ?

Incroyable. Des reproches maintenant.

– Parce que je passe ma vie à attendre que tu m'appelles.

– Tu devais m'appeler.

– Ou toi.

– Oui, mais pourquoi pas toi ?

– Parce que je n'étais pas sûr. Je ne voulais pas être lourd.

– Parce que, moi, je suis sûre ? Moi, je n'ai pas peur d'être lourde ?

– On est pareils, tous les deux.

– Ne dis pas ça.

– Pourquoi ?

– Ça me fait peur.

Dans le genre « parler sans arrêt pour ne rien dire d'intéressant », j'avoue qu'il y a de la ressemblance.

– David, j'ai dit, on avait un truc à finir ensemble. Quand est-ce qu'on se voit ?

Silence. Je répète :

– Quand est-ce qu'on se voit ?

Petite toux. Je répète :

– Quand ?

Voix minuscule :

– Je pars en vacances. Demain. Avec Julie. Chez une amie à elle. Qui a une grande maison. À la campagne.

– Pas grave. On s'embrassera en septembre. Si aucun de nous deux n'a oublié.

– Je voulais te demander un truc…

– Vu comme c'est parti, la réponse est non. Mais vas-y tout de même.

– Tu ne veux pas venir avec nous ?

– T'es malade ? Et mes parents ? Qu'est-ce qu'ils vont dire ?

– Julie va les appeler. Ils diront oui. Et toi, tu dis quoi ?

J'ai dit, ne bouge pas, je prends ma valise et j'arrive, ta sœur arrangera les détails, à tout de suite, mon cœur.

4 août

Pour une clown, Julie se débrouille bien. Mes parents n'en reviennent pas d'être débarrassés de moi pendant quinze jours. Ils sont incroyablement CONTENTS. On dirait que je suis un boulet. Honnêtement, d'eux ou de moi, je me demande qui est le plus gros boulet pour l'autre. Bref, à les écouter, quinze jours, c'est même un peu court. On leur aurait demandé six mois, ils auraient donné six mois. Si on habitait le désert, ils m'auraient déjà fourguée en mariage contre n'importe quel vieux chameau.

6 août

Trois heures de route. David à l'avant, à côté de Julie. Et moi à l'arrière, à côté des valises. Ce type, je ne l'embrasserai jamais. J'ai quinze jours pour me faire une raison.

Pour la campagne, c'est la campagne. Un désert avec des arbres. Et une grande maison au milieu. Très grande. Pas très haute, mais grande. Elle se plie en trois comme une carte postale extralarge. Deux petits bouts de chaque côté et un gros bout au milieu. L'amie de Julie s'appelle Arielle, elle est grande, avec de grandes mains et de grands cheveux. Elle a un mari, assez grand mais moins qu'elle, et deux enfants assortis. Pour s'entourer, elle a rassemblé autour d'elle des tas d'amis qui sont ses copies assez bien imitées, tous grands avec de grandes mains et des enfants assortis. Ils lui obéissent tous admirablement car elle est naturellement cheffe du monde, reine de la cuisine et propriétaire de la maison. Tous les amis sont très polis, très bien élevés, très bien habillés, et ils parlent comme dans les livres. J'ai l'impression angoissante d'être le détail qui cloche. La naine mal embouchée, si vous voyez ce que je veux dire.

L'amie de Julie nous a donné nos chambres. La mienne est tout au bout du petit bout à droite. Celle de David tout au bout du petit bout à gauche. Entre nous, il y a seulement toutes les pièces de toute la maison. Merci, merveilleux amis. Comme ça, on ne risque pas de se tromper de porte.

7 août

On est arrivés hier au milieu de l'après-midi et je n'ai pas réussi à voir David seule à seul cinq minutes. Il y a des gens absolument partout dans cette baraque. Et quand ce ne sont pas eux, ce sont leurs gosses. À table, nous sommes séparés. Amusant, non ? Les merveilleux amis espèrent peut-être qu'on va surveiller leurs enfants. Personnellement, je ne surveille rien du tout. Si les gens ne sont pas fichus de s'occuper de leurs mioches, ils n'avaient qu'à éviter d'en faire. Personne n'est obligé. Je ne suis pas responsable universelle des erreurs des autres. Après dîner, il faut se taper la vaisselle dans une ambiance amicale et polie. Suite à quoi tout le monde se dit aimablement bonsoir bonsoir bonsoir, et chacun s'en va vers sa chambre. Poum poum poum. J'ai lancé un regard déchirant à David et je suis partie vers la mienne. Impossible de s'enfuir, on est au milieu de nulle part. Ma fenêtre donne sur une sorte d'arbre miteux planté au milieu d'une prairie. Si ça continue, demain je pourrai toujours me pendre. Bonne nuit, cher journal. C'est peut-être la dernière que je passe sur cette Terre.

8 août

Les pages de ce journal sont frappées du sceau du secret éternel. Quiconque les lit sans mon accord (accord que je ne donnerai à personne, soit dit en passant), qu'il soit maudit. Je pourrais aussi me passer d'écrire ce que je ne veux pas qu'on lise, mais c'est plus fort que moi. Si je ne le raconte pas, j'étouffe. Bon, bref, il n'est plus question de se pendre à cet arbre ridicule, d'ailleurs les branches sont minables, sans compter que je n'ai pas de corde. Par ailleurs, je ne suis pas du genre à me pendre à quoi que ce soit, je ne suis pas une cloche.

J'étais en train de m'endormir en plein désespoir de solitude quand la porte de ma chambre s'est entrouverte doucement.

– Hé, j'ai dit, hé ! Vous êtes en train de vous tromper de chambre !

J'ai remonté ma couverture jusqu'à mon cou. Je ne tiens pas à ce que n'importe qui voie mon pyjama.

– Chttt… Chttt…

– Quoi, chut ? Pas chut du tout, c'est ma chambre !

– Aurore… C'est moi…

David ! Bon sang, David ! Je me suis assise sur mon lit en oubliant complètement de cacher mon pyjama, j'ai allumé la lampe de chevet, et c'était bien David, devant moi, dans mon champ de vision. David lui-même en train de refermer la porte.

– David !

– Éteins ! On va voir la lumière sous ta porte…

J'ai obéi, je n'étais pas vraiment en état de faire la maligne. Et David est venu se glisser dans mon lit. Je vais vous la réécrire puisque vous insistez : David est venu se glisser dans mon lit. Mon lit à moi. Mon lit, quoi.

– Il y avait ce truc, a murmuré David, ce truc qu'on devait faire, tu te souviens ?

– Je me souviens, oui. Ce serait bien de le faire maintenant. On serait débarrassés.

– Oui, a dit David.

Et là, nos porte-bras se sont mis en marche très naturellement. Nous nous sommes agrippés l'un à l'autre et nous nous sommes embrassés. Maintenant, je vais dire un truc : dans la vie, il y a embrasser et embrasser. Il y a embrasser Marceau, ou Julien, et compter les secondes jusqu'à ce que le baiser soit terminé, cinq quatre trois deux un zéro… Respire. Et puis il y a embrasser David, tout le temps existant se ramasse dans le baiser, se confond à lui, et c'est juste l'éternité (curieusement, la question de la respiration ne se pose plus). Le mystère est que les deux opérations portent le même nom, et ont l'air de se dérouler à peu près de la même façon. Sauf que rien à voir. Nous étions donc dans le rien à voir tous les deux jusqu'au cou quand nous nous sommes éloignés l'un de l'autre (de six centimètres environ).

– Alors ? j'ai dit (pour faire la maligne).

– Encore, a dit David. (Il faisait le malin.) Pour voir.

C'était assez drôle parce que nous étions dans le noir complet. Nous avons recommencé un certain nombre de fois, l'affaire des porte-bras et des baisers, l'éternité a duré des heures et enfin David m'a dit :

– Je vais rentrer dans ma chambre.

– Pourquoi ? Ça ne t'intéresse plus ?

– Si Arielle nous a filé ces chambres, c'est pour empêcher ce qui est en train de se passer. Je n'ai pas envie de me faire choper. Ça va faire des histoires.

– Très bien. Va-t'en. Mais je vais avoir du mal à dormir, maintenant.

– Et moi ? Tu crois quoi ?

Il s'est glissé hors du lit et il est parti comme il était venu. La porte qui s'ouvre et se referme doucement, le pas glissant dans la nuit du couloir. Je me suis retrouvée avec un rayon de lune, l'ombre de l'arbre sur mon lit, et la pensée de David partout dans ma tête et dans mon corps. J'ai pensé : « Jamais je n'arriverai à dormir. » Et je me suis endormie comme une brique.

Ce matin, quand j'ai ouvert les yeux, la lumière était grise, il pleuvait sur la prairie et des centaines d'enfants surexcités traînaient des camions en fer devant ma porte. J'ai jeté un coup d'œil à ma montre. Sept heures et demie. Atroce. J'ai remis mon oreiller sur ma tête mais les camions faisaient toujours un bruit terrible. C'était sans espoir. Je me suis levée. Je me suis regardée dans la glace. J'avais l'air d'une chose chiffonnée qu'on vient de sortir d'un tiroir.

J'ai enfilé des vêtements (pas question de montrer mon pyjama) et je suis sortie dans le couloir. Trop tard. Les gosses avaient déjà détalé. Partis réveiller l'aile gauche de la maison, sans doute. J'ai crié dans le couloir vide.

– Attendez que j'en attrape un ! Vous allez voir ! Je l'écorche et je le bouffe !

Ensuite, je me suis dirigée vers la cuisine. J'ai pensé que je me rapprochais du côté de David et un grand frisson m'a traversé le dos de haut en bas. C'était peut-être de l'amour. Ou alors un début de grippe. Difficile à dire.

Dans la cuisine, il y avait Arielle entourée de quelques-uns de ses merveilleux amis, déjà embarqués dans une merveilleuse conversation. Ça parlait de cinéma en glougloutant. Génial bla-bla-bla, écrasant bla-bla-bla, magistral bla-bla-bla. Écœurant. Qu'ils parlent de bouffe, de cinéma, de vêtements, de livres, de sport, de gens, ça sonne toujours pareil. Il y en a un qui lance le nom de quelqu'un ou le titre de quelque chose, et hop, on glougloute en chœur. Même pas la peine de se poser une question. De toute façon, ils connaissent tous les mêmes trucs et ils sont tous bien bien d'accord bla-bla-bla. Et ça s'appelle une conversation. Véridique.

Ils ont à peine tourné la tête quand je suis entrée. OK. Je suis repartie vers ma chambre. Personne ne s'est aperçu que je n'étais plus là. Ou alors tout le monde s'en est aperçu et c'était pareil. À vous dégoûter d'être une personne humaine. Je reste dans mon lit. J'attends que David vienne me chercher. Après tout, c'est quand même sa faute si je suis dans cette maison pourrie, au milieu de ces gens inhumains.

9 août

– Je ne vais jamais tenir quinze jours. (Moi.)

– Sauf que quinze jours, c'est quinze nuits. Réfléchis. (Lui.)

– Moins deux. Réfléchis toi-même. J'aime pas les gens.

– Moi non plus.

– Mais alors pourquoi ?

– C'est à cause de ma sœur.

– Elle les aime, ta sœur ?

– Pas spécialement. Mais Arielle lui prête la grange derrière la maison. Elle peut répéter toute la journée. En plus, c'est la campagne.

– J'aime pas la campagne. Qu'est-ce que je vais faire ?

– On va trouver des vélos. On ira à la piscine.

– À la piscine ? En vélo ? T'es pas bien ou quoi ? Il pleut, je te signale.

– On se promènera. On ramassera des plantes pour faire des herbiers.

– Des quoi ?

– Il y a un piano dans le salon. On peut faire de la musique.

– C'est plus des vacances.

– Tant mieux. Au moins, avec la musique, on a l'impression de faire quelque chose.

– C'est vrai. Tout ce que tu dis est vrai. Tu ne trouves pas qu'on s'entend très bien ?

On s'entendait même tellement très bien que j'étais presque évanouie de joie, rien qu'à le regarder parler. J'avais affreusement envie de travailler avec lui. D'être son porte-bras. De lui donner tous mes baisers de réserve. De n'importe quoi pourvu que ce soit avec lui. Et même de rester quatorze jours chez Arielle, sous son commandement et dans ses dépendances. J'allais poser la main sur son bras béni pour lui faire comprendre ma pensée quand la horde de nuisibles a déboulé dans la chambre en hurlant.

– Tu veux jouer ? Tu veux jouer ? Tu veux jouer ?

Ils se croyaient très forts mais, moi aussi, je suis capable de hurler.

– Personne ne vous a appris à frapper avant d'entrer ? Vous avez tous les droits ou quoi ? Qui c'est qui vous a élevés, bande de malpolis ?

Ils sont restés scotchés devant la puissance de ma voix. Jusqu'à ce que David se penche vers eux.

– Elle a horreur des enfants. Elle les déteste. Elle ne peut pas les supporter. Et en plus, elle n'a pas pris son petit déjeuner. À votre place, je me dépêcherais de partir avant qu'elle se fâche pour de bon.

Les gosses ont filé comme une colonie de blattes. Retrouver les parents probablement. Dans la cuisine sûrement. Où il fallait bien aller maintenant si on ne voulait pas crever de faim. Ces vacances, c'est *Survival*. Normalement, on devrait finir par bouffer les chenilles du jardin. C'est prévu dans le scénario.

10 août

J'ai proposé à David qu'on travaille sur la nouvelle chanson. On est allés au salon et on s'est assis au piano.

– Je dis le titre : *Les Vacances*.

– Ça promet, a dit David. Attends, je vais fermer la porte.

– Laisse tomber. Personne ne nous écoute. Personne ne nous regarde. Ils n'en ont rien à battre. Ils ne savent même pas comment je m'appelle.

– Arrête d'être parano. Ils ne t'en veulent pas personnellement…

– Justement. J'aimerais bien qu'ils me regardent assez pour me trouver personnellement atroce. Au moins, j'aurais l'impression d'exister. Là, c'est comme si j'étais transparente. La non-personne absolue. Allez, je te lis :

« T'as une belle maison, c'est sympa de m'inviter
De m'prêter une chambre, de m'donner à manger
T'as de beaux amis, j'suis fière d'les fréquenter
Une fille comme moi, j'devrais m'sentir flattée.
Merci, pardon, j'voudrais pas déranger
M'retrouver avec vous, c'était inespéré.
Vous êtes tellement polis, vous êtes si bien élevés,
Vous parlez tellement bien, vous êtes si bien sapés.
Vous avez trop de classe, vous êtes trop distingués,
J'vais me tenir à carreau, j'voudrais pas tout gâcher.
C'est dingue que tu m'invites, j'me sens super flattée.
T'as vraiment de la classe et t'es super jolie.
T'as fait les bonnes écoles, choisi les bons amis,
Touché le bon boulot, trouvé le bon mari,
T'as vingt sur vingt partout, c'est fou, tu réussis
Tout ce que tu fais, c'est comme ça, c'est la vie.
J'suis morte d'admiration, mais crois pas que j't'envie.
Chacun sa place et pas de jaloux, c'est ce qu'on dit,

J'connais la mienne, c'est l'strapontin merdique à côté de la sortie.
L'avantage en un sens, c'est qu'j'serai plus vite partie.
Les vacances avec toi, ce sera pas infini,
J'vais retourner dans mon monde, très bientôt, c'est promis.
J'voulais dire : t'es trop cool de m'avoir accueillie
Tu l'as fait pas exprès, mais quand même, j'te remercie
T'es une fille exigeante, tu m'as beaucoup appris.
Grâce à toi, j'sais maintenant où sont mes vrais ennemis. »

– J'ai bien fait de fermer la porte, a remarqué David en tapotant sur le piano. On va travailler pour que ça ressemble à quelque chose, ton truc. Il y a du boulot.

11 août

Les choses s'arrangent. On a le droit de faire de la musique et d'occuper le salon dont personne ne veut parce qu'il sent le moisi et que la télé est dans la salle de séjour. Apparemment, la musique est une activité tolérée par Arielle et sa cour. Ils aiment l'art, c'est un peu leur truc, l'art et les artistes, question de niveau de vie, je suppose. Donc on peut fermer la porte et jouer tranquillement au porte-bras une bonne partie de la journée. Merci l'art. Tout à l'heure, Julie la clown nous a fait atelier. Comme elle s'ennuie autant que nous, elle a décidé de m'entraîner. Ça la change de son travail et ça lui évite les activités collectives.

– Je t'ai vue sur scène. Tu te balances comme un culbuto autour du batteur. C'est faible. Je vais t'exercer. Dans dix jours, tu seras une bête de scène.

On est allés dans la grange, on s'est coiffés, on s'est maquillés et on a fait des tas d'exercices ridicules. On s'est roulés par terre, on a crié, on a fait des grimaces, on a imité des animaux. On a bien rigolé. On a même tellement bien rigolé que les parents ont essayé de nous coller leurs enfants. Mais Julie a dit que, si elle était obligée de faire animatrice, elle reprenait sa bagnole et elle rentrait à Paris. Elle n'avait pas l'air commode, j'aime autant le préciser.

– Je ne suis pas là pour m'amuser. Je travaille.

Les parents la détestent à fond et elle ne sera plus jamais réinvitée, c'est clair. Elle s'en fiche complètement.

– L'année prochaine, je serai en tournée.

Après la musique et la scène, on a loyalement participé aux épluchages de légumes et autres essuyages de vaisselle, en essayant de ne pas entendre les conversations. Mais c'était difficile de sortir complètement du champ d'intervention d'Arielle. Elle nous tombait dessus toutes les cinq minutes.

– Mais ?! Ce n'est pas comme ça qu'on fait... Attends, je te montre !

Et tout le monde apprenait à peler une patate, à faire une mayonnaise ou à rincer un verre. Ensuite, les mêmes tout le monde ont glissé des sous dans une enveloppe pour les courses. J'ai mis tout l'argent que m'avait donné ma mère. Je suis ruinée. J'espère qu'il n'y aura pas de sortie payante. J'ai moyennement envie de faire la pauvre et d'emprunter à Julie. J'ai ma dignité. Par chance, il pleut sans arrêt. Les adultes jouent aux cartes en parlant de choses intelligentes et culturelles, et les enfants chassent les escargots sous la flotte en braillant. Plombant mais pas cher. Et moi, j'attends la nuit.

13 août

La deuxième nuit, David est venu dans ma chambre. La troisième, je suis allée dans la sienne. La quatrième, il est venu dans la mienne. Et la cinquième, on est restés chacun chez soi. On s'est endormis. Parce que le vrai problème, c'est de rester éveillé en attendant que toutes les lampes soient éteintes et que tous les habitants roupillent. Très dur, surtout après un certain nombre de nuits passablement raccourcies. La sixième nuit, on s'est endormis dans le même lit. C'était un peu la panique au réveil. Mais les parents étaient tellement occupés par leurs gosses que personne n'a remarqué David quand il est sorti de ma chambre. Les nuits passent et se ressemblent, et tant mieux. Je suis devenue ce genre de fille atroce qui veux juste que rien ne change jamais. La toujours contente. La souriante perpétuelle. La gourde absolue. Par ailleurs, je n'ai plus trop le temps d'écrire dans ce journal. À quoi ça sert un journal, je me demande, sans compter que j'ai ma pudeur.

14 août

J'ai fait des progrès en clownerie. Côté chanson en revanche, on rame. D'un point de vue général, je suis exténuée. On ne peut pas tout faire. L'amour, ça prend la tête.

Oh, j'adore ce garçon. Il me raconte ses histoires de quand il était petit, et moi je fais pareil. Il faut vraiment être fou d'amour pour écouter quelqu'un vous raconter pendant des heures ses souvenirs de Noël de quand il avait quatre ans. Normalement, on devrait en avoir super marre et le jeter hors du lit au bout de dix minutes. Mais non. Tout ce que je trouve à dire, c'est :

– Et le Noël de tes cinq ans ?

Et je le couvre de baisers. C'est la première fois de ma vie que je m'intéresse tellement à une autre personne. Que je m'intéresse passionnément. Ça m'épuise. J'ai des cernes jusqu'aux genoux.

15 août

– Un jour, a dit David, il faudra bien qu'on le fasse pour de bon.

– Un jour, j'ai dit, mais pas ce soir.

– Non, pas ce soir. Mais un jour.

– Un jour, j'ai dit. C'est pas l'urgence. Après, ce ne sera plus jamais pareil. J'aime bien quand c'est comme ça.

– Moi aussi, j'aime bien, a dit David. Qu'est-ce que tu veux dire par « comme ça » ?

– Comme c'est maintenant.

– D'accord. Comment c'est, « maintenant » ?

– Les caresses, les baisers, les souvenirs, la nuit qui dure et ne pas dormir. Attendre sans attendre.

– Attendre sans attendre. C'est bien, ça sonne. Tu ne veux pas faire une chanson ?

– Tu penses tout le temps à la musique ?

– C'est toi qui parles en musique.

– Un jour, j'ai dit, quand on sera tranquilles et sûrs de nous, il faudra vraiment qu'on le fasse pour de bon.

– Un jour, a dit David. Mais pas ce soir.

Je ne dis jamais à David que je l'aime. Il ne dit jamais qu'il m'aime. J'ai mon honneur. Il a bien le droit d'avoir le sien.

16 août

– Aurore ? Tu m'aimes ?

– Je ne peux pas le dire.

– Alors tu ne m'aimes pas.

– Si, je t'aime mais je ne peux pas te le dire.

– Qu'est-ce que tu ne peux pas dire ?

– Je ne peux pas dire « Je t'aime ». Je peux t'aimer mais je ne peux pas te dire « Je t'aime ». Ça craint. Je ne suis pas une actrice, ou une chanteuse, ou n'importe quoi de minable qui dit « Je t'aime, je t'aime, mon amour ». Je suis Charlie. Dans *Algernon*. Rappelle-toi.

– Alors écoute, Charlie. Moi je vais le dire : Je t'aime.

– Tais-toi ! Je ne peux pas entendre ça ! Ça me rend dingue !

– Tu es dingue.

– C'est bien ce que je te dis. Je suis dingue, je ne dis pas Je t'aime, et c'est comme ça.

– Pas grave. Je le dis pour deux. Je t'aime. Je t'aime.

– Je vais te taper.

– Vas-y. Essaie.

Je l'aime, c'est dingue.

17 août

Julie veut partir. Elle s'est assez entraînée dans sa grange. Surtout, elle ne supporte plus la pluie, les conversations, le sauté de veau et les parties de rami.

– Il vaut mieux qu'on s'en aille. Si je reste, je vais être désagréable.

– Mais tu es déjà désagréable. Demande à Arielle ce qu'elle en pense.

– Ça sera pire. Il arrive toujours un moment où je ne peux plus me contrôler.

– C'est vrai, a confirmé David en hochant la tête.

– Mais alors ? j'ai demandé. Les quatre nuits qui restent ?

– Qu'est-ce que c'est cette histoire de nuits ? a demandé Julie en regardant son frère.

– Rien, a fait David.

– C'est ça, a dit Julie, rien, bien sûr, rien... Prends-moi pour une imbécile. Allez, on rentre. Arielle sera trop contente de nous voir partir. Je vais la prévenir.

Et c'est exactement ce qu'elle a fait. Deux heures plus tard, les valises étaient bouclées, les draps dans la machine à laver, les adieux expédiés, et nous trois dans la voiture.

– Bon débarras, a dit Julie en cherchant les essuie-glaces sous le volant.

J'ai regardé David, puis j'ai regardé la maison, et j'ai eu envie de pleurer. Une baraque que je déteste. Pleine de gens que je déteste. Dans la campagne que je déteste. Et je trouve encore le moyen de pleurnicher. C'est nul.

20 août

« Attendre sans attendre
Se suspendre
Dans le plus que parfait
Habiter l'éternité.
Attendre sans attendre
Se surprendre
Sans espoir ni regret
Ni futur ni passé.
Attendre sans attendre
À tout prendre
Ne jamais se lasser
Juste recommencer
D'attendre sans attendre
D'attendre sans attendre. »

21 août

Je me réveille. Si David n'a pas appelé quand j'ai fini le petit déjeuner, c'est moi qui l'appelle. Ensuite, je vais chez lui, ou il vient chez moi, ou nous nous donnons un rendez-vous pour faire des trucs, genre boire une limonade du côté de chez lui ou boire une limonade du côté de chez moi. Personne pour nous embêter. Ils sont encore tous en vacances. Nous sommes seuls au monde au milieu de millions de personnes inconnues sans compter les chômeurs. Quelquefois nous allons au cinéma. Quelquefois nous allons voir Julie répéter. Quelquefois nous faisons de la musique. David a piqué la vieille guitare de ses sœurs, on apprend tous les deux. Vu qu'il a deux cents prix de l'école de musique, il est deux cents fois plus rapide que moi. Ça m'est égal. En guitare, on a toujours besoin d'un guitariste vraiment rapide et d'un autre vraiment bruyant. Je ferai l'autre. Les vacances. La belle vie, quoi.

Mes parents ont remarqué quelque chose. La preuve : ils ne me posent aucune question sur David. Ils font comme si tout était normal. Comme s'il faisait partie de la famille. C'est dingue. Ils feraient pareil avec n'importe quel imbécile sous prétexte que je le ramène chez nous. Ils pourraient faire au moins semblant de s'intéresser sincèrement à lui. À la fin, c'est vexant.

Par chance, Sophie n'est pas là. Apparemment, elle est installée dans une tulipe au milieu d'un polder. Qu'elle y reste.

25 août

– Tu vas toujours au travail ?

– Comme tu vois.

– Je croyais qu'ils te licenciaient ?

– Ils vont le faire.

– Et toi, tu y vas toujours ? Ma parole, on pourrait te marcher dessus, ce serait pareil.

– Si je veux être payée jusqu'au bout, il faut bien que j'y aille jusqu'au bout.

– C'est gai.

– On organise un rassemblement. Avec les copains. Devant les bureaux. On va mettre des banderoles.

– Arrête. Tu me fais peur.

– Viens nous soutenir, au lieu de faire la maligne.

– À part crever de chaud sous ta banderole, qu'est-ce qu'on fera ?

– On sera tous ensemble. Tu n'as qu'à passer chanter ma chanson. Avec David.

– Comment tu sais qu'il s'appelle David ?

– Il ne s'appelle pas David ?

– Si. Je me demande juste comment tu le sais.

– J'entends son nom cinquante fois par jour. Excuse-moi d'avoir des oreilles.

– Je t'excuse. Tu sais qu'on sort ensemble ?

– Non ? Sans blague ?

Elle m'a éclaté de rire au nez. Elle m'énerve. Elle m'énerve. Je vais y aller, à son rassemblement. Ça lui apprendra.

SEPTEMBRE

La fille qui n'avait qu'une vie

1er septembre

Même en ramenant leurs familles et leurs amis, les copains n'étaient pas très nombreux. Assez pour faire une fête, à la rigueur. Mais pas de quoi impressionner la rue. Ils avaient tendu leur banderole sur la grille d'entrée. Quelqu'un s'était donné du mal pour peindre en grandes lettres à peu près droites « Travailleurs jetables en colère ». Et, sans blague, ils avaient l'air super jetables, rassemblés là-dessous, les manches relevées, à crever de chaud dans l'après-midi, au milieu de l'indifférence générale. Ils étaient plantés sur leur trottoir comme au milieu de nulle part et personne ne s'arrêtait pour leur parler. On voyait même des gens changer de trottoir pour ne pas avoir à les frôler de trop près. Des fois que le chômage serait contagieux. Les gens, ma parole, c'est chacun pour soi. Que chacun se noie tout seul dans son puits et les vaches seront bien gardées. J'étais un peu énervée qu'on ait l'air si minables, nous les travailleurs jetables et leurs familles, juste une bande de paumés tassés sous leur banderole comme une vieille Armée du Salut sans uniformes. Mais il suffisait de rentrer à l'intérieur du groupe pour que l'ambiance s'améliore. Les copains étaient super contents de voir n'importe qui arriver pour les soutenir. Ils serraient les mains avec des yeux mouillés de gratitude.

– Merci d'être venue, m'a dit un vieux collègue de ma mère en chevrotant vaguement. Ça fait plaisir de voir des jeunes.

Il avait l'air tellement ému que j'ai eu envie de lui hurler dessus.

– Pas de quoi, j'ai crié. Ma mère aussi, elle est virée.

– Alors c'est toi, la fille de Françoise ? Celle qui fait des chansons ?

En même temps, vu que j'avais un étui de guitare dans le dos, et que j'étais accompagnée d'un garçon qui portait lui-même un petit ampli, ce n'était pas très difficile à deviner.

– Bonjour, a dit David en lui tendant la main. Personnellement, je n'ai aucun parent de viré dans l'affaire. Mais je suis très heureux d'être ici avec vous.

– C'est bien, mon gars, a répondu le type. Le jour où ce sera ton tour de tendre ta banderole, tu peux compter sur moi. Tout le monde a son tour de banderoles dans la vie, tu verras. Et quand le jour arrive, on est content de ne pas se retrouver tout seul en dessous. On m'a dit que vous alliez nous chanter une petite chanson ?

J'ai vu le moment où nous allions nous mettre à beugler tous les deux comme deux pauvres punks qui font la manche devant un centre commercial, avec leur chien accroché par une ficelle à l'ampli. Au moins, les gens auraient une bonne raison de changer de trottoir. C'est là que j'ai compris que j'avais au moins appris une chose cette année : étant donné qu'à force de penser des trucs inhibants on finit par être inhibé, le mieux est d'arrêter de penser. Et de foncer dans le tas.

– David, on s'installe où ?

– Par ici, ma grande, m'a dit le collègue de ma mère.

Il a écarté quelques copains et nous a fait une petite place sous la banderole, bien au milieu, sous le mot « jetables ». David a installé son ampli et il a passé la bandoulière de la guitare. Comme je ne suis pas encore très au point, ni sur les accords, ni sur le rythme, ni sur rien, on a décidé qu'une seule guitare suffirait. Qu'il valait mieux pour tout le monde que je me concentre sur le chant. On avait l'air plutôt traditionnel comme formation, monsieur gratte l'instrument, madame donne de la voix. Il faut un début à tout.

Vu que notre petit groupe avait l'air de préparer quelque chose, des gens se sont approchés. Pour voir. Des fois qu'il se passerait quelque chose. Je veux dire, quelque chose de plus excitant qu'un tas de types virés de leur boulot. À défaut d'être solidaire, le passant est curieux. Bref, nous étions les jetables et associés, plus quelques badauds, et David et moi au milieu. J'ai cherché des yeux deux ou trois personnes que je pourrais regarder en chantant. Pas des têtes de rats qui prennent des airs gênés ou dégoûtés devant votre exhibition. Des bonnes têtes avec des bons yeux qui vous trouvent terriblement intéressante et pas ridicule du tout. Ça existe. Le tout, c'est de les choisir. J'ai pris le vieux collègue et ma mère. Elle, au moins, j'étais sûre qu'elle n'oserait pas me quitter du regard.

– On y va ? a fait David en me regardant.

– On y va.

Il a lancé les accords, l'ampli était réglé juste bien pour ne pas me couvrir complètement. Et hop, j'ai hurlé :

« Arrête de m'dire de travailler,

Tu viens tout juste de te faire virer. . »

La guitare de David avait un bon son sec. J'avais la voix un peu rauque. La chaleur, j'imagine. C'était bien parti quand j'ai vu devant moi les yeux de ma mère grossir et devenir transparents. Menaces de flotte à l'horizon. Le problème avec elle, c'est qu'on ne peut pas lui faire confiance. Elle est trop émotive. Je me suis reportée sur Vieux Collègue qui semblait, lui, tout à fait satisfait, qui n'avait du tout l'intention de pleurer, même pas un peu, et qui serrait les poings avec beaucoup de conviction. Vieux Collègue, mon cher public.

L'avantage du concert de soutien, c'est que les gens soutiennent. À fond. Ils applaudissaient aux meilleurs passages. On ne s'entendait plus mais franchement c'était assez excitant. Même les badauds se laissaient entraîner. Et tout le monde de reprendre en chœur « Au secours, Maman, au secours », on se serait cru dans un orphelinat. David a dû monter le son de l'ampli. Attirés par le vacarme, d'autres curieux sont venus s'agglutiner. Si bien qu'il a fallu la chanter une autre fois, cette chanson, pendant que ma mère s'essuyait les yeux avec le mouchoir en papier que lui tendait mon père. À la fin, tout le monde a applaudi, mais ce n'était pas tellement nous qu'on applaudissait. Les gens s'applaudissaient entre eux parce que cette chanson, après tout, c'était la leur. David a posé sa guitare, et mon père m'a tendu les mouchoirs en papier pour que je m'essuie le visage. Mais la vérité, c'est que j'aurais bien pris une douche. J'étais trempée de la tête aux pieds.

– On dirait que chanter donne chaud. L'émotion, j'imagine.

– Hou là, non, j'ai dit. Il fait juste soixante degrés, et je viens de brailler comme un putois pendant vingt minutes. J'ai le thermomètre au bord de l'explosion, c'est tout.

Mon père m'a regardée avec un petit sourire et je savais ce qu'il pensait. Il pensait que je faisais la dure à cuire, et après tout c'était peut-être exactement le cas. Faut pas me confondre avec ma mère. Son registre à elle, c'est l'émotion. Moi, ce serait plutôt l'action. Ensuite, j'ai aperçu Sophie et Jessica dans la petite foule qui se congratulait sous la banderole. Sophie distribuait des gâteaux et Jessica donnait un biberon de flotte à Rosette, qui était rouge comme une tomate. Ce truc, avec gosses, gâteaux et chansons, c'était vraiment devenu une fête. Une vraie fête de jetables avec leurs invités de passage. Je me suis dit qu'il faudrait en faire d'autres. Même quand ils seraient tous chômeurs, ils auraient encore des familles, des amis. Il y aurait encore des curieux dans la rue et des bouts de trottoir à occuper. C'est peut-être une idée politique, de faire des fêtes ensemble. C'est peut-être une idée politique de ne pas s'abandonner les uns les autres.

2 septembre

Sans blague, après le concert d'hier, je ne sais pas si j'ai très envie de continuer Blanche-Neige. Je préfère jouer avec

David. Tout est plus simple à deux, et au moins on n'a pas de chef. Ce n'est pas que je n'aime pas Areski. Mais j'ai du mal avec les chefs.

– On peut toujours lui proposer de rester dans son groupe, a dit David. Mais il faut le prévenir qu'on travaille aussi à deux en parallèle.

– Jamais j'aurai le temps de répéter pour tout le monde. Ou alors, j'arrête le lycée et je ne sais pas si c'est légal.

3 septembre

Le lycée est toujours debout. Célianthe et Jabourdeau sont toujours ensemble. J'ai toujours la même prof d'histoire-géo, et ça ne fait plaisir à personne, ni à elle ni à moi. Il paraît qu'il faut se taper encore un an de français sous prétexte qu'il y a bac à la fin de l'année. L'arnaque. Et Areski a décidé d'arrêter Blanche-Neige. Il a téléphoné hier soir. Il tente sa chance dans un groupe qui cherche un bassiste. Des vrais musiciens. Qui veulent réussir. Pour de bon. Pas des amateurs. Comme nous. Trop aimable.

– Tout s'arrange, a dit David.

– Bon débarras, j'ai dit.

J'ai pensé que j'allais redevenir copine avec Samira. À condition qu'elle accepte de sacrifier cinq minutes de travail de temps en temps pour les passer avec moi. Pas tellement qu'elle se fasse du souci pour le bac. C'est comme si elle l'avait déjà. Mais elle ne pense déjà qu'à l'année prochaine. Médecine.

Moi, je ne pense qu'à David. C'est sûrement un défaut d'intelligence. Le peu que j'ai de disponible, il l'occupe tout entier. Heureusement qu'on ne peut pas se voir tous les jours. Ça me laisse un peu de temps pour les maths. Pour la musique. Pour la politique. Pour ricaner avec Lola. Pour me pourrir avec Sophie. Et pour adorer Rosette.

16 septembre

Lola aussi a l'intention d'avoir son bac. Si elle l'a, tous les espoirs me sont permis. Ça vaut peut-être le coup de retourner à l'église allumer des bougies et demander une grâce spéciale. Au baptême de Rosette, elle avait l'air d'avoir Dieu à la bonne. Il lui filera peut-être un coup de main. Il lui inventera une option miraculeuse sur mesure, cheveux, costume de foire ou petits amis, qui sait. Parce que, s'il faut compter sur les révisions, ça va être un peu juste. Elle n'est tout simplement pas faite pour le travail scolaire. Sa vie est ailleurs, c'est tout.

17 septembre

Bon sang, j'ai une quantité industrielle de trucs à raconter. Mes journées sont bourrées d'événements. Quelquefois j'ai l'impression qu'elles vont exploser. Comme si j'avais déjà vécu une journée complète à midi et qu'il fallait en recommencer une autre dans la foulée. Je reconnais que les événements en question sont plus ou moins minuscules mais ce sont des événements quand même. Pas plus palpitant que dans une série télé de base. Mais pas moins. Où les gens trouvent le temps d'écrire leur journal, c'est la question. Pour moi, plus ça va, moins ça va. Je ne peux pas à la fois vivre des choses à longueur de journée et les écrire. C'est l'un ou l'autre. Ce sera l'un. Je vais me coucher et dormir. Je ne suis pas une machine à écrire, à la fin.

20 septembre

David ne voulait pas me croire. Pour le journal.

– Depuis trois ans, je te jure.

– Je ne te crois pas.

– Regarde.

J'ai sorti mes cahiers, je les ai posés sur ses genoux. Il a ouvert des yeux effarés.

– J'arrive pas à le croire.

– Ouvre.

Il a feuilleté les pages sans s'arrêter, comme si le papier lui brûlait les doigts.

– Alors ?

– C'est bon. Je te crois.

– Tu n'as pas envie de lire ?

– Non.

– Même pas quelques lignes ?

– Surtout pas.

– T'as peur de me trouver idiote ?

– C'est pas ça. J'aime bien la fille de maintenant. Je n'ai pas trop envie de connaître celle d'avant. C'est comme si je fouillais dans des vieux habits sales.

– Ne dis pas « vieux habits sales ». C'est dégoûtant.

– Exactement. Ça me dégoûte de lire des choses qui n'ont pas été écrites pour moi.

– Tu me trouves dégoûtante ?

– Mais non, imbécile.

– Tu me traites d'imbécile ?

– Mais non...

– Trop tard. Tu l'as dit. Dégoûtante et imbécile, ça fait beaucoup pour la même soirée.

– D'accord. File ce truc. Je vais le lire.

– T'es malade ou quoi ? Jamais je ne te le laisserai fouiller dans ma vie privée d'avant. Même si tu me payais cent mille euros.

– Cent mille euros ? Tu crois que ta vie privée d'avant vaut cent mille euros ?

J'en avais marre de cette discussion idiote. On a arrêté de parler de mon journal. J'ai rangé les cahiers dans le troisième tiroir de mon bureau, sous mes vieux bulletins. Adieu, vieux et sales cahiers de ma dégoûtante vie d'avant.

22 septembre

– Tu ne préfères pas écrire des chansons ? m'a demandé David.

Il était assis sur mon lit, et il en était encore à se poser des questions.

Ce journal, on aurait dit que ça l'intéressait plus que moi.

– Ce n'est pas pareil. Les chansons sont en plus. Elles sont une partie du journal, si tu veux.

– Tout ce que tu fais, tu l'écris ?

– Pas tout. Personne n'arriverait à tout écrire. La vie est trop nombreuse.

– Oui, a constaté David.

Il m'a regardée avec des yeux mélancoliques, et c'était affreux parce que je me suis sentie mélancolique aussi. La véritable épidémie mondiale instantanée.

– Souvent, dans la journée, j'ai envie d'arrêter les moments. Les moments où je suis heureuse, ceux où je suis triste, ceux où je suis en colère, et même ceux où je m'ennuie. Je voudrais qu'ils restent avec moi, quelque part, dans une sorte de présent qui durerait toujours. Je voudrais ne rien perdre de ce qui a été. Lola, ma grand-mère, Samira, les disputes avec Sophie, le baptême de Rosette… Alors j'écris des petits trucs dans mon journal pour les sauver de la disparition.

– Mais ce n'est pas possible, a dit David. Même les choses qui ont été écrites finissent par s'abîmer. Comme les vieilles photos. Elles deviennent toutes pâles. Et à la fin, quand il n'y a plus personne pour s'en occuper, on les trouve à vendre dans les brocantes, en désordre dans des boîtes en carton ou des sachets de plastique.

– Tu dis ça pour me faire pleurer ou tu as une meilleure raison ?

Des fois, je me demande si David n'est pas un peu trop sensible pour être mon copain. Personne n'a besoin d'une personne trop sensible dans la vie de tous les jours. Ça se termine toujours par des embrouilles et des mélancolies. Ce n'est pas un type comme Tom qui m'aurait baratinée pendant des heures avec la disparition des choses.

– De toute façon, je n'ai pas le temps de l'écrire, ce journal. J'ai des journées un peu trop chargées, figure-toi. Tout me prend du temps à vivre. À commencer par toi.

– Ça y est. C'est de ma faute…

– Tout de suite… Désolée de te décevoir mais c'est pas ta faute personnelle. C'est la faute de tous ceux que j'ai plus envie de connaître que de commenter. J'écrirai quand je serai vieille. Quand on est vieux, on a un peu fait le tour de la question. On peut se passer d'une vie à soi. On n'a plus que ça à faire de bassiner les gens avec ses vieux souvenirs et autres avis personnels. Non ?

– J'en sais rien, a dit David.

Voilà ce qui est énervant chez lui. Il lance des sujets de discussion sur lesquels il n'a pas vraiment d'avis. Résultat : on s'énerve comme des dingues pour découvrir que, de toute façon, il n'en pense rien.

– Tu pourrais faire un effort pour avoir une opinion. Au moins par politesse. C'est quand même toi qui as commencé à parler du journal. Je m'en fichais pas mal avant que tu me casses le moral.

Il a souri d'un air ravi et je me suis rendu compte que c'était là qu'il touchait au point ultime de l'énervement. Ce n'est pas qu'il est trop sensible, ni trop mélancolique, ni qu'il lance des sujets de discussion à travers tout, mais c'est qu'il a cette façon trop charmante de sourire dans les moments de panique, comme si c'était juste une blague, la sensibilité, la mélancolie, le temps qui passe, une bonne blague en passant.

– Oh, toi, j'ai dit, toi… Toi…

Il a secoué la tête.

– Je pensais aux chansons, a-t-il observé exactement comme si nous n'avions parlé de rien et qu'il reprenait la discussion à zéro. Tu as remarqué qu'une chanson bricolée avec les vieux sentiments d'une seule personne fabrique de nouveaux sentiments pour d'autres personnes ? Tu as remarqué qu'une bonne chanson garantit le passé, le présent et le futur à la fois ?

– Tu as remarqué que tu me prends la tête avec des considérations de grammaire alors que tu dois rentrer chez toi pas plus tard que tout à l'heure et qu'on ne se revoit pas avant samedi ?

– Tu as remarqué que tu as un sale caractère ?

– Tu as remarqué que, pour un sale caractère, je suis drôlement gentille avec toi ?

– Oui et c'est pour ça que je t'aime.

Qu'est-ce que je pouvais faire ? Je me suis jetée sur lui pour lui mettre une claque. J'ai réussi à le basculer sur mon lit. Mais, pour la claque, il l'attend encore.

24 septembre

« Où vont tous les moments,
Tous les bonheurs qui passent ?
C'est le temps qui les mange.
Je veux bien que tout change,
Mais sans que rien s'efface.
Je veux garder Lola,
Rosette et Samira,
Sophie et Jessica,
Ma maman, mon papa,
Mes ancêtres en l'état.
Je veux rester la même,

Garder tous ceux que j'aime.
Et si c'est l'avenir
Qui oblige à vieillir,
Vieillir seulement un peu
Pour la règle du jeu. »

On dirait que le vieux goût du passé me tire à fond de son côté. Si ça continue comme ça, autant dire que, sous le rapport du futur, je suis mal barrée dans la vie. J'ai intérêt à laisser tomber ce journal nostalgique et à me précipiter en chantant vers mes lendemains radieux. Sauf que j'ai juste l'impression d'être dans une bagnole sans freins lancée à fond de train sur une route de montagne. J'en ai marre de ne plus savoir quoi penser. Et tout ça par la faute de David et de ses conversations grammaticales. Je suis une pauvre fille dépressive sous influence. Pas de quoi s'affoler, dans un sens. C'est un plan de carrière comme un autre. Après tout.

26 septembre

J'ai croisé Lola devant les boîtes aux lettres. Je me demande comment ils l'acceptent, dans son lycée. Elle est peinte comme si elle allait à la guerre chez les Sioux. Ils sont peut-être jumelés avec une tribu. Elle doit faire peur à tout le monde. Après l'échange rituel des « Ça va, ça va », je lui ai annoncé que je changeais de vie. Elle est mon amie. Normal qu'elle soit au courant.

– Lola, j'ai dit, j'ai pris une grande décision. J'arrête le journal.

Elle m'a regardée avec de pauvres petits yeux effarés.

– Tu te désabonnes ?

C'est tout ce qu'elle a trouvé à me répondre. Ma meilleure amie. Déprimant, non ?

27 septembre

Samira trouve qu'arrêter le journal est une bonne idée. Elle trouve d'ailleurs que commencer était une initiative idiote. Elle pense que ça ne sert à rien d'écrire un journal intime, précisément parce qu'il est intime.

– Le temps perdu… Si tu ne peux pas t'empêcher d'écrire, écris au moins quelque chose que les gens puissent lire. Je ne sais pas, moi… Tout le monde est capable d'écrire une histoire d'amour…

Une histoire d'amour. Ah, ah. N'empêche qu'elle a consacré presque dix minutes de son temps à parler avec moi. Dans le fond, compte tenu qu'elle se fiche des journaux, de l'intimité, et probablement de ce tout qui m'arrive, c'est plutôt gentil de sa part. J'ai failli la remercier. Mais je me suis abstenue. Elle m'énerve trop.

28 septembre

Je n'ai rien dit à mes sœurs, ni à mes parents, ni à mes ancêtres. D'une part, je ne m'intéresse pas tellement à leur avis. D'autre part, j'aime autant ne pas aborder le sujet avec eux. Et s'ils savaient que j'écris ? Et s'ils connaissaient ma cachette ? Et s'ils avaient été fouiller dans mes affaires ? Et s'ils avaient fourré leurs sales nez dans mes écrits ? Et s'ils me suppliaient de continuer parce que je suis leur écrivain préféré ? Pitié.

29 septembre

OK. Je décroche. J'abandonne. J'arrête. Je planque ce journal dans une boîte à chaussures, sous une couche de fermiers Fisher-Price. Soit il disparaît, victime d'une attaque de rangement maternel, soit je le retrouve quand je serai vieille. Au moins, je serai contente de remettre la main sur les Fisher-Price. Avec un peu de chance, ils seront devenus de vieux jouets de collection. Moi aussi, je serai devenue une vieille bonne femme de collection. Avec mon journal comme certificat d'authenticité. A été jeune un jour. Incroyable mais vrai.

30 septembre

Au revoir, cher petit journal. L'avantage, c'est que tu n'es pas tout seul dans ta boîte. Tu as toute une ferme pour te tenir compagnie. Un peu comme une momie égyptienne. On vous déterrera tous ensemble. Je serai devenue chanteuse de bal, ou présidente de syndicat, ou prof de maths, on ne sait pas. En attendant, prends bien soin du cochon, il a failli jouer à Noël dans la crèche.

Salut, mon pote. À plus tard. Dans le temps.